박문각 취밥러 시리즈

산업안전산업기사

실기 이론+작업형

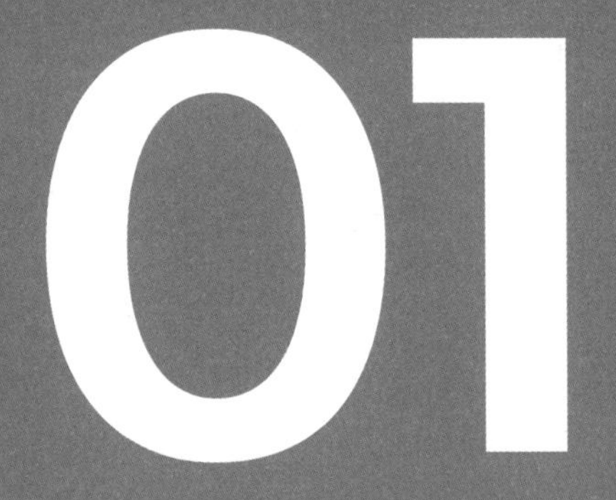

산업안전관리 계획 수립

저자프로필

김용원 교수

Profile

37년 강의 경력
1989년 오프라인 현장 강의 시작
2003년 인터넷 동영상 강의 시작

현, 온라인 교육기관 '산업안전에듀' 대표
현, 울산대학교 산업대학원 안전관리전공 겸임교수
현, 온라인 교육기관 '배울학' 산업안전 대표교수
현, 한국폴리텍대학 석유화학공정기술원 외래교수
현, 한국폴리텍대학(울산캠퍼스, 동부산캠퍼스) 외래강사
현, (사)한국방폭협회 산업안전 기술자문위원
현, 울산시 전문경력인사지원센터(NCN) 연구위원
현, 울산안전발전협회 전문위원

대표적인 기업체 강의

삼성전자, 삼성반도체, 삼성디스플레이, LG디스플레이, 포항 포스코, 고려아연, 조선업퇴직자 재취업교육(현대, 삼성, 대우중공업), 쌍용C&E, 이마트, 울산북구청, 울산대산학협력단, 호서대산학협력단, 포항폴리텍산학협력단 등

자격사항

- 산업안전산업기사 [한국산업인력공단]
- 수질환경기사 [한국산업인력공단]
- 산업위생관리기사 [한국산업인력공단]
- 건설안전기사 [한국산업인력공단]
- 건설안전산업기사 [한국산업인력공단]
- 인간공학기사[한국산업인력공단]
- 소방안전관리자 2급 [한국소방안전원]
- 교원자격증(중등2급 정교사) [교육부장관]
- 직업능력개발훈련교사(산업안전관리3급) [지방고용노동청]
- 직업능력개발훈련교사(평생직업교육3급) [지방고용노동청]
- 요양보호사자격증 [대구광역시장]

머리말

산업현장의 예상치 못한 사고와 재해 그리고 각종 재난으로부터 안전을 지키는 일은 누구 한사람의 힘으로 해낼 수 있는 일이 아니다. 국가를 비롯하여 사업주, 관리자, 근로자 한사람 한사람 그리고 국민 모두의 관심과 참여와 노력이 필요한 일이라 할 수 있겠다.

여러가지 문제가 있음에도 불구하고 중대재해 처벌법이 2021년 제정되어 시행된 것은 근로자와 국민의 안전을 위해서는 반드시 긍정적인 부분이 있으리라 생각한다.
아울러 2년간의 유예기간을 두었던 50인 미만 사업장에 대해서도 2024년부터 확대적용됨에 따라 산업현장 뿐만 아니라 대한민국 전체가 안전에 대한 새로운 인식의 전환이 시작되었다고 볼 수 있다.

이제는 근로자뿐만 아니라 국민모두가 위험을 볼 수 있는 지식과 능력을 갖출 수 있어야 하며, 특별히 산업현장에서 주도적으로 안전을 이끌어 가야할 산업안전(산업)기사의 역할이 더욱 중요해졌으며, 그 수요 또한 급격히 증가하고 있는 현실이다.

필자는 이러한 상황을 감안하여 37년 동안의 강의 경험을 토대로 20여년전부터 출간해온 산업안전(산업)기사 수험서를 이번에 박문각에서 새로운 모습으로 출판하게 되었다.

그동안, 매년 개정과 수정을 거듭하는 과정에서 많은 분들이 확인하고 인정하며, 응원해 주신 덕분이라 여기며, 감사한 마음과 앞으로 더 좋은 수험서가 되도록 끊임없이 노력해야겠다는 다짐을 하게된다.

필자가 나름대로 많은 준비기간과 세심한 주의를 기울여 집필하였으나 전문적이고 방대한 분량의 산업안전을 완벽하게 정리하기에는 아직도 부족함이 많다고 생각한다.
따라서, 산업안전을 위해 애쓰고 노력하는 현장의 선후배 안전관리자 및 보다나은 안전관리를 위해 끊임없이 연구하고 수고하는 여러 교수님들의 아낌없는 지도와 편달을 바라며, 항상 수험생의 입장에서 생각하고 고민하여 부족한 부분들은 계속 수정, 보완해 나갈 것을 약속한다.

출판의 기회를 주신 박문각 관계직원 여러분께 마음깊이 감사드리며, 처음부터 끝까지 이 길을 시작하시고 인도하신 분이 여호와 하나님이심을 고백하며, 모든 영광을 임마누엘의 하나님께 돌립니다.

산업안전산업기사 시험정보

산업안전산업기사란?

- **자격명:** 산업안전산업기사
- **관련부처:** 고용노동부
- **시행기관:** 한국산업인력공단
- **직무내용:** 제조 및 서비스업 등 각 산업현장에 소속되어 산업재해 예방계획의 수립에 관한사항을 수행하며, 작업환경의 점검 및 개선에 관한 사항, 사고사례 분석 및 개선에 관한 사항, 근로자의 안전교육 및 훈련 등을 수행하는 직무

산업안전산업기사 응시료

- **필기:** 19,400 원
- **실기:** 34,600 원

산업안전산업기사 출제 과목

구분		내용
시험과목	필기	1. 산업재해 예방 및 안전보건교육 2. 인간공학 및 위험성 평가관리 3. 기계·기구 및 설비 안전관리 4. 전기 및 화학설비 안전관리 5. 건설공사 안전관리
	실기	산업안전관리실무

산업안전산업기사 검정방법

필기	문제형식	객관식 4지 택일형
	문항수	100문항(과목당 20문항)
	시험시간	2시간 30분(과목당 30분)
실기	문제형식	복합형(필답형, 작업형)
	시험시간	필답형 1시간/작업형 1시간

산업안전산업기사 합격기준

- **필기:** 100점을 만점으로 하여 과목당 40점 이상, 전과목 평균 60점 이상
- **실기:** 100점을 만점으로 하여 60점 이상

저자가 알려주는 합격 꿀TIP

1. 응용문제에도 당황하지 않도록 충분한 이론 개념 학습하기!
2. 본인에게 주어진 시간에 따라 효과적인 학습 방법 찾기!
   HOW? 주어진 시간이 적으면, 핵심사항에 대한 암기 위주로 공부하기
   주어진 시간이 충분하면, 이론에 대한 개념을 충분히 학습하기
3. 기출문제를 다양하게 풀어봄으로써 출제경향과 이론 개념 다지기!

이 책의 구성과 특징

이론 본문 구성

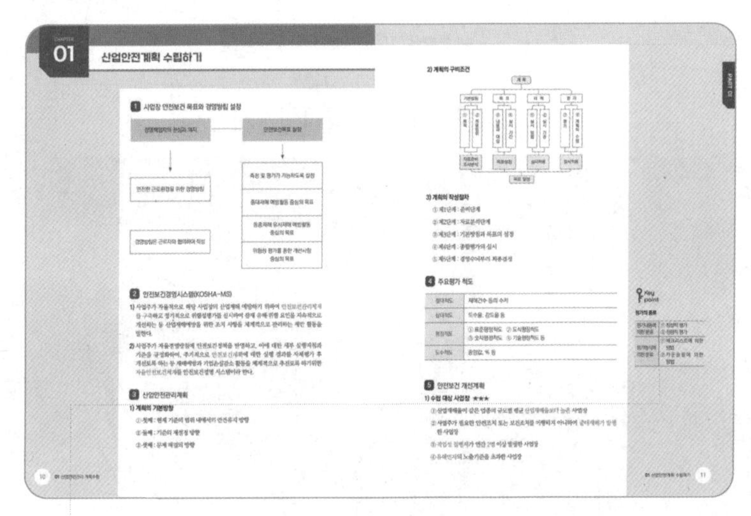

핵심이론

전문 교수진이 최신 시험에 출제된 핵심적인 내용을 엄선하였습니다. 복잡하고 방대한 이론을 간략화, 도식화하여 쉽게 이해할 수 있고, 중요 내용을 중심으로 효과적으로 학습할 수 있습니다.

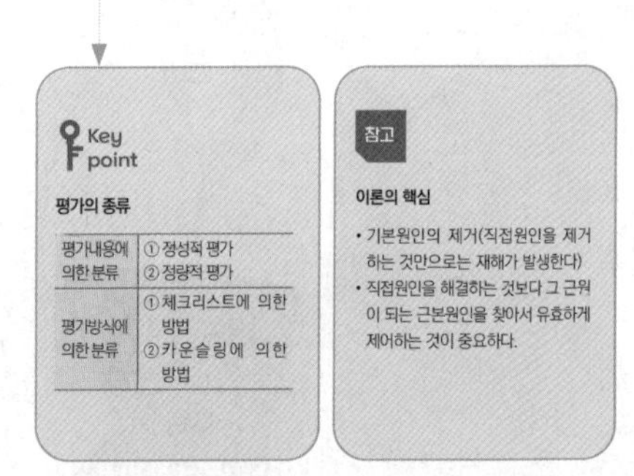

Key point
평가의 종류
평가내용에 의한 분류
① 정성적 평가
② 정량적 평가
평가방식에 의한 분류
① 체크리스트에 의한 방법
② 카운슬링에 의한 방법
참고
이론의 핵심
• 기본원인의 제거(직접원인을 제거하는 것만으로는 재해가 발생한다)
• 직접원인을 해결하는 것보다 그 근원이 되는 근본원인을 찾아서 유효하게 제어하는 것이 중요하다.

날개 구성

보충 및 심화개념은 'key point'와 '참고'로 따로 분리해서 정리하였습니다.

중요도 표시

시험 전에 꼭 확인해야 하는 주요단어와 문장은 색깔로 표시하였으며, 별표로 중요한 단원을 표시하여 수험생들이 효과적으로 학습할 수 있도록 구성하였습니다.

산업안전 산업기사실기 제1회 작업형 기출문제

01 기계안전

작업형 문제

대표적인 작업형 예시 문제를 제공합니다.

필답형 문제 구성

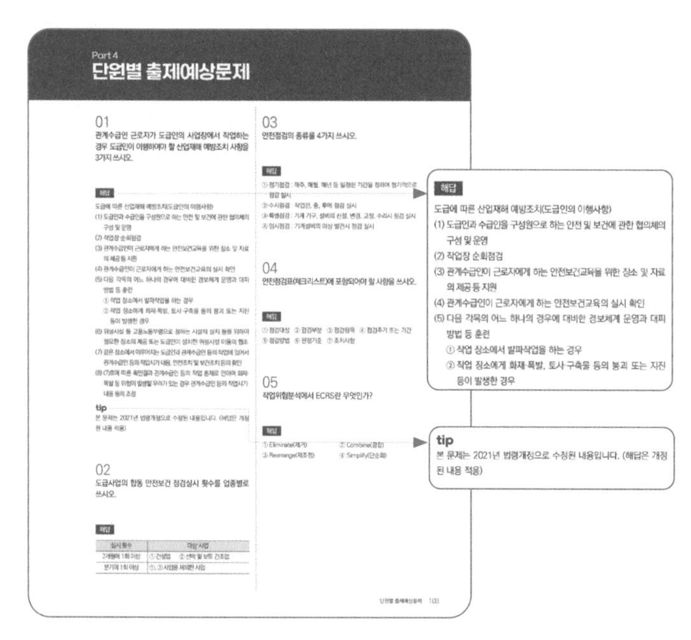
Part 4
단원별 출제예상문제

01
관계수급인 근로자가 도급인의 사업장에서 작업하는 경우 도급인이 이행하여야 할 산업재해 예방조치 사항을 3가지 쓰시오.

02
도급사업의 합동 안전보건 점검실시 횟수를 업종별로 쓰시오.

03
안전점검의 종류를 4가지 쓰시오.

04
안전점검표(체크리스트)에 포함되어야 할 사항을 쓰시오.

05
작업위험분석에서 ECRS란 무엇인가?

해답
도급에 따른 산업재해 예방조치(도급인의 이행사항)
(1) 도급인과 수급인을 구성원으로 하는 안전 및 보건에 관한 협의체의 구성 및 운영
(2) 작업장 순회점검
(3) 관계수급인이 근로자에게 하는 안전보건교육을 위한 장소 및 자료의 제공 등 지원
(4) 관계수급인이 근로자에게 하는 안전보건교육의 실시 확인
(5) 다음 각목의 어느 하나의 경우에 대비한 경보체계 운영과 대피방법 등 훈련
① 작업 장소에서 발파작업을 하는 경우
② 작업 장소에서 화재 폭발, 토사 구축물 등의 붕괴 또는 지진 등이 발생한 경우

tip
본 문제는 2021년 법령개정으로 수정된 내용입니다. (해답은 개정된 내용 적용)

| 필답형 기출문제

기출 유형의 문제로 학습 내용을 복습하며 출제 경향과 문제 유형을 파악함으로써 실전에 대비할 수 있습니다.

| 자세한 해설

맞춤형 해설로 문제와 답을 쉽게 이해할 수 있으며, 부족한 부분이 무엇인지 확인할 수 있습니다.

| 해설 속 tip

해설 외에도 해당 문항에서 학습하면 좋을 추가 내용을 수록하여 문제에 대한 이해도를 높이고, 관련 개념을 학습할 수 있도록 하였습니다.

부록 구성

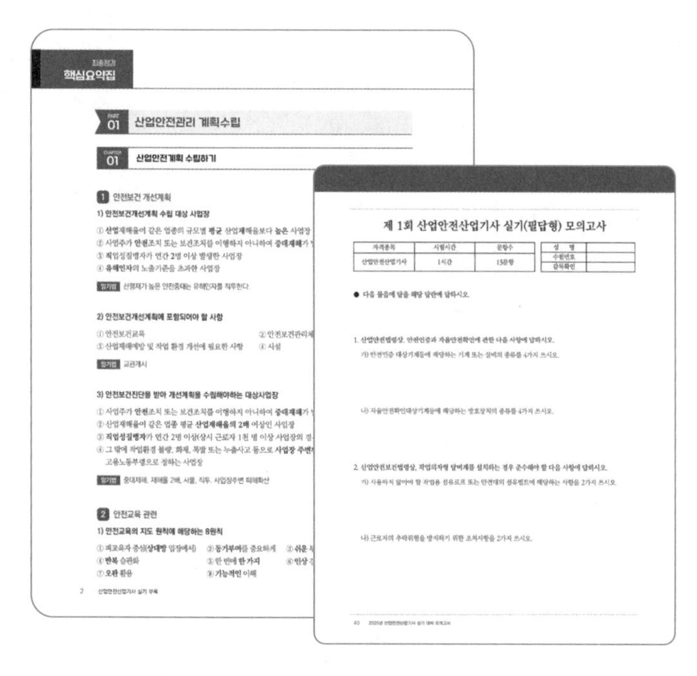
최종점검 핵심요약집

PART 01 산업안전관리 계획수립

CHAPTER 01 산업안전계획 수립하기

1 안전보건 개선계획

1) 안전보건개선계획 수립 대상 사업장

2) 안전보건개선계획에 포함되어야 할 사항

3) 안전보건진단을 받아 개선계획을 수립해야하는 대상사업장

2 안전교육 관련

1) 안전교육의 지도 원칙에 해당하는 8원칙

제 1회 산업안전산업기사 실기(필답형) 모의고사

● 다음 물음에 답을 해당 답란에 답하시오.

| 최종점검 핵심요약집

핵심 이론만을 엄선하여 수록하였습니다.

| Final 모의고사

수험생들이 스스로 역량을 확인할 수 있도록 최신 경향의 실전 모의고사로 실전 시험에 대비할 수 있습니다.

CONTENTS

목차

Study check 표 활용법

스스로 학습 계획을 세워서 체크하는 과정을 통해 학습자의 학습능률을 향상시키기 위해 구성하였습니다.
각 단원의 학습을 완료할 때마다 날짜를 기입하고 체크하여, 자신만의 3회독 플래너를 완성시켜보세요.

PART 01 ~ 13

CHAPTER 01

산업안전계획 수립하기

1 사업장 안전보건 목표와 경영방침 설정

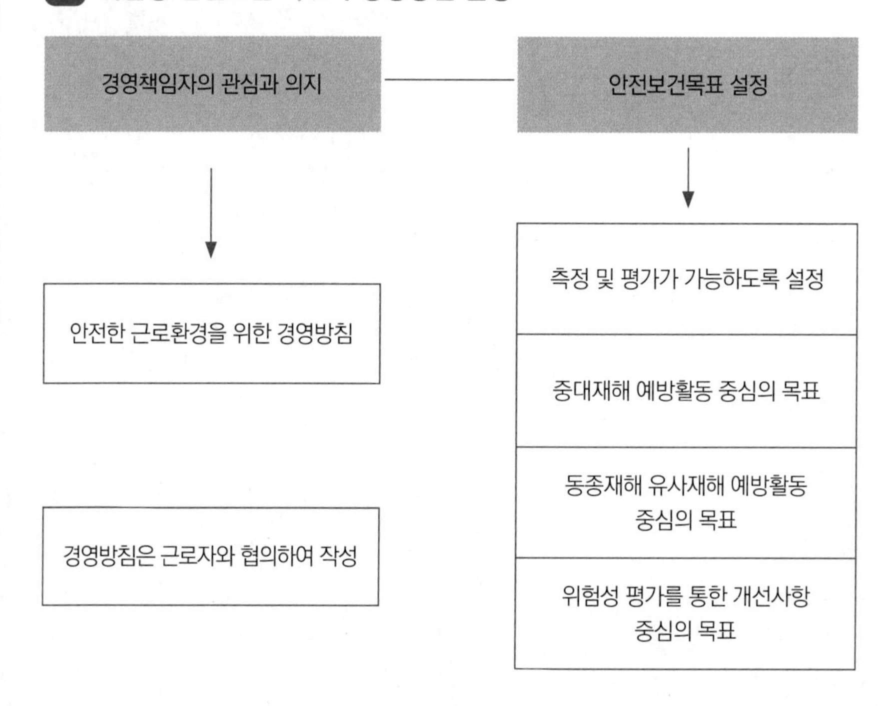

2 안전보건경영시스템(KOSHA-MS)

1) 사업주가 자율적으로 해당 사업장의 산업재해 예방하기 위하여 안전보건관리체제를 구축하고 정기적으로 위험성평가를 실시하여 잠재 유해·위험 요인을 지속적으로 개선하는 등 산업재해예방을 위한 조치 사항을 체계적으로 관리하는 제반 활동을 말한다.

2) 사업주가 자율경영방침에 안전보건정책을 반영하고, 이에 대한 세부 실행지침과 기준을 규정화하여, 주기적으로 안전보건계획에 대한 실행 결과를 자체평가 후 개선토록 하는 등 재해예방과 기업손실감소 활동을 체계적으로 추진토록 하기위한 자율안전보건체계를 안전보건경영 시스템이라 한다.

3 산업안전관리계획

1) 계획의 기본방향

① 첫째 : 현재 기준의 범위 내에서의 안전유지 방향

② 둘째 : 기준의 재설정 방향

③ 셋째 : 문제 해결의 방향

2) 계획의 구비조건

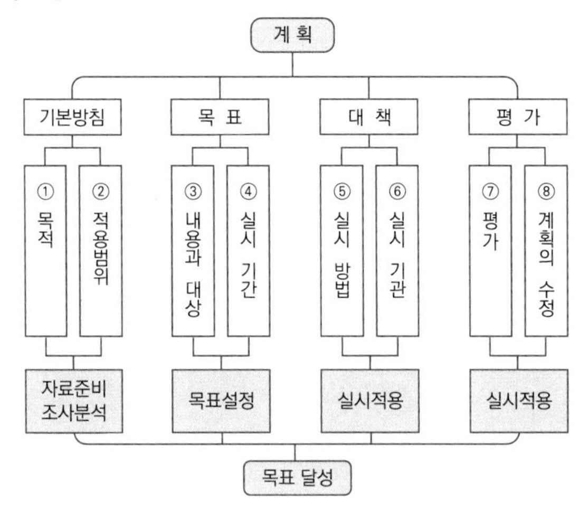

3) 계획의 작성절차

① 제1단계 : 준비단계

② 제2단계 : 자료분석단계

③ 제3단계 : 기본방침과 목표의 설정

④ 제4단계 : 종합평가의 실시

⑤ 제5단계 : 경영수뇌부의 최종결정

4 주요평가 척도

절대척도	재해건수 등의 수치
상대척도	도수율, 강도율 등
평정척도	① 표준평정척도 ② 도식평정척도 ③ 숫자평정척도 ④ 기술평정척도 등
도수척도	중앙값, % 등

Key point

평가의 종류

평가내용에 의한 분류	① 정성적 평가 ② 정량적 평가
평가방식에 의한 분류	① 체크리스트에 의한 방법 ② 카운슬링에 의한 방법

5 안전보건 개선계획

1) 수립 대상 사업장 ★★★

① 산업재해율이 같은 업종의 규모별 평균 산업재해율보다 높은 사업장

② 사업주가 필요한 안전조치 또는 보건조치를 이행하지 아니하여 중대재해가 발생한 사업장

③ 직업성 질병자가 연간 2명 이상 발생한 사업장

④ 유해인자의 노출기준을 초과한 사업장

2) 포함되어야 할 사항 ★★★

① 시설

② 안전·보건관리체제

③ 안전·보건교육

④ 산업재해예방 및 작업환경 개선을 위하여 필요한 사항

3) 개선계획서의 작성내용

① 작업공정별 유해위험분포도(작업공정, 주요설비 및 기계명, 유해위험요소, 근로자 수, 재해발생현황)

② 재해발생 현황

③ 재해다발 원인 및 유형분석(관리적 원인, 직접원인, 발생형태, 기인물)

④ 교육 및 점검계획

⑤ 유해위험 작업부서 및 근로자수

⑥ 개선계획

㉠ 공통사항 : 안전보건관리조직, 안전표지부착, 보호구 착용, 건강진단 실시

㉡ 중점 개선 계획 : 시설, 기계장치, 원료 재료, 작업방법, 작업환경)

⑦ 산업안전보건 관리예산

4) 안전보건 진단을 받아 개선계획을 수립해야 하는 사업장 ★★★

① 산업재해율이 같은 업종 평균 산업재해율의 2배 이상인 사업장

② 사업주가 필요한 안전조치 또는 보건조치를 이행하지 아니하여 중대재해가 발생한 사업장

③ 직업성 질병자가 연간 2명 이상(상시근로자 1천명 이상 사업장의 경우 3명 이상) 발생한 사업장

④ 그밖에 작업환경불량, 화재·폭발 또는 누출사고 등으로 사업장 주변까지 피해가 확산된 사업장으로서 고용노동부령으로 정하는 사업장

6 산업안전 보건위원회

1) 의결사항 및 대상 사업장

(1) 심의의결사항 ★★

① 사업장의 산업재해예방계획의 수립에 관한 사항

② 안전보건관리규정의 작성 및 변경에 관한 사항

③ 근로자에 대한 안전·보건교육에 관한 사항

④ 작업환경 측정 등 작업환경의 점검 및 개선에 관한 사항

⑤ 근로자의 건강진단 등 건강관리에 관한 사항

⑥ 산업재해의 원인조사 및 재발방지대책 수립에 관한 사항 중 중대재해에 관한 사항

⑦ 산업재해에 관한 통계의 기록 및 유지에 관한 사항

⑧ 유해하거나 위험한 기계기구와 그 밖의 설비를 도입한 경우 안전 및 보건관련 조치에 관한 사항

⑨ 그 밖에 해당 사업장 근로자의 안전 및 보건을 유지·증진시키기 위하여 필요한 사항

(2) 산업안전보건위원회를 설치·운영해야 할 사업의 종류 및 규모

사업의 종류	규모
1. 토사석 광업 2. 목재 및 나무제품 제조업; 가구제외 3. 화학물질 및 화학제품 제조업 : 의약품 제외(세제, 화장품 및 광택제 제조업과 화학섬유 제조업은 제외한다) 4. 비금속 광물제품 제조업 5. 1차 금속 제조업 6. 금속가공제품 제조업; 기계 및 가구 제외 7. 자동차 및 트레일러 제조업 8. 기타 기계 및 장비 제조업(사무용 기계 및 장비 제조업은 제외한다) 9. 기타 운송장비 제조업(전투용 차량 제조업은 제외한다)	상시 근로자 50명 이상
10. 농업 11. 어업 12. 소프트웨어 개발 및 공급업 13. 컴퓨터 프로그래밍, 시스템 통합 및 관리업 13의 2. 영상·오디오물 제공 서비스업 14. 정보서비스업 15. 금융 및 보험업 16. 임대업; 부동산 제외 17. 전문, 과학 및 기술 서비스업(연구개발업은 제외한다) 18. 사업지원 서비스업 19. 사회복지 서비스업	상시 근로자 300명 이상
20. 건설업	공사금액 120억원 이상 (「건설산업기본법 시행령」에 따른 토목공사업에 해당하는 공사의 경우에는 150억원 이상)
21. 제1호부터 제13호까지, 제13호의2 및 제14호부터 제20호까지의 의 사업을 제외한 사업	상시 근로자 100명 이상

PART 01

2) 구성 및 회의 진행

(1) 위원 구성 ★★★

구분	산업안전 보건위원회 구성위원 (사용자위원은 상시 근로자 50명 이상 100명 미만을 사용하는 사업장일 경우 ⓜ 호를 제외하고 구성할 수 있다.)	건설업의 도급사업에서 안전·보건에 관한 노사 협의체로 구성할 경우 [공사금액 120억원(토목공사업은 150억원) 이상인 건설업]	건설업의 도급사업에서 안전·보건에 관한 협의체를 산업안전보건위원회로 구성할 경우(다음 사람 포함)
사용자위원	㉠ 해당 사업의 대표자 ㉡ 안전관리자 1명 ㉢ 보건관리자 1명 ㉣ 산업보건의 (선임되어 있는 경우) ⓜ 해당 사업의 대표자가 지명하는 9명 이내의 해당 사업장 부서의 장	㉠ 도급 또는 하도급 사업을 포함한 전체 사업의 대표자 ㉡ 안전관리자 1명 ㉢ 보건관리자 1명(선임대상건설업에 한정) ㉣ 공사금액이 20억원 이상인 공사의 관계 수급인의 각 대표자	도급인 대표자, 관계수급인의 각 대표자 및 안전관리자
근로자위원	㉠ 근로자대표 ㉡ 근로자대표가 지명하는 1명 이상의 명예산업안전감독관 (위촉되어 있는 사업장의 경우) ㉢ 근로자대표가 지명하는 9명 이내의 해당 사업장의 근로자 (명예감독관이 근로자위원으로 지명되어 있는 경우 그 수를 제외)	㉠ 도급 또는 하도급 사업을 포함한 전체 사업의 근로자 대표 ㉡ 근로자 대표가 지명하는 명예산업안전감독관 1명, 다만 위촉되어 있지 않은 경우 근로자 대표가 지명하는 해당 사업장 근로자 1명 ㉢ 공사금액이 20억원 이상인 공사의 관계수급인의 각 근로자 대표	도급 또는 하도급 사업을 포함한 전체사업의 근로자 대표, 명예산업안전감독관 및 근로자 대표가 지명하는 해당 사업장의 근로자

(2) 위원장 선출

위원장은 위원 중에서 호선(이 경우 근로자위원과 사용자위원 중 각 1명을 공동위원장으로 선출할 수 있다)

(3) 회의

종류	① 정기회의 : 분기마다 위원장이 소집 ② 임시회의 : 위원장이 필요하다고 인정할 때에 소집
의결	근로자위원 및 사용자위원 각 과반수의 출석으로 시작하고 출석위원 과반수의 찬성으로 의결
회의록 기록사항 (작성, 비치)	① 개최일시 및 장소 ② 출석위원 ③ 심의내용 및 의결·결정사항 ④ 그 밖의 토의사항

(4) 회의 결과 등의 주지

- 심의 의결된 내용
- 회의결과
- 중재결정된내용

→ (사내방송, 사내보, 게시, 자체정례조회, 기타 적절한방법) → 근로자에게 신속히 알림

7 안전관리조직의 장단점

구분	라인형 조직	Staff형 조직	Line-Staff형 조직
	직계식(直系式) 계선식(界線式) Line system	참모식(參謀式) 막료식(幕僚式) Staff system	직계·참모식 (Line-Staff system)
장점	① 안전보건관리와 생산을 동시에 수행 ② 명령과 보고가 상하관계 뿐이므로 간단명료(모든 권한이 포괄적이고 직선적으로 행사) ③ 명령이나 지시가 신속 정확하게 전달되어 개선 조치가 빠르게 진행 ④ 별도의 안전관리 요원을 두지않아 예산절약의 효과	① 안전전담부서(Staff)의 참모인 안전관리자가 안전관리의 계획에서 시행까지 업무추진 (고도의 안전활동 진행) ② 안전기법 등에 대한 교육 훈련을 통해 조직적으로 안전관리 추진 (안전에 관한 업무의 표준화. 정착화) ③ 경영자의 조언과 자문 역할(안전보건 업무에 대하여 조언자 역할) ④ 안전에 관한 지식, 기술 축적 및 정보 수집이 용이하고 신속 ⑤ 사업장 특성에 맞는 안전보건대책 수립용이	① 라인에서 안전보건 업무가 수행되어 안전보건에 관한 지시 명령조치가 신속, 정확하게 전달, 수행 ② 안전보건의 전문지식이나 기술축적 용이 (당해 사업장에 적합한 대책수립가능) ③ 스탭에서 안전에 관한 기획, 조사, 검토 및 연구를 수행
단점	① 안전보건에 관한 전문 지식이나 기술이 결여되어 안전보건관리가 원만하게 이루어지지 못함 (고도의 안전관리 기대불가) ② 생산라인의 업무에 중점을 두어 안전보건관리가 소홀해질 수 있음 ③ 안전에 관한 전문지식이나 정보 불충분	① 생산계통의 기능과 상반된 견해차이 등으로 안전활동 위한 협력이 부족 ② 안전지시의 이원화로 명령계통의 혼란초래 (응급조치 곤란, 통제수단 복잡) ③ 안전에 대한 이해가 부족할 경우 안전대책의 현장 침투 불가 ④ 안전과 생산을 별개로 취급(생산부분은 안전에 대한 책임과 권한 없음)	① 라인과 스탭간에 협조가 안 될 경우 업무의 원활한 추진 불가 ② 스텝의 기능이 너무 강하면 권한의 남용으로 라인에 간섭 → 라인의 권한 약화 → 라인의 유명무실 ③ 명령계통과 조언, 권고적 참여가 혼돈될 가능성

구분	라인형 조직	Staff형 조직	Line-Staff형 조직
	직계식(直系式) 계선식(界線式) Line system	참모식(參謀式) 막료식(幕僚式) Staff system	직계·참모식 (Line-Staff system)
활성화 대책	라인형 조직에 맞는 체계적인 안전보건 교육의 지속적인 실시가 필요함	스탭에 안전에 관한 업무 수행에 필요한 각종권한부여(인적, 물적사항 포함)	라인과 스탭간의 확고한 공조체제 구축
기타 (특징)	① 안전보건관리업무(PDCA 사이클 등)를 생산라인 (production line)을 통하여 이루어지도록 편성된 조직 ② 생산라인에 모든 안전보건관리기능을 부여(업무가 생산 위주라 안전에 대한 전문지식이나 기술습득시간 부족) ③ 전문적인 기술을 필요로 하지 않는 100인 미만의 소규모 사업장에 적합	① 근로자 100~1,000명 정도의 중규모사업장에 적합 ② 안전에 관한계획안의 작성, 조사, 점검결과에 의한 조언, 보고의 역할(스스로 생산라인의 안전업무를 행할 수 없음) ③ F.W.Taylor의 기능형(functional)조직에서 발전 → 분업의 원칙을 고도로 이용 → 책임과 권한이 직능적으로 분담	① 라인형과 스탭형의 장점을 절충한 이상적인 조직 ② 안전 보건 업무를 전담하는 스탭을 두고 생산라인의 부서의 장으로 하여금 안전보건 담당(안전보건대책 : 스탭에서 수립 → 라인을 통하여 실천) ③ 라인에는 생산과 안전에 관한 책임과 권한이 동시에 부여 (안전보건업무와 생산 업무의 균형 유지) ④ 근로자 1,000명 이상의 대규모 사업장에 적합 ⑤ 우리나라 산업안전 보건법상의 조직형태 ⑥ 안전과 생산이 유리될 우려가 없어 운용이 적절하면 이상적인 조직

8 안전교육

1) 안전교육의 기본방향 ★

사고사례 중심의 안전교육	① 이미 발생한 사고사례를 중심으로 동일한 재해 및 유사재해의 재발방지 ② 근로자들의 관심과 능동적인 참여를 위해 교육대상, 시기, 방법 등에 주의가 필요
표준작업을 위한 안전 교육	① 표준동작이나 표준작업을 위한 안전교육의 기본으로 체계적이고 조직적인 교육 실시가 필요 ② 이론적인 교육보다 실습이나 현장교육에 중점을 두어 효율성 있는 교육이 될 수 있도록 관심 필요
안전의식 향상을 위한 안전 교육	① 교육이 교육으로만 끝나지 않도록 세밀한 추후지도로 교육의 지속성 유지 ② 안전교육의 필요성 인식은 안전의식향상의 지름길이므로 자발적이고 능동적인 참여 유도

2) 교육훈련 평가의 4단계

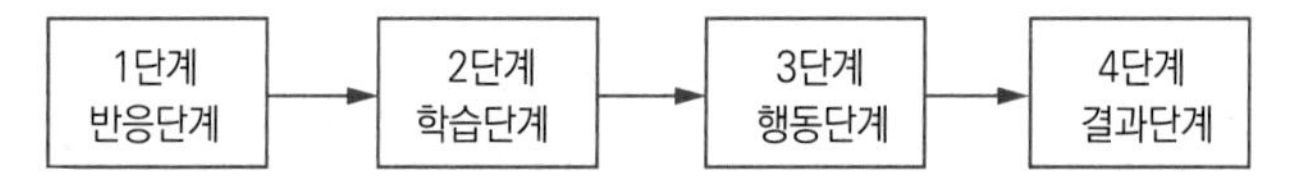

3) 산업안전보건법상의 교육의 종류와 교육시간 및 교육내용

(1) 교육과정별 대상 및 시간 ★★★

① 근로자 안전 보건교육

교육과정	교육대상		교육시간
가. 정기교육	사무직 종사 근로자		매반기 6시간 이상
	그 밖의 근로자	판매업무에 직접 종사하는 근로자	매반기 6시간 이상
		판매업무에 직접 종사하는 근로자 외의 근로자	매반기 12시간 이상
나. 채용 시의 교육	일용근로자 및 근로계약기간이 1주일 이하인 기간제근로자		1시간 이상
	근로계약기간이 1주일 초과 1개월 이하인 기간제근로자		4시간 이상
	그 밖의 근로자		8시간 이상
다. 작업내용 변경 시의 교육	일용근로자 및 근로계약기간이 1주일 이하인 기간제근로자		1시간 이상
	그 밖의 근로자		2시간 이상
라. 특별교육	일용근로자 및 근로계약기간이 1주일 이하인 기간제근로자 : 특별교육 대상 작업별 교육에 해당하는 작업 종사 근로자	타워크레인 작업시 신호업무 작업에 종사하는 근로자 제외	2시간 이상
		타워크레인 작업시 신호업무 작업에 종사하는 근로자에 한정	8시간 이상
	일용근로자 및 근로계약기간이 1주일 이하인 기간제근로자를 제외한 근로자: 특별교육 대상 작업별 교육에 해당하는 작업 종사 근로자에 한정		-16시간 이상(최초 작업에 종사하기 전 4시간 이상실시하고, 12시간은 3개월 이내에서 분할하여 실시가능) -단기간 작업 또는 간헐적 작업인 경우에는 2시간 이상
마. 건설업 기초안전·보건교육	건설 일용근로자		4시간 이상

② 관리감독자 안전보건교육

교육과정	교육시간
가. 정기교육	연간 16시간 이상
나. 채용 시 교육	8시간 이상
다. 작업내용 변경 시 교육	2시간 이상
라. 특별교육	16시간 이상(최초 작업에 종사하기 전 4시간 이상 하고, 12시간은 3개월 이내에서 분할 실시 가능)
	단기간 작업 또는 간헐적 작업인 경우 2시간 이상

③ 안전보건관리책임자 등에 대한 교육

교육 대상	교육 시간	
	신규	보수
안전보건관리책임자	6시간 이상	6시간 이상
안전관리자, 안전관리전문기관의 종사자	34시간 이상	24시간 이상
보건관리자, 보건관리전문기관의 종사자	34시간 이상	24시간 이상
건설예방전문지도기관의 종사자	34시간 이상	24시간 이상
석면조사기관의 종사자	34시간 이상	24시간 이상
안전보건관리담당자	—	8시간 이상
안전검사기관, 자율안전검사기관의 종사자	34시간 이상	24시간 이상

(2) 근로자 교육내용 ★★★

① 정기 교육 내용

교육 내용
• 건강증진 및 질병 예방에 관한 사항 • 유해·위험 작업환경 관리에 관한 사항 • 산업안전 및 사고 예방에 관한 사항 • 산업보건 및 직업병 예방에 관한 사항 • 직무스트레스 예방 및 관리에 관한 사항 • 위험성 평가에 관한 사항 • 산업안전보건법령 및 산업재해보상보험 제도에 관한 사항 • 직장내 괴롭힘, 고객의 폭언 등으로 인한 건강장해 예방 및 관리에 관한 사항

② 채용시 교육 및 작업내용 변경시 교육 내용

교육 내용
• 물질안전보건자료에 관한 사항 • 기계·기구의 위험성과 작업의 순서 및 동선에 관한 사항 • 정리정돈 및 청소에 관한 사항 • 작업 개시 전 점검에 관한 사항 • 사고 발생 시 긴급조치에 관한 사항 • 산업보건 및 직업병 예방에 관한 사항 • 직무스트레스 예방 및 관리에 관한 사항 • 위험성 평가에 관한 사항 • 산업안전 및 사고 예방에 관한 사항 • 산업안전보건법령 및 산업재해보상보험 제도에 관한 사항 • 직장내 괴롭힘, 고객의 폭언 등으로 인한 건강장해 예방 및 관리에 관한 사항

(3) 관리감독자 교육내용 ★★★

① 정기교육 내용

교육 내용
• 산업안전 및 사고 예방에 관한 사항 • 산업보건 및 직업병 예방에 관한 사항 • 위험성평가에 관한 사항 • 유해·위험 작업환경 관리에 관한 사항 • 산업안전보건법령 및 산업재해보상보험 제도에 관한 사항 • 직무스트레스 예방 및 관리에 관한 사항 • 직장 내 괴롭힘, 고객의 폭언 등으로 인한 건강장해 예방 및 관리에 관한 사항 • 작업공정의 유해·위험과 재해 예방대책에 관한 사항 • 사업장 내 안전보건관리체제 및 안전·보건조치 현황에 관한 사항 • 표준안전 작업방법 결정 및 지도·감독 요령에 관한 사항 • 현장근로자와의 의사소통능력 및 강의능력 등 안전보건교육 능력 배양에 관한 사항 • 비상시 또는 재해 발생 시 긴급조치에 관한 사항 • 그 밖의 관리감독자의 직무에 관한 사항

② 채용 시 교육 및 작업내용 변경 시 교육 내용

교육 내용
• 산업안전 및 사고 예방에 관한 사항 • 산업보건 및 직업병 예방에 관한 사항 • 위험성평가에 관한 사항 • 산업안전보건법령 및 산업재해보상보험 제도에 관한 사항 • 직무스트레스 예방 및 관리에 관한 사항 • 직장 내 괴롭힘, 고객의 폭언 등으로 인한 건강장해 예방 및 관리에 관한 사항 • 기계·기구의 위험성과 작업의 순서 및 동선에 관한 사항 • 작업 개시 전 점검에 관한 사항 • 물질안전보건자료에 관한 사항 • 사업장 내 안전보건관리체제 및 안전·보건조치 현황에 관한 사항 • 표준안전 작업방법 결정 및 지도·감독 요령에 관한 사항 • 비상시 또는 재해 발생 시 긴급조치에 관한 사항 • 그 밖의 관리감독자의 직무에 관한 사항

산업재해예방계획 수립하기

1 재해 발생의 원인

1) 재해 발생에 관한 이론

(1) 하인리히의 법칙(1 : 29 : 300의 법칙)

① 미국의 안전기사 하인리히(H.W.Heinrich)가 발표한 이론으로 한사람의 중상자가 발생하면 동일한 원인으로 29명의 경상자가 생기고 부상을 입지 않은 무상해사고가 300번 발생한다는 것으로 이론의 핵심은 사고 발생 자체(무상해 사고)를 근원적으로 예방해야 한다는 원리를 강조하고 있다.

② 이 비율은 50,000여 건의 사고를 분석한 결과 얻은 통계

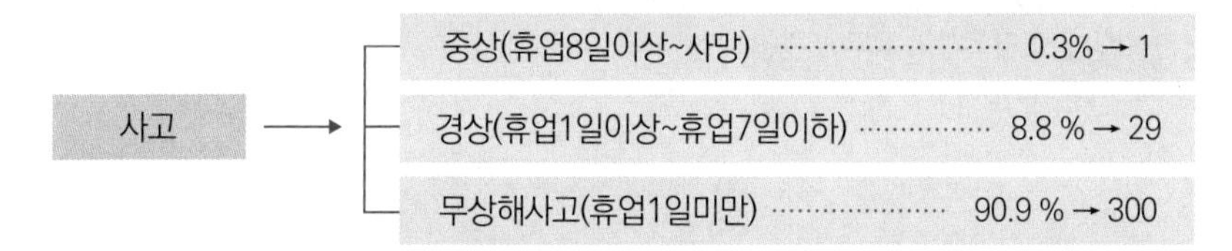

즉, 330번의 사고가 발생된다면 그 중에 중상이 1건, 경상이 29건, 무상해 사고가 300건 발생한다는 뜻(I.L.O 통계분석은 1:20:200의 법칙)

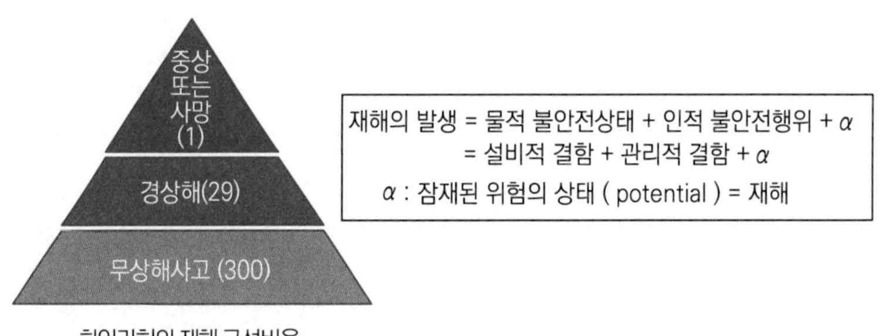

하인리히의 재해 구성비율

(2) 버드의 법칙

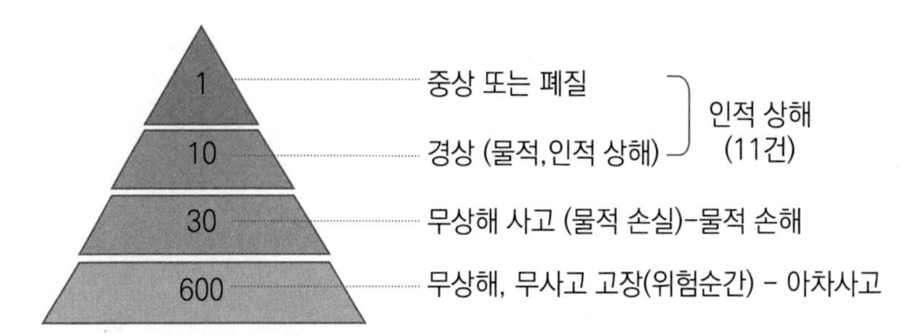

Key point

아차사고(near miss) : 작업자의 불안전한 행동이나 작업환경 및 설비의 불안정한 상태 등으로 인한 잠재위험요인이 인적 또는 물적 손실을 직접적으로 발생하지 아니한 잠재적 사고

(3) 하인리히(H.W.Heinrich)의 도미노 이론(사고연쇄성)

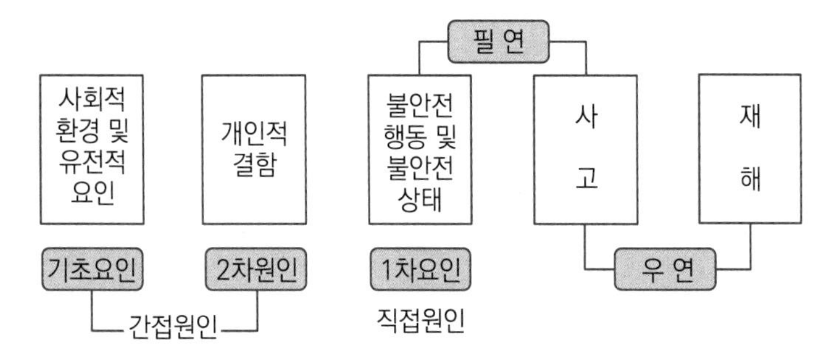

도미노이론의 핵심은 직접원인을 제거하여 사고와 재해에 영향을 못 미치도록 하는 것

(4) 버드(Bird)의 최신의 도미노(domino) 이론

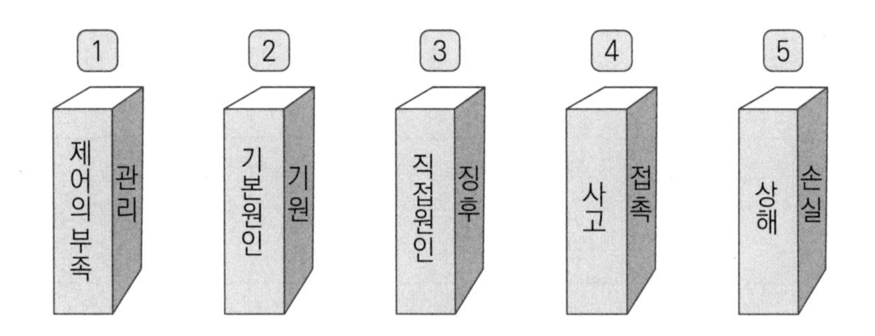

▲ 최신의 재해 연쇄(Frank E. Bird Jr)

기원	내용
개인적 요인	지식 및 기능의 부족, 부적당한 동기부여, 육체적 또는 정신적인 문제 등
작업상의 요인	기계설비의 결함, 부적절한 작업기준, 부적당한 기기의 사용방법, 작업체제 등

▲ 기본적 원인(배후적 원인)-기원

(5) 아담스(Adams)의 사고 요인과 관리 시스템

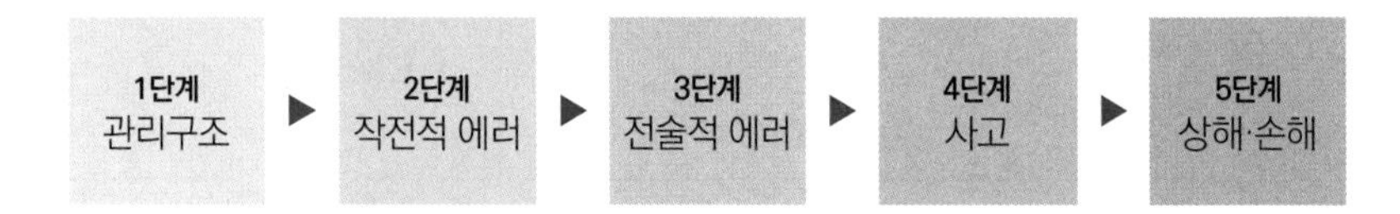

참고

이론의 핵심

- 기본원인의 제거(직접원인을 제거하는 것만으로는 재해가 발생한다)
- 직접원인을 해결하는 것보다 그 근원이 되는 근본원인을 찾아서 유효하게 제어하는 것이 중요하다.

2 재해 예방에 관한 이론 ★★★

1) 하인리히의 재해예방의 4원칙

손실우연의 원칙	사고에 의해서 생기는 상해의 종류 및 정도는 우연적이라는 원칙
예방가능의 원칙	재해는 원칙적으로 예방이 가능하다는 원칙
원인계기의 원칙	재해의 발생은 직접원인으로만 일어나는 것이 아니라 간접원인이 연계되어 일어난다는 원칙
대책선정의 원칙	원인의 정확한 분석에 의해 가장 타당한 재해예방 대책이 선정되어야 한다는 원칙

* 재해예방의 핵심은 우연적인 손실의 방지보다 사고의 발생 방지가 우선
* 모든 재해는 반드시 필연적인 원인에 의해서 발생
* 직접원인에는 그것이 존재하는 이유가 있으며, 이것을 간접원인 또는 2차원인이라 함

2) 하인리히의 재해예방 5단계 (사고예방의 기본원리)

제1단계	안전관리조직	• 경영자의 안전목표 설정 • 안전의 라인 및 스텝조직 • 안전활동 방침 및 계획수립	• 안전관리자등의 선임 • 조직을 통한 안전활동 전개
제2단계	사실의 발견	• 안전사고 및 활동기록의 검토 • 안전점검 및 사고조사 • 안전토의 및 회의	• 작업분석 및 불안전요소 발견 • 관찰 및 보고서의 연구 • 근로자의 건의 및 여론조사
제3단계	평가 및 분석	• 불안전 요소의 분석 • 사고보고서 분석 • 작업공정의 분석 • 안전수칙 및 안전기준의 분석	• 현장조사 결과의 분석 • 인적 물적 환경조건의 분석 • 교육과 훈련의 분석
제4단계	시정책의 선정	• 인사 및 배치조정 • 교육 및 훈련의 개선 • 규정 및 수칙의 개선	• 기술적인 개선 • 안전행정의 개선 • 이행독려의 체제 강화
제5단계	시정책의 적용 (3E 적용단계)	• 교육적 대책실시 • 규제적 대책실시 • 결과의 재평가 및 개선	• 기술적 대책실시 • 목표설정 실시

PART 01

3 재해예방 및 발생시 조치 단계

제1단계	예방대책	인적, 물적 손실이 발생하지 않도록 사전에 방지하기 위한 모든 대책
제2단계	국한대책	예방대책으로 방지하지 못하고 재해가 발생할 경우 피해를 최소화하기 위한 대책
제3단계	처리대책	재해가 발생했을 경우 신속히 처리함으로 피해가 확대되지 않게 하는 대책
제4단계	비상대책	재해로 인한 피해가 확대되어 진압보다는 긴급한 피난이나 비상조치가 필요한 경우의 대책
제5단계	피드백 대책	동종재해 및 유사재해의 재발을 방지하기 위하여 원인을 분석하고 대책을 수립하는 단계의 대책

4 재해예방을 위한 심리적 요인

1) 착각현상의 종류 ★★

자동운동	① 암실내에 정지된 작은 광점이나 밤하늘의 별들을 응시하면 움직이는 것처럼 보이는 현상 ② 발생하기 쉬운 조건 ㉠ 광점이 작을수록 ㉡ 시야의 다른 부분이 어두울수록 ㉢ 광의 강도가 작을수록 ㉣ 대상이 단순할수록
유도운동	① 실제로는 정지한 물체가 어느 기준물체의 이동에 유도되어 움직이는 것처럼 느끼는 현상 ② 출발하는 자동차의 창문으로 길가의 가로수를 볼 때 가로수가 움직이는 것처럼 보이는 현상
가현운동	① 정지하고 있는 대상물이 빠르게 나타나거나 사라지는 것으로 인해 대상물이 운동하는 것으로 인식되는 현상 ② 영화영상기법, β운동

참고 **인간의 오류 유형 ★**

착오(Mistake)	상황에 대한 해석을 잘못하거나 목표에 대한 잘못된 이해로 착각하여 행하는 경우(주어진 정보가 불완전하거나 오해하는 경우에 발생하며 틀린줄 모르고 행하는 오류)
실수(Slip)	상황이나 목표에 대한 해석은 제대로 하였으나 의도와는 다른 행동을 하는 경우(주의 산만이나 주의력 결핍에 의해 발생)
건망증(Lapse)	여러 과정이 연계적으로 계속하여 일어나는 행동 중에서 일부를 잊어버리고 하지 않거나 또는 기억의 실패에 의해 발생
위반(Violation)	정해져 있는 규칙을 알고 있으면서 고의로 따르지 않거나 무시하는 행위

Key point

작업상황에 따라서 주의력의 집중과 배분이 적절하게 이루어져야 휴먼에러 예방에 효과적

참고

- 주의 : 행동하고자 하는 목적에 의식 수준이 집중하는 심리상태
- 부주의 : 목적 수행을 위한 행동전개 과정 중 목적에서 벗어나는 심리적·육체적인 변화의 현상으로 바람직하지 못한 정신상태를 총칭

Key point

산업안전 심리의 5대 요소

① 기질 ② 동기 ③ 습관
④ 습성 ⑤ 감정

2) 주의력과 부주의

(1) 주의의 특성 ★★★

선택성	동시에 두 개 이상의 방향에 집중하지 못하고 소수의 특정한 것에 한하여 선택한다.
변동성	고도의 주의는 장시간 동안 지속할 수 없고 주기적으로 부주의 리듬이 존재한다.
방향성	한 지점에 주의를 집중하면 주변 다른 곳의 주의는 약해진다.(주시점만 인지)

(2) 부주의 현상 ★

의식의 단절 (중단)	의식수준 제 0단계(phase 0)의 상태 (특수한 질병의 경우)
의식의 우회	의식수준 제 0단계(phase 0)의 상태 (걱정, 고뇌, 욕구불만 등)
의식수준의 저하	의식수준 제 1단계(phase I)이하의 상태 (심신 피로 또는 단조로운 작업시)
의식의 혼란	외적조건의 문제로 의식이 혼란되고 분산되어 작업에 잠재된 위험요인에 대응할 수 없는 상태 (자극이 애매모호하거나, 너무 강하거나 약할 때)
의식의 과잉	의식수준이 제4단계(phaseⅣ)인 상태 (돌발사태 및 긴급이상사태로 주의의 일점 집중현상 발생)

3) 재해빈발자의 유형

(1) 재해 빈발설

기회설	개인의 문제가 아니라 작업자체에 위험성이 많기 때문 → 교육훈련실시 및 작업환경개선대책
암시설	재해를 한번 경험한 사람은 정신적으로나 심리적으로 압박을 받게 되어 상황에 대한 대응능력이 떨어져 재해가 빈발
빈발 경향자설	재해를 자주 일으키는 소질적 결함요소를 가진 근로자가 있다는 설

(2) 재해 누발자 유형 ★★

미숙성 누발자	① 기능 미숙	② 작업환경 부적응
상황성 누발자	① 작업자체가 어렵기 때문 ③ 주위 환경상 주의력 집중 곤란	② 기계설비의 결함 존재 ④ 심신에 근심 걱정이 있기 때문
습관성 누발자	① 경험한 재해로 인하여 대응능력약화(겁쟁이, 신경과민) ② 여러 가지 원인으로 슬럼프(slump)상태	
소질성 누발자	① 개인의 소질 중 재해원인 요소를 가진 자 (주의력 부족, 소심한 성격, 저 지능, 흥분, 감각운동부적합 등) ② 특수성격소유자로, 재해발생 소질 소유자	

4) 피로와 작업강도 ★★

(1) 피로에 대한 대책

① 작업의 성질과 강도에 따라서 휴식시간이나 회수가 결정되어야 한다

② 휴식시간 산출공식(작업에 대한 평균에너지 값은 4kcal/분이라 할 경우 이 단계를 넘으면 휴식시간이 필요)

$$R = \frac{60(E-4)}{E-1.5}$$

- R : 휴식시간(분)
- E : 작업시 평균 에너지 소비량(kcal/분)
- 60분 : 총작업 시간
- 1.5kcal/분 : 휴식시간 중의 에너지 소비량

(2) 작업강도와 피로(에너지 대사율 R. M. R)

① 작업강도는 휴식시간과 밀접한 관련이 있으며 이 두조건의 적절한 조절은 작업의 능률과 생산성에 큰 영향을 줄 수 있다. 따라서, 작업의 강도에 따라 에너지 소모가 다르게 나타나므로 에너지 대사율은 작업강도의 측정에 유효한 방법이다.

② 산출식

$$\text{RMR} = \frac{\text{작업시 소비에너지} - \text{안정시 소비에너지}}{\text{기초대사시 소비에너지}} = \frac{\text{작업대사량}}{\text{기초대사량}}$$

③ 작업시 소비에너지 = 작업중에 소비한 산소의 소비량으로 측정
안정시 소비 에너지 = 의자에 앉아서 호흡하는 동안 소비한 산소의 소모량
기초대사량(BMR) = 체표면적 산출식과 기초대사량 표에 의해 산출

참고

피로의 측정방법

① 생리적 방법
② 심리학적 방법
③ 생화학적 방법

Key point

플리커(Flicker) 법

융합한계빈도 (critical fusion frequency of flicker) : CFF법이라고도 한다. 사이가 벌어진 회전하는 원판으로 들어오는 광원의 빛을 단속시켜 연속광으로 보이는지 단속광으로 보이는지 경계에서의 빛의 단속주기를 플리커 치라고 하여 피로도검사에 이용

(3) 생체리듬의 종류 및 특징

육체적(신체적)리듬 (Physical cycle)	몸의 물리적인 상태를 나타내는 리듬으로 질병에 저항하는 면역력, 각종 체내 기관의 기능, 외부환경에 대한 신체의 반사작용 등을 알아볼 수 있는 척도로써 23일의 주기
감성적 리듬 (Sensitivity cycle)	기분이나 신경 계통의 상태를 나타내는 리듬으로 창조력, 대인관계, 감정의 기복 등을 알아볼 수 있으며 28일의 주기
지성적 리듬 (Intellectual cycle)	집중력, 기억력, 논리적인 사고력, 분석력 등의 기복을 나타내는 리듬으로 주로 두뇌활동과 관련된 리듬으로 33일의 주기

(4) 동기부여에 관한 이론 ★★★

① 매슬로우(Abraham Maslow)의 욕구(위계이론)

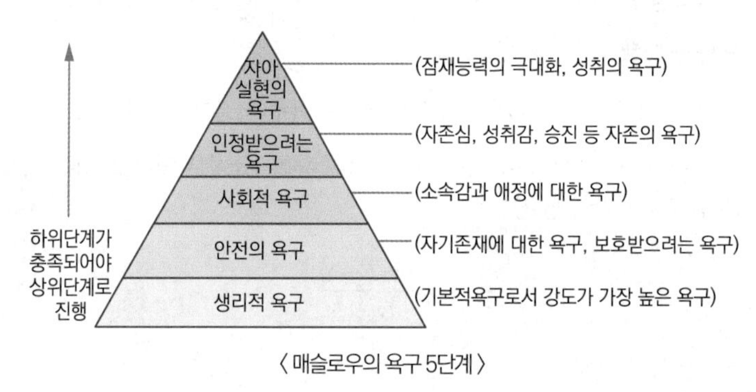

〈 매슬로우의 욕구 5단계 〉

② 맥그리거(D.McGregor)의 X,Y이론

X 이론	Y 이론
인간불신감	상호신뢰감
성악설	성선설
인간은 본래 게으르고 태만, 수동적, 남의 지배받기를 즐긴다	인간은 본래 부지런하고 근면, 적극적, 스스로 일을 자기 책임하에 자주적
저차적 욕구(물질 욕구)	고차적 욕구(정신 욕구)
명령, 통제에 의한 관리	목표통합과 자기통제에 의한 관리
저개발국형	선진국형
보수적, 자기본위, 자기방어적 어리석기 때문에 선동되고 변화와 혁신을 거부	자아실현을 위해 스스로 목표를 달성하려고 노력
조직의 욕구에 무관심	조직의 방향에 적극적으로 관여하고 노력
권위주의적 리더십	민주적 리더십

③ 허즈버그의 두 요인이론 (동기, 위생 이론)

위생요인(직무환경, 저차적 욕구)	동기유발요인(직무내용, 고차적 욕구)
① 조직의 정책과 방침 ② 작업조건 ③ 대인관계 ④ 임금, 신분, 지위 ⑤ 감독 등 (생산 능력의 향상 불가)	① 직무상의 성취 ② 인정 ③ 성장 또는 발전 ④ 책임의 증대 ⑤ 도전 ⑥ 직무내용자체(보람된직무) 등 (생산 능력 향상 가능)

④ 알더퍼의 ERG이론

생존(존재)욕구 (Existence needs)	유기체의 생존과 유지에 관련, 의식주와 같은 기본욕구포함 (임금, 안전한 작업조건)
관계욕구 (Relation needs)	타인과의 상호작용을 통하여 만족을 얻으려는 대인 욕구 (개인간 관계, 소속감)
성장욕구 (Growth needs)	개인의 발전과 증진에 관한 욕구, 주어진 능력이나 잠재능력을 발전시킴으로 충족 (개인의 능력 개발, 창의력 발휘)

⑤ 데이비스의 동기부여 이론

인간의 성과 × 물적인 성과 = 경영의 성과

㉠ 지식(knowledge) × 기능(skill) = 능력(ability)

㉡ 상황(situation) × 태도(attitude) = 동기유발(motivation)

㉢ 능력(ability) × 동기유발(motivation) = 인간의 성과(human performance)

⑥ 욕구이론의 상호 관련성

<table>
<tr><td>자아실현의 욕구</td><td rowspan="3">동기 요인</td><td>성취 욕구</td><td rowspan="2">성장 욕구</td></tr>
<tr><td>존중의 욕구</td><td>권력 욕구</td></tr>
<tr><td>소속의 욕구</td><td>친화 욕구</td><td>관계 욕구</td></tr>
<tr><td>안전의 욕구</td><td rowspan="2">위생 요인</td><td rowspan="2"></td><td rowspan="2">존재 욕구</td></tr>
<tr><td>생리적 욕구</td></tr>
<tr><td>매슬로우의
욕구이론</td><td>허즈버그의
2요인 이론</td><td>맥클랜드의
성취동기 이론</td><td>알더퍼의
ERG 이론</td></tr>
</table>

PART 01

참고

매슬로우와 알더퍼 이론의 차이점

ERG 이론은 위계적 순위를 강조하지 않음

5 무재해 운동과 위험예지 훈련 ★★

1) 무재해 운동

(1) 무재해 운동의 3원칙

무의 원칙	무재해란 단순히 사망재해나 휴업재해만 없으면 된다는 소극적인 사고가 아닌, 사업장 내의 모든 잠재위험요인을 적극적으로 사전에 발견하고 파악·해결함으로써 산업재해의 근원적인 요소들을 없앤다는 것을 의미한다.
선취의 원칙	무재해 운동에 있어서 안전제일이란 안전한 사업장을 조성하기 위한 궁극의 목표로서 사업장 내에서 행동하기 전에 잠재위험요인을 발견하고 파악·해결하여 재해를 예방하는 것을 의미한다.(안전제일의 원칙)
참가의 원칙	무재해 운동에서 참여란 작업에 따르는 잠재위험요인을 발견하고 파악·해결하기 위하여 전원이 일치 협력하여 각자의 위치에서 적극적으로 문제해결을 하겠다는 것을 의미한다.(참여의 원칙)

(2) 브레인 스토밍(Brain Storming. B·S 4원칙) (1939년 A.F.Osborn)

① 비판금지 - 「좋다」 또는 「나쁘다」라고 비판하지 않는다.

② 자유분방 - 자유로운 분위기에서 편안한 마음으로 발표한다.

③ 대량발언 - 내용의 질적인 수준보다 양적으로 많이 발언한다.

④ 수정발언 - 타인의 발표내용을 수정하거나 개조하여 관련된 내용을 추가 발표하여도 좋다.

2) 위험 예지 훈련

(1) 4라운드 진행 방법

준비	인원이 많을 경우 서브팀 구성	서브팀 인원 4~6명 역할 분담 (리더선정, 서기, 발표자 등) 필요한 도구 배포
도입	전원기립, 리더인사 및 개시선언	정렬, 분위기조성, 개인건강확인 등 도해배포
1라운드	현상파악 〈어떤 위험이 잠재하고 있는가?〉	잠재위험 요인과 현상발견(B.S실시) (5~7 항목으로 정리) (~해서, 때문에 ~ㄴ다)
2라운드	본질 추구 〈이것이 위험의 포인트이다!〉	가장 중요한 위험의 포인트 합의 결정(1~2항목) 지적확인 및 제창(~해서 ~ㄴ다. 좋아!)
3라운드	대책 수립 〈당신이라면 어떻게 하겠는가?〉	본질 추구에서 선정된 항목의 구체적인 대책 수립 (항목당 3~4가지 정도)(BS실시)
4라운드	목표설정 〈우리들은 이렇게 하자!〉	• 대책수립의 항목중 1~2가지 등 중점 실시 항목으로 합의 결정 • 팀의 행동목표 → 지적확인 및 제창 (~을 ~하여 ~하자 좋아!)
확인	리더의 사회로 결과에 대한 정리	원 포인트 지적확인(~~ 좋아!) 터치 앤 콜 (Touch and Call) (무재해로 나가자 좋아!)

(2) 작업전 안전점검회의 _ TBM(Tool Box Meeting)

① 작업전에 관리감독자를 중심으로 작업의 내용과 위험요인을 재확인하고 안전한 작업절차 등에 관하여 서로 확인하고 의논하는 활동

② 진행방법

참여인원	4명에서 10명 사이의 인원이 가장 효과적(최대 20인 이내로 진행)
실행시간	매일 작업전 10분 내외 실시(실시주기는 작업장 상황에 따라)
실행장소	소음이나 방해요소가 없는 작업장
교육시간	실행시간은 산업안전보건법상의 안전보건교육 시간으로 인정

③ 효과적인 TBM 진행 절차

TBM 사전준비	① 위험성 평가 실시 및 결과 ② 작업범위, 작업내용 등 작업현황 파악 ③ 최근 재해사례 파악 등
TBM 실행과정	① 작업자 건강상태 확인 ② 작업내용, 작업절차, 위험요인 등 공유·전달
TBM 환류조치	① 관련조치 결과에 대한 피드백 ② TBM 결과의 기록·보관 등

CHAPTER 03

안전보건관리규정 작성 및 산업안전관리 매뉴얼 개발하기

01 안전보건관리규정 작성

1 안전보건관리규정의 포함 내용 및 작성

1) 포함되어야 할 내용 ★★★

① 안전 및 보건에 관한 관리조직과 그 직무에 관한 사항

② 안전보건교육에 관한 사항

③ 작업장의 안전 및 보건관리에 관한 사항

④ 사고조사 및 대책수립에 관한 사항

⑤ 그 밖에 안전 및 보건에 관한 사항

2) 안전보건관리규정의 작성

① 안전보건관리규정을 작성하여야 할 사업의 종류 및 규모

사업의 종류	규모
1. 농업 2. 어업 3. 소프트웨어 개발 및 공급업 4. 컴퓨터 프로그래밍, 시스템 통합 및 관리업 4의2. 영상·오디오물 제공 서비스업 5. 정보서비스업 6. 금융 및 보험업 7. 임대업; 부동산 제외 8. 전문, 과학 및 기술 서비스업(연구개발업은 제외한다) 9. 사업지원 서비스업 10. 사회복지 서비스업	상시 근로자 300명 이상을 사용하는 사업장
11. 제1호부터 제4호까지, 제4호의2 및 제5호부터 제10호까지의 사업을 제외한 사업	상시 근로자 100명 이상을 사용하는 사업장

② 작성사유 발생 30일 이내 산업안전보건위원회의 심의의결 후 안전보건관리규정 작성

③ 안전보건관리 규정의 내용

㉠ 총칙
㉡ 안전·보건 관리조직과 직무
㉢ 안전·보건교육
㉣ 작업장 안전관리
㉤ 작업장 보건관리
㉥ 사고조사 및 대책수립
㉦ 위험성 평가에 관한 사항
㉧ 보칙

④ 안전관리규정 작성시 유의해야 할 사항

㉠ 규정된 기준은 법정기준을 상회하도록 하여야 한다.

㉡ 관리자층의 직무와 권한 근로자에게 강제 또는 요청한 부분을 명확히 해야 한다.

㉢ 관계 법령의 제정 및 개정에 따라 즉시 개정해야 한다.

㉣ 작성 또는 개정시에는 현장의 의견을 충분히 반영하여야 한다.

㉤ 규정내용은 정상시는 물론 이상발생시 사고 및 재해발생시의 조치에 관해서도 규정하여야 한다.

2 안전보건관리규정의 내용

내용	① 총칙 ② 안전보건관리 조직과 그 직무 ③ 안전보건교육 ④ 작업장 안전관리 ⑤ 작업장 보건관리 ⑥ 사고조사 및 대책수립 ⑦ 위험성평가에 관한 사항 ⑧ 보칙
작성 및 변경	작성해야 할 사유가 발생한 날부터 30일 이내에 작성.(변경할 사유가 발생한 경우에도 동일)
	① 산업안전보건위원회의 심의 및 의결 ② 근로자대표의 동의(산업안전보건위원회 미설치 시)

02 산업안전관리 매뉴얼 개발하기

1 비상 상황 대응 매뉴얼

1) 평상시 비상상황에 대한 대비 방법

제1단계	대응체계 구축	① 비상경보장치, 비상연락체계, 대피방송시설 등 경보시스템 구축 ② 신속하게 신고할수 있는 전화기 등 설치
제2단계	대응 매뉴얼 작성	① 발생 가능한 상황을 모두 고려 ② 작업중지, 위험요인제거 등 피해확산 방지를 위한 긴급조치 방법 ③ 재해자 구조 및 응급조치 계획 ④ 대피로 지정 및 피난절차 ⑤ 추가적인 2차피해방지 조치 및 재발 방지 대책 ⑥ 매뉴얼 이행에 관한 점검 방법
제3단계	훈련 및 교육 실시	① 비상 상황을 설정하여 실전같은 훈련 ② 대응 방법 및 피난절차에 관한 교육

2) 사고발생시 비상상황 대응 단계

제1단계	초기대응	① 신속한 119 신고 ② 피해자 응급조치 및 경보시스템 작동
제2단계	사업장의 대응	① 해당 설비 및 현장에 대한 신속한 작업중지 ② 근로자 대피 및 2차 재해 방지조치
제3단계	구호조치 및 피해확산 방지	① 구조자 안전조치 후 구조작업 ② 119 구급대에 상황설명 ③ 상황에 대한 신속한 정보공유 ④ 피해 확산방지를 위한 대책 수립 및 실행

Key point

심폐소생술 진행단계

피해자 반응확인 → 응급구조 요청(119신고) → 호흡확인 → 가슴압박(분당 100~120회 속도, 30회) → 기도개방 및 인공호흡(1초 동안 2회_일반인 생략가능) → 가슴압박과 인공호흡 반복

Part 1

단원별 출제예상문제

01

하인리히 사고예방대책의 기본원리 5단계를 순서대로 쓰시오.

해답

① 1단계 : 안전조직
② 2단계 : 사실의 발견
③ 3단계 : 분석평가
④ 4단계 : 시정방법의 선정
⑤ 5단계 : 시정책 적용

02

재해사례연구 순서를 단계별로 쓰시오.

해답

① 전제조건 : 재해상황의 파악
② 제 1단계 : 사실의 확인
③ 제 2단계 : 문제점 발견
④ 제 3단계 : 근본적 문제점 결정
⑤ 제 4단계 : 대책수립

03

FTA에 의한 재해사례연구순서 4단계를 쓰시오.

해답

① 1단계 : Top 사상의 선정
② 2단계 : 사상마다 재해요인 및 원인규명
③ 3단계 : FT도 작성
④ 4단계 : 개선계획안의 작성

04

작업표준의 작성방법을 순서대로 쓰시오.

해답

① 작업의 분류 정리
② 작업분해
③ 연구, 토의에 의해 동작순서와 급소를 정함
④ 작업표준안 작성
⑤ 작업표준의 제정과 교육실시

05

안전관리의 사이클에 해당하는 안전관리의 4단계를 쓰시오.

해답

① 계획을 세운다
② 계획대로 실시한다.
③ 결과를 검토한다.
④ 검토결과에 의해 조치를 한다.

06

안전관리계획의 작성절차 5단계를 쓰시오.

해답

① 1단계 : 준비단계
② 2단계 : 자료분석단계
③ 3단계 : 기본방침과 목표의 설정
④ 4단계 : 종합평가의 실시
⑤ 5단계 : 경영수뇌부의 최종결정

07

안전태도교육의 4단계를 순서대로 쓰시오.

해답

① 청취한다. ② 이해, 납득시킨다.
③ 모범을 보인다. ④ 평가(권장)한다.

08

교육훈련평가의 4단계를 쓰시오.

해답

① 제 1단계 : 반응단계 ② 제 2단계 : 학습단계
③ 제 3단계 : 행동단계 ④ 제 4단계 : 결과단계

09

하인리히의 사고발생 연쇄성(도미노) 이론을 순서대로 쓰시오.

해답

① 사회적 환경 및 유전적 요인 ② 개인적 결함
③ 불안전한 행동 및 상태 ④ 사고 ⑤ 재해

10

단시간 미팅 즉시즉응훈련(TBM) 5단계를 쓰시오.

해답

① 1단계 : 도입 ② 2단계 : 정비점검
③ 3단계 : 작업지시 ④ 4단계 : 위험예지훈련
⑤ 5단계 : 확인

11

교육방법의 4단계를 쓰시오

해답

① 제1단계 : 도입 ② 제2단계 : 제시
③ 제3단계 : 적용 ④ 제4단계 : 확인

12

안전교육의 3단계를 쓰시오.

해답

① 지식교육 ② 기능교육 ③ 태도교육

13

버드의 사고발생에 관한 관리모델 5단계를 순서대로 쓰시오.

해답

① 통제의 부족 – 관리 ② 기본원인 – 기원
③ 직접원인 – 징후 ④ 사고 – 접촉
⑤ 상해 – 손해, 손실

14

위험예지훈련의 진행방법(문제해결의 4단계)을 단계별로 쓰시오.

해답

① 1단계 : 현상파악 ② 2단계 : 본질추구
③ 3단계 : 대책수립 ④ 4단계 : 목표설정

15

하버드 학파의 5단계 교수법에 관하여 순서대로 쓰시오.

해답

① 준비시킨다. ② 교시한다. ③ 연합한다.
④ 총괄한다. ⑤ 응용시킨다.

16

안전관리조직의 유형 3가지를 쓰시오

해답

① 라인형 ② 스탭형 ③ 라인-스탭 혼합형

17

스탭형(참모식)조직의 장 단점을 쓰시오.

해답

(1) 장점
① 안전전문가가 안전계획을 세워 안전에 관한 전문적인 문제해결 방안을 모색하고 조치한다.
② 경영자에게 조언과 자문역할을 할 수 있다.
③ 안전 정보 수집이 빠르다.

(2) 단점
① 안전지시나 명령이 작업자에게까지 신속 정확하게 하달되지 못한다.
② 생산부분은 안전에 대한 책임과 권한이 없다.
③ 권한다툼이나 조정 때문에 시간과 노력이 소모된다.

18

라인- 스탭 혼합형(1,000명 이상) 조직의 장·단점을 쓰시오.

해답

(1) 장점
① 안전활동이 생산과 잘 협조가 된다.
② 생산라인의 각 계층에서도 안전업무를 겸임하여 할 수 있다.
③ 안전대책은 스탭부문에서 기획조사, 입안, 검토 연구하고 라인을 통하여 실시하도록 한다.
④ 전 근로자가 안전활동에 참여할 기회가 부여된다.

(2) 단점
① 라인과 스탭간에 협조가 안될 경우 업무의 원활한 추진이 불가능하다.
② 스텝의 기능이 너무 강하면 권한의 남용으로 라인에 간섭 → 라인의 권한약화 → 라인의 유명무실이 되기 쉽다.
③ 명령계통과 조언, 권고적 참여가 혼돈될 가능성이 있다.

19

안전보건 총괄책임자를 선임해야 할 사업(도급사업)을 2가지 쓰시오.

해답

① 수급인에게 고용된 근로자를 포함한 상시 근로자가 100명(선박 및 보트 건조업, 1차 금속 제조업 및 토사석 광업의 경우에는 50명) 이상인 사업
② 수급인의 공사금액을 포함한 해당 공사의 총공사금액이 20억원 이상인 건설업

20

교시법의 4단계를 순서대로 쓰시오.

해답

① 준비단계 ② 일을 하여 보이는 단계
③ 일을 시켜 보이는 단계 ④ 보습지도의 단계

21
매슬로우의 욕구 5단계를 순서대로 쓰시오.

해답

① 1단계 : 생리적 욕구
② 2단계 : 안전의 욕구
③ 3단계 : 사회적 욕구
④ 4단계 : 인정받으려는 욕구
⑤ 5단계 : 자아실현의 욕구

22
라인형(직계식) 조직의 장 단점을 2개씩 쓰시오.

해답

(1) 장점
① 안전에 관한 지시나 명령계통이 철저하다.
② 명령과 보고가 상하관계이므로 간단 명료하다.
③ 안전대책의 실시가 신속하다.

(2) 단점
① 안전에 관한 전문지식이 부족하며, 정보가 불충분하다.
② 라인에 과중한 책임을 지우기가 쉽다.
③ 생산라인의 업무에 중점을 두어 안전보건관리가 소홀해 질 수 있음

23
안전보건 개선계획 수립대상 사업장을 쓰시오.

해답

① 산업 재해율이 같은 업종의 규모별 평균 산업 재해율보다 높은 사업장
② 사업주가 필요한 안전조치 또는 보건조치를 이행하지 아니하여 중대재해가 발생한 사업장
③ 직업성 질병자가 연간 2명 이상 발생한 사업장
④ 유해인자의 노출기준을 초과한 사업장

tip
2020년 시행되는 법령전부개정으로 변경된 사항입니다. 문제와 해답은 변경된 내용에 맞도록 수정하였으니 착오없으시기 바랍니다.

24
안전보건 개선계획서 검토 승인 기준에 관하여 4가지를 쓰시오.

해답

① 개선계획에 지시된 내용의 준수 여부
② 개선지시내용의 세부시행 계획수립 여부
③ 개선계획의 실현 가능성 여부
④ 개선기일의 고의적 지연 여부

25
안전보건 개선계획에 포함되어야 할 사항 4가지를 쓰시오.

해답

① 시설
② 안전·보건관리체제
③ 안전·보건교육
④ 산업재해예방 및 작업환경 개선을 위하여 필요한 사항

26
안전보건 개선계획의 작성내용을 7가지 쓰시오.

해답

(1) 작업공정별 유해위험분포도(작업공정, 주요설비 및 기계명, 유해위험요소, 근로자수, 재해발생현황)
(2) 재해발생 현황
(3) 재해다발 원인 및 유형분석(관리적 원인, 직접원인, 발생형태, 기인물)
(4) 교육 및 점검계획
(5) 유해위험 작업부서 및 근로자수
(6) 개선계획
① 공통사항 : 안전보건관리조직, 안전표지부착, 보호구 착용, 건강진단 실시
② 중점 개선 계획 : 시설, 기계장치, 원료 재료, 작업방법, 작업환경
(7) 산업안전보건 관리예산

27

안전보건 진단을 받아 개선계획을 수립해야 하는 사업장을 쓰시오.

해답

(1) 산업재해율이 같은 업종 평균 산업재해율의 2배 이상인 사업장
(2) 사업주가 필요한 안전조치 또는 보건조치를 이행하지 아니하여 중대재해가 발생한 사업장
(3) 직업성 질병자가 연간 2명 이상(상시근로자 1천명 이상 사업장의 경우 3명 이상) 발생한 사업장
(4) 작업환경 불량, 화재·폭발 또는 누출사고 등으로 사회적 물의를 일으킨 사업장

28

안전보건관리규정에 포함시켜야 할 사항을 4가지 쓰시오.

해답

① 안전 및 보건에 관한 관리조직과 그 직무에 관한 사항
② 안전보건교육에 관한 사항
③ 작업장의 안전 및 보건관리에 관한 사항
④ 사고조사 및 대책수립에 관한 사항
⑤ 그 밖에 안전 및 보건에 관한 사항

29

주요 평가척도의 종류를 4가지 쓰시오.

해답

(1) 절대척도(재해건수 등의 수치)
(2) 상대척도(도수율, 강도율 등)
(3) 평정척도(① 표준평정척도 ② 도식평정척도 ③ 숫자평정척도 ④ 기술평정척도 등)
(4) 도수척도(중앙값, %등)

30

직접원인에 해당하는 불안전한 행동과 불안전한 상태의 종류를 각각 4개씩 쓰시오.

해답

(1) 불안전한 상태
① 물 자체의 결함 ② 안전방호장치의 결함
③ 복장·보호구의 결함 ④ 물의 배치 및 작업장소 불량
⑤ 작업환경의 결함

(2) 불안전한 행동
① 위험장소의 접근 ② 안전방호장치의 기능제거
③ 복장·보호구의 잘못 사용 ④ 기계·기구의 잘못 사용
⑤ 운전중인 기계장치의 손질

31

재해예방의 4원칙을 쓰시오.

해답

① 원인계기의 원칙 ② 대책선정의 원칙(3E : 교육, 기술, 독려)
③ 예방가능의 원칙 ④ 손실우연의 원칙

32

시정책의 적용에 사용되는 3E와 3S를 쓰시오.

해답

(1) 3E : ① Engineering(기술) ② Education(교육)
③ Enforcement(규제, 감독, 독려)
(2) 3S : ① Standardization(표준화) ② Specialization(전문화)
③ Simplification(단순화)

33
교육의 3요소를 쓰시오.

해답

① 교육의 주체 : 강사
② 교육의 객체 : 학습자
③ 교육의 매개체 : 교재(교육내용)

34
학습의 목적에서 구성 3요소와 학습정도 4단계를 쓰시오.

해답

(1) 구성 3요소 : ① 목표 ② 주제 ③ 학습정도
(2) 학습정도 4단계 : ① 인지 → ② 지각 → ③ 이해 → ④ 적용

35
적응과 역할에 관한 슈우퍼의 역할이론을 4가지 쓰시오.

해답

① 역할 연기 ② 역할 기대 ③ 역할 조성 ④ 역할 갈등

36
안전교육의 지도원칙에 해당하는 8원칙을 쓰시오.

해답

① 상대방의 입장에서 ② 동기부여를 중요하게
③ 쉬운 것에서 어려운 것으로 ④ 반복
⑤ 한번에 한가지씩 ⑥ 인상의 강화
⑦ 5관의 활용 ⑧ 기능적인 이해

37
안전교육의 기본방향 3가지를 쓰시오.

해답

① 사고사례 중심의 안전교육
② 표준작업을 위한 안전교육
③ 안전의식 향상을 위한 안전교육

38
지식교육의 4단계를 쓰시오.

해답

① 도입(준비) ② 제시(설명) ③ 적용(응용) ④ 확인(종합)

39
태도교육의 기본과정(4단계)를 쓰시오.

해답

① 청취 ② 이해납득 ③ 모범 ④ 평가(권장)

40
O.J.T교육의 특징을 3가지 쓰시오.

해답

① 직장의 현장실정에 맞는 구체적이고 실질적인 교육이 가능하다.
② 교육의 효과가 업무에 신속하게 반영된다.
③ 교육의 이해도가 빠르고 동기부여가 쉽다.
④ 개인의 능력과 적성에 알맞은 맞춤교육이 가능하다.
⑤ 교육으로 인해 업무가 중단되는 업무손실이 적다.
⑥ 교육경비의 절감효과가 있다.
⑦ 상사와의 의사 소통 및 신뢰도 향상에 도움이 된다.

41

Off. J. T교육의 특징을 3가지 쓰시오.

해답

① 한번에 다수의 대상자를 일괄적, 조직적으로 교육할 수 있다.
② 전문분야의 우수한 강사진을 초빙할 수 있다.
③ 교육기자재 및 특별교재 또는 시설을 유효하게 활용할 수 있다.
④ 다른 분야 및 타 직장의 사람들과 지식이나 경험의 교환이 가능하다.
⑤ 업무와 분리되어 면학에 전념하는 것이 가능하다.
⑥ 교육목표를 위하여 집단적으로 협조와 협력이 가능하다.
⑦ 법규, 원리, 원칙, 개념, 이론 등의 교육에 적합하다.

42

교육훈련 평가의 4단계를 쓰시오.

해답

① 제1단계 : 반응 단계　　② 제2단계 : 학습 단계
③ 제3단계 : 행동 단계　　④ 제4단계 : 결과 단계

43

근로자 안전보건교육의 종류를 쓰시오.

해답

① 정기교육　　② 채용 시 교육
③ 작업내용 변경 시 교육　　④ 특별교육
⑤ 건설업 기초안전·보건교육

44

밀폐공간에서 작업할 경우 실시해야 할 특별안전보건교육 내용을 쓰시오.

해답

① 산소농도 측정 및 작업환경에 관한 사항
② 사고시의 응급처치 및 비상시 구출에 관한 사항
③ 보호구 착용 및 보호 장비 사용에 관한 사항
④ 작업내용·안전작업 방법 및 절차에 관한 사항
⑤ 장비·설비 및 시설 등의 안전점검에 관한 사항
⑥ 그 밖에 안전·보건 관리에 필요한 사항

45

산업안전보건법령상 사업주가 실시해야 하는 관리감독자 안전보건교육 중 정기교육의 내용을 4가지 쓰시오.

해답

① 산업안전 및 사고 예방에 관한 사항
② 산업보건 및 직업병 예방에 관한 사항
③ 위험성평가에 관한 사항
④ 유해·위험 작업환경 관리에 관한 사항
⑤ 산업안전보건법령 및 산업재해보상보험 제도에 관한 사항
⑥ 직무스트레스 예방 및 관리에 관한 사항
⑦ 직장 내 괴롭힘, 고객의 폭언 등으로 인한 건강장해 예방 및 관리에 관한 사항
⑧ 작업공정의 유해·위험과 재해 예방대책에 관한 사항
⑨ 사업장 내 안전보건관리체제 및 안전·보건조치 현황에 관한 사항
⑩ 표준안전 작업방법 결정 및 지도·감독 요령에 관한 사항
⑪ 현장근로자와의 의사소통능력 및 강의능력 등 안전보건교육 능력 배양에 관한 사항
⑫ 비상시 또는 재해 발생 시 긴급조치에 관한 사항
⑬ 그 밖의 관리감독자의 직무에 관한 사항

46
학습지도의 원리 4가지를 쓰시오.

해답

① 자발성의 원리　② 개별화의 원리
③ 사회화의 원리　④ 통합의 원리

47
T.W.I방식의 교육훈련내용을 쓰시오.

해답

① 작업지도기법(JIT)　② 작업개선기법(JMT)
③ 인간관계관리 기법(JRT)　④ 작업안전기법(JST)

48
카운셀링의 효과를 3가지 쓰시오.

해답

① 정신적 스트레스 해소 효과　② 동기부여　③ 안전태도형성

49
소질적인 사고요인을 쓰시오.

해답

① 지능　② 성격　③ 감각기능

50
안전심리의 5대 요소를 쓰시오

해답

① 동기　② 기질　③ 감정　④ 습성　⑤ 습관

51
운동의 시지각에 해당하는 착각현상의 종류를 쓰고 간단히 설명하시오.

해답

① 자동운동 : 암실 내에서 정지된 소광점을 응시하고 있으면 그 광점이 움직이는 것처럼 느껴지는 현상
② 유도운동 : 실제로는 움직이지 않는 것이 어느 기준의 이동에 유도되어 움직이는 것처럼 느껴지는 현상
③ 가현운동 : 객관적으로 정지하고 있는 대상물이 급속히 나타나든지 소멸하는 것으로 인하여 일어나는 운동으로 마치 대상물이 운동하는 것처럼 인식되는 현상

52
주의의 특징을 3가지 쓰시오.

해답

① 선택성　② 방향성　③ 변동성

53
부주의의 현상을 4가지 쓰시오.

해답

① 의식의 단절　② 의식의 우회　③ 의식수준의 저하
④ 의식의 과잉　⑤ 의식의 혼란

54

재해빈발설의 종류를 2가지 쓰고 간단히 설명하시오.

해답

기회설	개인의 문제가 아니라 작업자체에 위험성이 많기 때문 → 교육훈련실시 및 작업환경개선대책
암시설	재해를 한번 경험한 사람은 정신적으로나 심리적으로 압박을 받게 되어 상황에 대한 대응능력이 떨어져 재해가 빈발
빈발 경향자설	재해를 자주 일으키는 소질적 결함요소를 가진 근로자가 있다는 설

55

재해 누발자의 유형을 4가지 쓰시오.

해답

① 미숙성 누발자 ② 상황성 누발자
③ 습관성 누발자 ④ 소질성 누발자

56

피로의 3증상을 쓰시오.

해답

① 주관적 피로 ② 객관적 피로 ③ 생리적(기능적)피로

57

휴식시간을 산출하는 공식을 쓰시오.

해답

$$R=\frac{60(E-4)}{E-1.5}$$

R : 휴식시간(분), E : 작업시 평균 에너지 소비량(kcal/분)
60분 : 총작업 시간, 1.5kcal/분 : 휴식시간 중의 에너지 소비량
4kcal/분 : 작업에 대한 평균에너지 값
(작업에 대한 권장 평균에너지 소비량)

58

에너지 대사율 (R. M. R)을 산출하는 공식을 쓰시오.

해답

$$\text{RMR}=\frac{\text{작업시 소비에너지}-\text{안정시 소비에너지}}{\text{기초대사시 소비에너지}}=\frac{\text{작업대사량}}{\text{기초대사량}}$$

59

피로의 측정방법 3가지를 쓰시오.

해답

① 생리적 방법 ② 심리학적 방법 ③ 생화학적 방법

60

플리커(Flicker)법에 관하여 간략히 설명하시오.

해답

융합한계빈도(crifical fusion frequency of flicker : CFF법)라고도 하며, 사이가 벌어진 회전하는 원판으로 들어오는 광원의 빛을 단속시켜 연속광으로 보이는지 단속광으로 보이는지 경계에서의 빛의 단속주기를 플리커 치라고 하여 피로도검사에 이용.

61

허즈버그의 2요인 이론에 대하여 간략히 설명하시오.

해답

① 위생요인 : 낮은 단계의 욕구로 금전, 안전, 작업조건, 대인관계, 직위, 정책, 관리, 감독 등 환경적 요인을 의미한다.
② 동기부여요인 : 높은 단계의 욕구로 성취, 책임과 승진 등 작업자에게 만족감을 주는 요인을 의미한다.

62

맥그리거의 X이론과 Y이론의 내용을 3가지씩 쓰시오.

해답

(1) X이론
① 인간 불신감 ② 성악설
③ 물질욕구 ④ 명령통제의 의한 관리
⑤ 저개발국형

(2) Y이론
① 상호 신뢰감 ② 성선설
③ 정신욕구 ④ 목표통합과 자기통제에 의한 자율관리
⑤ 선진국형

63

알더퍼의 ERG이론이란 무엇인가?

해답

① 생존욕구 ② 관계욕구 ③ 성장욕구

64

안전동기의 유발방법에 대하여 3가지 쓰시오.

해답

① 안전의 근본이념을 인식시킬 것
② 안전목표를 명확히 설정할 것
③ 결과를 알려줄 것
④ 상과 벌을 줄 것
⑤ 경쟁과 협동을 유도할 것
⑥ 동기유발의 최적수준을 유지토록 할 것

65

무재해운동의 이념 3원칙을 쓰시오

해답

① 무의 원칙
② 참여의 원칙(참가의 원칙)
③ 안전제일의 원칙(선취해결의 원칙)

66

무재해운동 추진의 3요소(3기둥)를 쓰시오.

해답

① 최고경영자의 엄격한 안전경영자세
② 안전활동의 라인화
③ 직장 자주 안전 활동의 활성화

67

브레인 스토밍의 4원칙을 쓰시오.

해답

① 비평금지 ② 자유분방 ③ 대량발언 ④ 수정발언

68

위험예지의 3가지 훈련을 쓰시오.

해답

① 감수성 훈련 ② 단시간 미팅 훈련 ③ 문제해결 훈련

69

산업안전보건법령상 사업주가 근로자에게 실시해야하는 근로자 안전보건교육 중 채용시 교육 및 작업내용 변경 시 교육내용을 4가지 쓰시오.

해답

① 산업안전 및 사고 예방에 관한 사항
② 산업보건 및 직업병 예방에 관한 사항
③ 위험성 평가에 관한 사항
④ 산업안전보건법령 및 산업재해보상보험 제도에 관한 사항
⑤ 직무스트레스 예방 및 관리에 관한 사항
⑥ 직장 내 괴롭힘, 고객의 폭언 등으로 인한 건강장해 예방 및 관리에 관한 사항
⑦ 기계·기구의 위험성과 작업의 순서 및 동선에 관한 사항
⑧ 작업 개시 전 점검에 관한 사항
⑨ 정리정돈 및 청소에 관한 사항
⑩ 사고 발생 시 긴급조치에 관한 사항
⑪ 물질안전보건자료에 관한 사항)

70

밀폐된 공간에서의 작업 시 관리감독자의 업무내용을 3가지 쓰시오.

해답

① 산소가 결핍된 공기나 유해가스에 노출되지 않도록 작업 시작 전에 해당 근로자의 작업을 지휘하는 업무
② 작업을 하는 장소의 공기가 적절한지를 작업 시작 전에 측정하는 업무
③ 측정장치·환기장치 또는 공기호흡기 또는 송기 마스크 등을 작업 시작 전에 점검하는 업무
④ 근로자에게 공기호흡기 또는 송기 마스크의 착용을 지도하고, 착용 상황을 점검하는 업무

71

산업안전보건법령상 사업주가 근로자에게 실시해야 하는 근로자 안전보건교육 중 정기교육 내용을 4가지 쓰시오.

해답

① 산업안전 및 사고 예방에 관한 사항
② 산업보건 및 직업병 예방에 관한 사항
③ 위험성 평가에 관한 사항
④ 건강증진 및 질병 예방에 관한 사항
⑤ 유해·위험 작업환경 관리에 관한 사항
⑥ 산업안전보건법령 및 산업재해보상보험 제도에 관한 사항
⑦ 직무스트레스 예방 및 관리에 관한 사항
⑧ 직장 내 괴롭힘, 고객의 폭언 등으로 인한 건강장해 예방 및 관리에 관한 사항

메모

02

기계작업 공정 특성 분석

CHAPTER 01

안전관리상 고려사항 결정하기

1 인간-기계 체계

1) 인간 기계 기능 체계도 ★

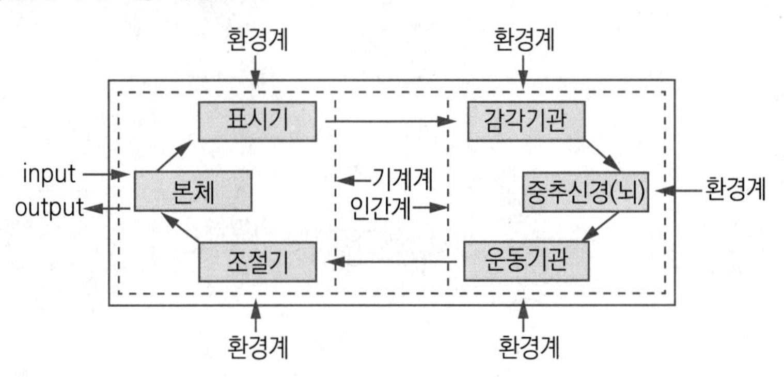

〈 Man-Machine System의 체계도 〉

2) 체계의 기본기능 및 업무 ★★★

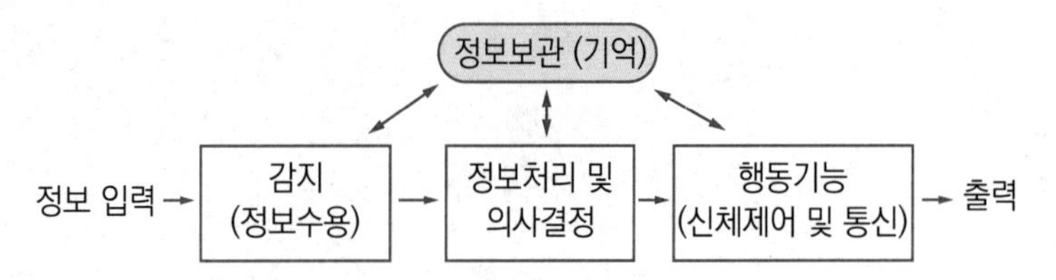

〈 인간-기계체계의 인간의 기본기능의 유형 〉

2 휴먼에러의 분류

1) 스웨인(A.D.Swain)의 독립행동에 의한 분류 ★★★

생략에러 (Omission error)	필요한 직무나 단계를 수행하지 않은(생략) 에러
착각수행에러 (Commission error)	직무나 순서 등을 착각하여 잘못 수행(불확실한 수행)한 에러
순서에러 (Sequential error)	직무 수행과정에서 순서를 잘못 지켜(순서착오) 발생한 에러
시간적에러 (Time error)	정해진 시간내 직무를 수행하지 못하여(수행지연) 발생한 에러
불필요한 수행에러 (Extraneous error)	불필요한 직무 또는 절차를 수행하여 발생한 에러(과잉행동에러)

① 부작위 실수(omission error) : 직무의 한 단계 또는 전체직무를 누락시킬 때 발생

② 작위 실수(commission error) : 직무를 수행하지만 잘못 수행할 때 발생(넓은 의미로 선택착오, 순서착오, 시간착오, 정성적착오 포함)

2) 원인의 레벨적 분류 ★

Primary error	작업자 자신으로부터 발생한 에러(안전교육으로 예방)
Secondary error	작업형태, 작업조건 중에서 다른 문제가 발생하여 필요한 직무나 절차를 수행 할 수 없는 에러
Command error	작업자가 움직이려 해도 필요한 물건, 정보, 에너지 등이 공급되지 않아서 작업자가 움직일 수 없는 상황에서 발생한 에러

3) 리즌(Reason)의 분류 ★★

의도되지 않은 행동 (숙련기반에러. Skill-based error)	실수(Slip)	부주의에 의한 실수
	건망증(Lapse)	기억실패에 의한 망각
의도된 행동	착각 (Mistake)	규칙기반에러(Rule-based error)
		지식기반에러(Knowledge-based error)
	위반 (Violation)	일상, 상황, 고의

CHAPTER 02

관련공정 특성 분석하기

1 시스템의 신뢰도 ★★★

1) 직렬(series system)

$$R=R_1\times R_2\times R_3\times\cdots\cdots\times R_n=\prod_{i=1}^{n}R_i$$

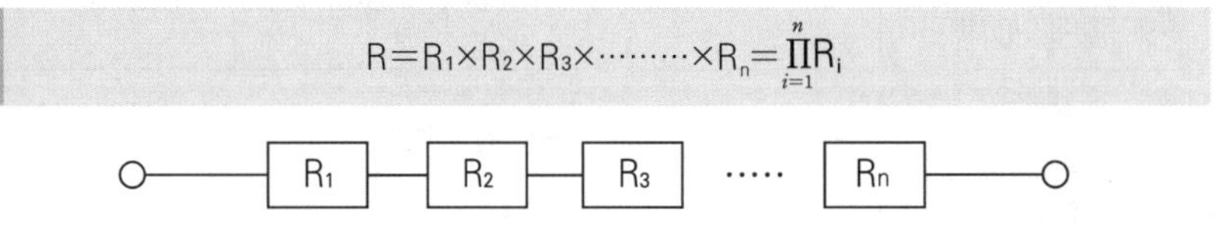

2) 병렬(페일세이프티 : fail safety)

$$R=1-(1-R_1)(1-R_2)\cdots\cdots(1-R_n)=1-\prod_{i=1}^{n}(1-R_i)$$

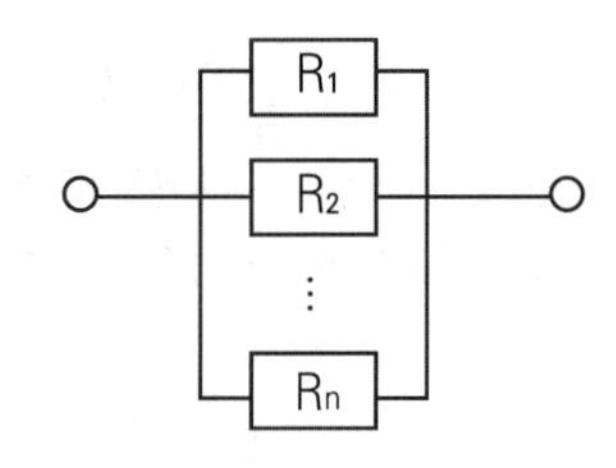

2 정보의 측정단위 ★★

1) bit와 정보량

(1) bit란

실현가능성이 같은 2개의 대안 중 하나가 명시되었을 때 얻을 수 있는 정보량

(2) 정보량

① 실현가능성이 같은 n개의 대안이 있을 때 총 정보량 H는

$$H=\log_2 n$$

② 이것은 각 대안의 실현 확률(n의 역수)로 표현할 수도 있다.
(실현확률을 P라고 하면)

$$H=\log_2\frac{1}{P}$$

예제

신호 표시기에 등이 4개(적색, 녹색, 황색, 화살표)가 있고 그중 하나에만 불이 켜지는 경우 정보량은?

정답 $\log_2 4=2\text{bit}$

3 고장률 ★★★

고장률 함수	평균고장률$(\lambda)=\dfrac{r(\text{그 기간중의 총고장수})}{T(\text{총동작시간})}$
고장률이 사용시간에 관계없이 일정할 경우	$R(t)=\exp[-\lambda t]=e^{-\lambda t}$
평균수명은 평균고장률과 역수관계	$\lambda=\dfrac{1}{MTBF}$

4 욕조곡선 ★★

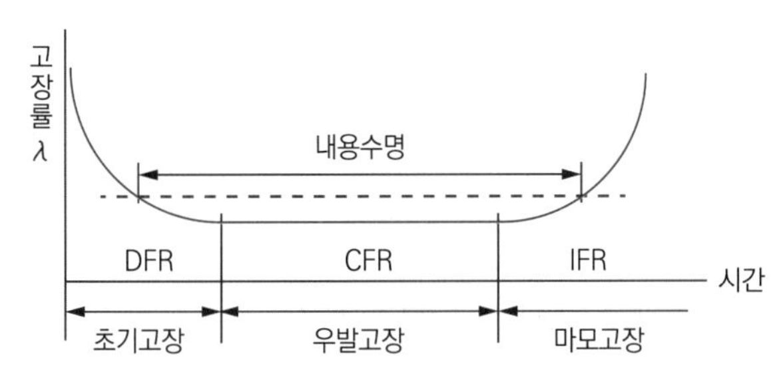

기계의 고장률(욕조곡선)

초기고장	품질관리의 미비로 발생할 수 있는 고장으로 작업 시작전 점검, 시운전 등으로 사전예방이 가능한 고장 ① debugging 기간 : 초기고장의 결함을 찾아서 고장률을 안정시키는 기간 ② burn in 기간 : 제품을 실제로 장시간 사용해보고 결함의 원인을 찾아내는 방법
우발고장	예측할 수 없을 경우 발생하는 고장으로 시운전이나 점검으로 예방불가 (낮은 안전계수, 사용자의 과오 등)
마모고장	장치의 일부분이 수명을 다하여 발생하는 고장 (부식 또는 마모, 불충분한 정비 등)

기계위험 안전조건 분석하기

1 Fail safe와 Fool proof ★★

1) 정의

구분	Fail safe 설계	Fool Proof 설계
정의	인간 또는 기계의 조작상의 과오로 기기의 일부에 고장이 발생해도 다른 부분의 고장이 발생하는 것을 방지하거나 또는 어떤 사고를 사전에 방지하고 안전 측으로 작동하도록 설계하는 방법	바보 같은 행동을 방지한다는 뜻으로 사용자가 비록 잘못된 조작을 하더라도 이로 인해 전체의 고장이 발생되지 아니하도록 하는 설계방법
적용 예	퓨즈(fuse), elevator의 정전시 제동장치 등	카메라에서 셔터와 필림 돌림대의 연동(이중 촬영 방지)

2) Fail safe의 기능면에서의 분류 (3단계) ★★★

Fail-passive	부품이 고장났을 경우 통상기계는 정지하는 방향으로 이동(일반적인 산업기계)
Fail-active	부품이 고장났을 경우 기계는 경보를 울리는 가운데 짧은 시간동안 운전 가능
Fail-operational	부품의 고장이 있더라도 기계는 추후 보수가 이루어 질 때까지 안전한 기능 유지(병렬구조 등으로 되어 있으며 운전상 가장 선호하는 방법)

3) 구조적 Fail safe(항공기의 구조상 검토)

다경로 하중구조	중복구조, 병렬구조, m out of n 구조라고도 하며, 하중을 전달하는 첫 번째 부재가 파손되어도 두 번째가 안전하면 파괴되는 일 없이 안전하게 작동
분할구조	조합구조라 하며 하나의 부재를 둘 이상으로 분할하여 분할부재를 결합하여 부재의 역할이 이루어지도록 함. 파괴가 되어도 분할부재 한 쪽만 파괴되고 전체 기능에는 이상이 없도록 한 구조
교대구조	대기 병렬구조로서 하중을 받고 있는 부재가 파괴될 경우 대기 중이던 부재가 하중을 담당하게 되는 구조
하중 경감구조	일부 부재의 강도를 약하게 하여 파손이 되더라도 다른 쪽 부재로 하중이 이동하면서 치명적인 파괴를 예방하는 구조

4) 대표적인 Fool proof의 기구

종류	형식	기능
가아드 (Guard)	고정 가아드 (Fixed Guard)	개구부로부터 가공물과 공구 등을 넣어도 손은 위험영역에 머무르지 않는 형태
	조절 가아드 (Adjustable Guard)	가공물과 공구에 맞도록 형상과 크기를 조절하는 형태
	경고 가아드 (Warning Guard)	손이 위험영역에 들어가기 전에 경고를 하는 형태
	인터록 가아드 (Interlock Guard)	기계가 작동중에 개폐되는 경우 정지하는 형태
록 기구 (Lock 기구)	인터록(Interlock)	기계식, 전기식, 유공압입식 또는 이들의 조합으로 2개 이상의 부분이 상호 구속되는 형태
	키이식 인터록 (Key Type Interlock)	열쇠를 사용하여 한쪽을 잠그지 않으면 다른 쪽이 열리지 않는 형태
	키이록(Key lock)	1개 또는 상호 다른 여러 개의 열쇠를 사용하며, 전체의 열쇠가 열리지 않으면 기계가 조작되지 않는 형태
오버런 기구 (Overrun 기구)	검출식(Detecting)	스위치를 끈 후 관성운동과 잔류전하를 검지하여 위험이 있는 동안은 가아드가 열리지 않는 형태
	타이밍식(Timing type)	기계식 또는 타이머 등을 이용하여 스위치를 끈 후 일정 시간이 지나지 않으면 가아드가 열리지 않는 형태
트립 기구 (Trip 기구)	접촉식(Contact type)	접촉판, 접촉봉 등으로 신체의 일부가 위험영역에 접근하면 기계가 정지 하는 형태
	비접촉식 (No-Contact type)	광선식, 정전용량식 등으로 신체의 일부가 위험 영역에 접근하면 기계가 정지 또는 역전복귀 하며, 신체일부가 위험영역에 들어갔을 경우 기계가 기동하지 않는 형태
밀어내기 기구 (Push & Pull 기구)	자동 가아드	가아드의 가동부분이 열렸을 때 자동적으로 위험지역으로부터 신체를 밀어내는 형태
	손을 밀어냄 손을 끌어당김	위험한 상태가 되기 전에 손을 위험지역으로부터 밀어내거나 끌어당겨 제자리로 오게 하는 형태
기동방지 기구	안전 블록	기계의 기동을 기계적으로 방해하는 스토퍼 등으로써 통상 안전 블록과 함께 사용하는 형태
	안전 플러그	제어회로 등으로 설계된 접점을 차단하는 것으로 불의의 기동을 방지하는 형태
	레버록	조작레버를 중립위치에 놓으면 자동적으로 잠기는 형태

2 인체계측

1) 구조적 및 기능적 인체 치수

구조적 인체 치수 (정적 인체 계측)	① 신체를 고정시킨 자세에서 피측정자를 인체 측정기 등으로 측정 ② 여러 가지 설계의 표준이 되는 기초적 치수 결정 ③ 마르틴 식 인체 계측기 사용 ④ 종류 ㉠ 골격치수 – 신체의 관절 사이를 측정 ㉡ 외곽치수 – 머리둘레, 허리둘레 등의 표면 치수 측정
기능적 인체 치수 (동적 인체 계측)	① 동적 치수는 운전을 위해 핸들을 조작하거나 브레이크를 밟는 행위 또는 물체를 잡기위해 손을 뻗는 행위 등 움직이는 신체의 자세로부터 측정 ② 신체적 기능 수행시 각 신체부위는 독립적으로 움직이는 것이 아니라, 부위별 특성이 조합되어 나타나기 때문에 정적 치수와 차별화 ③ 소마토그래피 (somato graphy) : 신체적 기능 수행을 정면도, 측면도, 평면도의 형태로 표현하여 신체 부위별 상호작용을 보여주는 그림

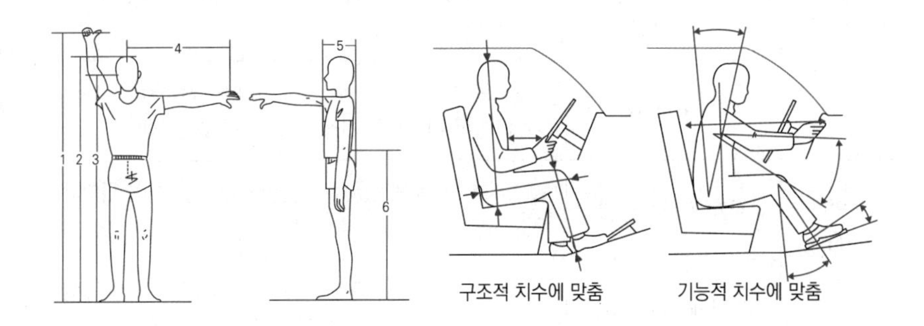

2) 인체 계측 자료의 응용 원칙 ★★★

(1) 극단적인 사람을 위한 설계

① 극단치 설계(인체 측정 특성의 극단에 속하는 사람을 대상으로 설계하면 거의 모든 사람을 수용가능)

구분	최대 집단치	최소 집단치
개념	대상 집단에 대한 인체 측정 변수의 상위 백분위수(percentile)를 기준으로 90, 95, 99%치가 사용	관련 인체 측정 변수 분포의 하위 백분위수를 기준으로 1, 5, 10%치가 사용
사용 예	① 출입문, 통로, 의자사이의 간격 등의 공간 여유의 결정 ② 줄사다리, 그네 등의 지지물의 최소 지지중량(강도)	선반의 높이 또는 조정장치까지의 거리, 버스나 전철의 손잡이 등의 결정

② 효과와 비용을 고려 : 흔히 95%나 5%치를 사용

(2) 조절 범위

① 장비나 설비의 설계에 있어 때로는 여러 사람이 사용 가능하도록 조절식으로 하는 것이 바람직한 경우도 있다.

② 사무실 의자의 높낮이 조절, 자동차 좌석의 전후조절 등

③ 통상 5%치에서 95%치까지의 90% 범위를 수용대상으로 설계

(3) 평균치를 기준으로 한 설계

① 특정 장비나 설비의 경우, 최대 집단치나 최소 집단치 또는 조절식으로 설계하기가 부적절하거나 불가능할 때

② 가게나 은행의 계산대 등

3 수평작업대 및 부품배치

1) 수평작업대 ★

정상작업역 (표준영역)	위팔을 자연스럽게 수직으로 늘어뜨리고, 아래팔만으로 편하게 뻗어 파악할 수 있는 영역
최대작업역 (최대영역)	아래팔과 위팔을 모두 곧게 펴서 파악할 수 있는 영역

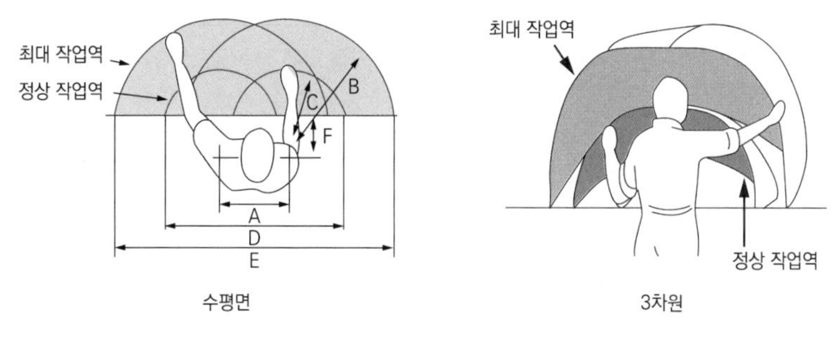

▲ 정상 작업역과 최대작업역

2) 부품배치의 원칙 ★★★

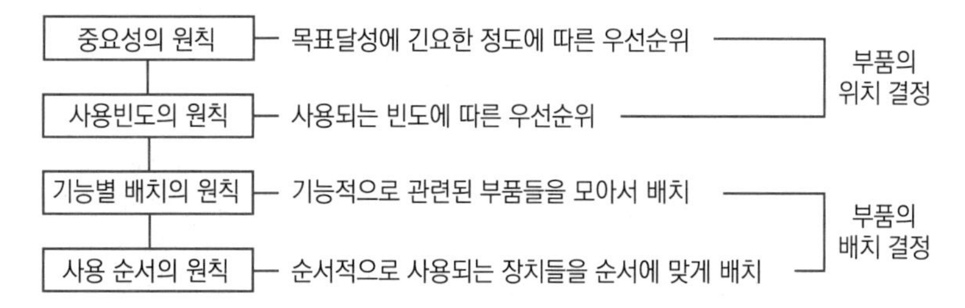

4 통제표시 비율 ★

1) 조종 – 표시장치 이동비율(control display ratio) C/D비 또는 C/R비

(1) 조정장치의 움직인 거리(회전수)와 표시 장치상의 지침이 움직인 거리의 비

(2) 종류

① 선형 조정장치가 선형 표시장치를 움직일 때는 각각 직선변위의 비(제어표시비)

$$C/D\text{비} = \frac{\text{조종장치(제어기기)의 이동거리}}{\text{표시장치(표시기기)의 반응거리}}$$

② 회전 운동을 하는 조정장치가 선형 표시장치를 움직일 경우

$$C/D\text{비} = \frac{(a/360) \times 2\pi L}{\text{표시장치의 이동거리}}$$

L : 반경(지레의 길이), a : 조정장치가 움직인 각도

2) 조종 반응비율(통제 표시비) 설계시 고려사항

계기의 크기	계기의 조절시간이 짧게 소요되는 사이즈 선택, 너무 작으면 오차발생 증대되므로 상대적으로 고려
공차	짧은 주행시간내에 공차의 인정범위를 초과하지 않는 계기 마련
목측거리	눈의 가시거리가 길면 길수록 조절의 정확도는 감소하며 시간이 증가
조작시간	조작시간의 지연은 직접적으로 조종반응비가 가장 크게 작용(필요할 경우 통제비 감소조치)
방향성	조종기기의 조작방향과 표시기기의 운동방향이 일치하지 않으면 작업자의 혼란초래(조작의 정확성 감소)

5 청각적·시각적 표시장치의 비교 ★

청각장치 사용	시각장치 사용
① 정보가 간단하다. ② 정보가 짧다. ③ 정보가 후에 재참조되지 않는다. ④ 정보의 내용이 시간적 사상을 다룬다. ⑤ 정보가 즉각적인 행동을 요구한다.(긴급할때) ⑥ 수신장소가 너무 밝거나 암조응유지가 필요시 ⑦ 직무상 수신자가 자주 움직일 때 ⑧ 수신자가 시각계통이 과부하상태일 때	① 정보가 복잡하다. ② 정보가 길다. ③ 정보가 후에 재참조된다. ④ 정보의 내용이 공간적인 위치를 다룬다. ⑤ 정보가 즉각적인 행동을 요구하지 않는다. ⑥ 수신장소가 너무 시끄러울 때 ⑦ 직무상 수신자가 한곳에 머물 때 ⑧ 수신자의 청각 계통이 과부하상태일 때

6 작업환경 관리

1) 조도 ★★★

물체의 표면에 도달하는 빛의 밀도(표면밝기의 정도)로 단위는 lux(meter candle)를 사용하며, 거리가 멀수록 역자승 법칙에 의해 감소한다.

$$조도=\frac{광도}{(거리)^2}$$

2) 작업장의 조도 기준 ★★★

초정밀 작업	정밀 작업	보통 작업	그 밖의 작업
750 럭스 이상	300 럭스 이상	150 럭스 이상	75 럭스 이상

3) 대비 ★

① 표적과 배경의 밝기 차이를 말하며, 광도대비 또는 휘도대비란 표면의 광도와 배경의 광도의 차를 나타내는 척도이다(광도는 반사율로 바꾸어 적용할 수 있다)

② 대비 공식

$$대비(\%)=\frac{배경의\ 광도(L_b)-표적의\ 광도(L_t)}{배경의\ 광도(L_b)}\times 100$$

4) 소음 대책 ★★★

(1) 소음작업의 기준

소음작업	1일 8시간 작업을 기준으로 85데시벨 이상의 소음이 발생하는 작업
강렬한 소음작업	① 90데시벨 이상의 소음이 1일 8시간 이상 발생되는 작업 ② 95데시벨 이상의 소음이 1일 4시간 이상 발생되는 작업 ③ 100데시벨 이상의 소음이 1일 2시간 이상 발생되는 작업 ④ 105데시벨 이상의 소음이 1일 1시간 이상 발생되는 작업 ⑤ 110데시벨 이상의 소음이 1일 30분 이상 발생되는 작업 ⑥ 115데시벨 이상의 소음이 1일 15분 이상 발생되는 작업
충격소음작업	소음이 1초 이상의 간격으로 발생하는 작업으로서 다음에 해당하는 작업 ① 120데시벨을 초과하는 소음이 1일 1만회 이상 발생되는 작업 ② 130데시벨을 초과하는 소음이 1일 1천회 이상 발생되는 작업 ③ 140데시벨을 초과하는 소음이 1일 1백회 이상 발생되는 작업

(2) 소음작업(강렬한 소음, 충격소음 포함)의 근로자 주지사항

① 해당 작업장소의 소음 수준

② 인체에 미치는 영향과 증상

③ 보호구의 선정과 착용방법

④ 그밖에 소음으로 인한 건강장해 방지에 필요한 사항

참고

실효온도(체감온도, 감각온도) 영향인자 ★

① 온도
② 습도
③ 공기의 유동(기류)

참고

Oxford(옥스퍼드) 지수 ★★

습건지수(WD) = 0.85D+0.15D

Key point

청력보존 프로그램을 수립하여 시행해야 하는 대상

① 근로자가 소음작업, 강렬한 소음작업 또는 충격소음작업에 종사하는 사업장
② 소음으로 인하여 근로자에게 건강장해가 발생한 사업장

(3) OSHA 표준

① 소음 투여량(noise dose)-소음 노출지수

㉠ OSHA(미 노동부 직업안전 위생국)의 소음의 부분 투여(80dB-A이하 무시)

$$부분투여(\%) = \frac{실제노출시간}{최대허용시간} \times 100$$

㉡ 허용노출수준 : 100%의 소음 투여량(총 소음 투여량은 부분투여의 합)

② OSHA 허용 소음노출

음압수준 (dB-A)	80	85	90	95	100	105	110	115	120	125	130
허용시간	32	16	8	4	2	1	0.5	0.25	0.125	0.065	0.031

(4) 소음대책(소음통제 방법)

① 소음원의 제거 - 가장 적극적인 대책

② 소음원의 통제 - 안전설계, 정비 및 주유, 고무 받침대 부착, 소음기 사용 등

③ 소음의 격리 - 씌우개(enclosure), 방이나 장벽을 이용(창문을 닫으면 10dB 감음 효과)

④ 차음 장치 및 흡음재 사용

⑤ 음향 처리제 사용

⑥ 적절한 배치(lay out)

7 기계설비의 방호장치

1) 방호장치의 분류

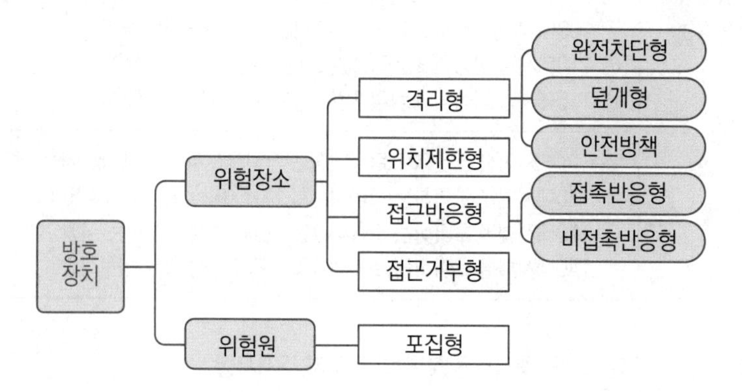

2) 방호방법

(1) 격리형 방호장치

① 작업점과 작업자 사이에 장애물을 설치하여 접근을 방지(차단벽이나 망 등)

② 종류

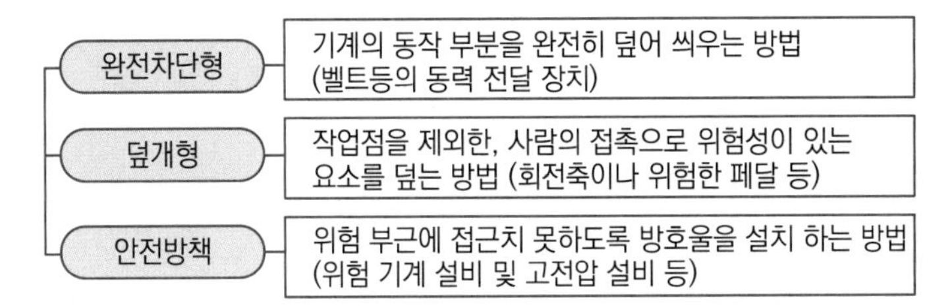

완전차단형
기계의 동작 부분을 완전히 덮어 씌우는 방법
(벨트등의 동력 전달 장치)
덮개형
작업점을 제외한, 사람의 접촉으로 위험성이 있는
요소를 덮는 방법 (회전축이나 위험한 페달 등)
안전방책
위험 부근에 접근치 못하도록 방호울을 설치 하는 방법
(위험 기계 설비 및 고전압 설비 등)

(2) 위치 제한형 방호장치

① 기계의 조작장치를 일정거리 이상 떨어지게 설치하여 작업자의 신체 부위가 위험 범위 밖에 있도록 하는 방법

② 프레스의 양수 조작식 방호 장치

안전거리(mm)$=1600\times(Tc+Ts)$

(3) 접근 거부형 방호장치

① 위험 범위 내로 신체가 접근할 경우 방호장치가 신체부위를 밀거나 당겨서 위험한 범위 밖으로 이동시키는 방법

② 프레스의 수인식 및 손쳐내기식 방호장치

(4) 접근 반응형 방호장치

① 위험 범위 내로 신체가 접근할 경우 이를 감지하여 즉시 기계의 작동을 정지시키거나 전원이 차단되도록 하는 방법

② 프레스의 광 전자식

(5) 포집형 방호장치

① 위험원에 대한 방호장치

② 연삭숫돌의 파괴 또는 가공재의 칩이 비산할 경우 이를 방지하고 안전하게 칩을 포집하는 방법

(6) 기타

① 감지형 방호장치

② 본질적으로 일정한 작업상의 위험으로부터 방호하기 위한 구조규격으로 된 것 등

8 원동기·회전축 등의 위험방지

기계의 원동기·회전축·기어·풀리·플라이휠·벨트 및 체인 등의 위험부위 ★★★	① 덮개 ② 울 ③ 슬리브 ④ 건널다리(안전난간 및 미끄러지지 않는 구조의 발판 설치)
회전축·기어·풀리 및 플라이휠 등에 부속되는 키·핀 등의 기계요소 ★	① 묻힘형 ② 해당부위 덮개
벨트의 이음부분	돌출된 고정구 사용금지
건널다리의 구조	① 안전난간 ② 미끄러지지 아니하는 구조의 발판

9 유해·위험 방지를 위하여 방호조치가 필요한 기계·기구 등 ★★★

대상 기계·기구	방호장치
예초기	날접촉예방장치
원심기	회전체 접촉 예방장치
공기압축기	압력방출장치
금속절단기	날접촉예방장치
지게차	헤드가드, 백레스트, 전조등, 후미등, 안전벨트
포장기계(진공포장기, 랩핑기로 한정)	구동부 방호 연동장치

단원별 출제예상문제

01

인간기준의 유형 4가지를 쓰시오.

해답

① 인간성능척도 ② 생리학적지표 ③ 주관적 반응 ④ 사고빈도

02

체계기준의 유형을 4가지 쓰시오.

해답

① 체계의 예상수명
② 운용이나 사용상의 용이도
③ 정비유지도
④ 신뢰도
⑤ 운용비
⑥ 인력소요

03

기준의 요건에 해당하는 내용을 3가지 쓰시오.

해답

① 적절성(relevance)
② 무오염성
③ 기준척도의 신뢰성(reliability of criterion measure)

04

사고의 배후요인 4요소(4M)를 쓰시오

해답

① man ② machine ③ media ④ management

05

인간이 갖는 신뢰성을 3가지 쓰시오.

해답

① 주의력 ② 긴장수준 ③ 의식수준

06

인간이 현존하는 기계보다 우수한 기능을 4가지 쓰시오.

해답

① 복잡 다양한 자극 형태 식별
② 예기치 못한 사건 감지
③ 많은량의 정보를 오래 보관
④ 귀납적 추리
⑤ 과부하 상태에서는 중요한 일에만 전념

07

작위실수에 포함되는 내용을 쓰시오.

해답

착각수행에러(Commission error), 넓은 의미로는 선택착오, 순서착오, 시간착오, 정성적착오 포함

08

원인의 레벨적 분류를 3가지 쓰고, 간략히 설명하시오.

해답

Primary error	작업자 자신으로부터 발생한 에러 (안전교육으로 예방)
Secondary error	작업형태, 작업조건 중에서 다른 문제가 발생하여 필요한 직무나 절차를 수행할 수 없는 에러
Command error	작업자가 움직이려 해도 필요한 물건, 정보, 에너지 등이 공급되지 않아서 작업자가 움직일 수 없는 상황에서 발생한 에러

09

감각차단현상의 정의를 간단히 쓰시오.

해답

단조로운 업무가 장시간 지속될 때 작업자의 감각기능 및 판단능력이 둔화 또는 마비되는 현상(의식수준 I단계에 해당)

10

인간-기계체계의 인간의 기본기능의 4가지 유형을 쓰시오.

해답

① 감지 ② 정보보관(저장) ③ 정보처리 및 의사결정
④ 행동기능

11

인간 - 기계 통합체계의 3가지 유형을 쓰시오.

해답

① 수동체계 ② 기계화체계 ③ 자동체계

12

현존하는 기계가 인간보다 우수한 기능을 4가지 쓰시오.

해답

① 인간 및 기계에 대한 모니터 기능
② 드물게 발생하는 사상 감지
③ 암호화된 정보를 신속하게 대량보관
④ 연역적 추리
⑤ 과부하 상태에서도 효율적으로 작동
⑥ 인간의 정상적 감지 범위 밖의 자극감지

13

완성된 제품을 검사하는 작업장에서 검사자가 8,000개의 제품을 검사하여 500개의 불량품을 발견하였다. 이 로트에 실제로 1,500개의 불량품이 있었다면 휴먼에러 확률을 계산하시오.

해답

$$\text{휴먼에러 확률(HEP)} = \frac{\text{인간오류의 수}}{\text{전체오류발생 기회의 수}}$$

$$\therefore \text{HEP} = \frac{1,000}{8,000} = 0.125$$

14

다음과 같은 시스템의 신뢰도를 구하는 공식을 쓰시오.

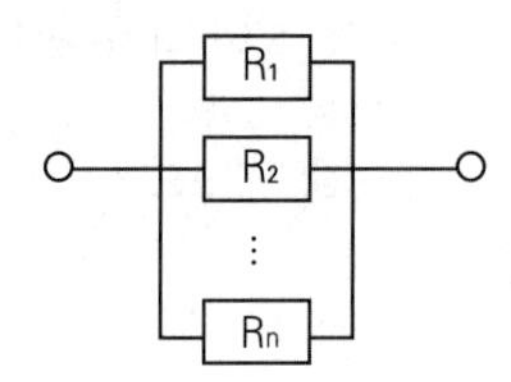

해답

$$R = 1-(1-R_1)(1-R_2)\cdots(1-R_n) = 1-\prod_{i=1}^{n}(1-R_i)$$

15

다음 시스템의 신뢰도를 구하시오.

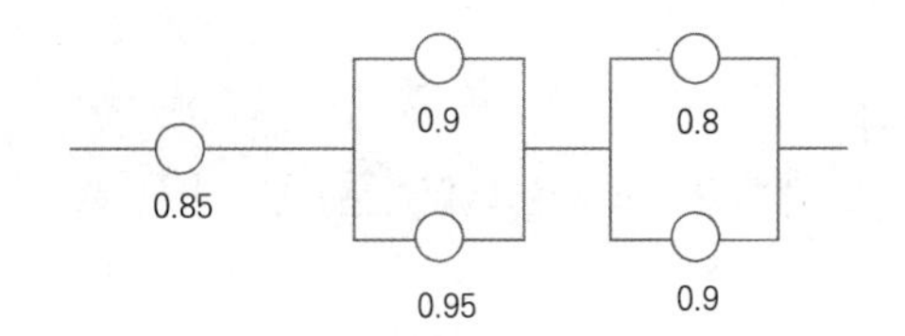

해답

$$Rs = 0.85 \times \{1-(1-0.9)(1-0.95) \times 1-(1-0.8)(1-0.9)\}$$

$$\therefore Rs = 0.8288 = 0.83$$

16

리던던시의 정의와 방법상의 종류를 3가지 쓰시오.

해답

(1) 정의 : 일부에 고장이 발생하더라도 전체가 고장이 나지 않도록 기능적으로 여력인 부분을 부가하여 신뢰도를 향상시키려는 중복설계

(2) 종류 : ① 병렬 리던던시 ② 대기 리던던시 ④ 페일세이프
③ M out of N 리던던시 ⑤ 스페어에 의한 교환

17

페일-세이프의 정의를 간단히 쓰시오.

해답

인간 또는 기계의 과오나 동작상의 실수가 있더라도 사고를 발생시키지 않도록 2중 또는 3중으로 통제를 가하도록 한 체계

18

다음과 같은 시스템의 신뢰도를 계산하시오.(소수점 4째 자리까지)

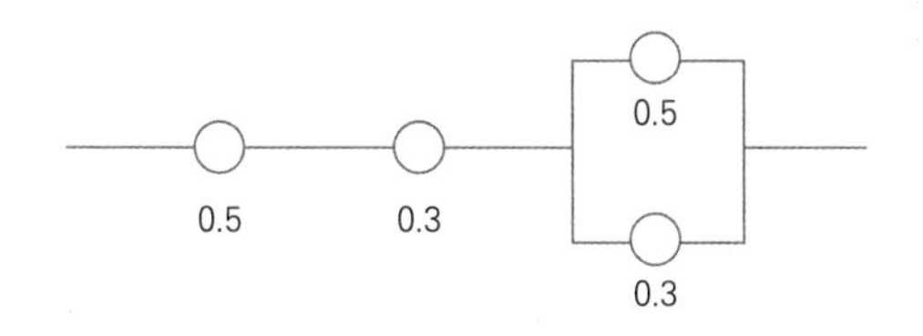

해답

$Rs = 0.5 \times 0.3 \times \{1-(1-0.5)(1-0.3)\} = 0.0975$

19

Fail safe의 기능면에서의 분류 (3단계)를 쓰시오.

해답

① Fail-passive ② Fail-active ③ Fail-operational

20

인간에 대한 모니터링 방식의 종류를 3가지 쓰시오.

해답

① 셀프 모니터링 방식 ② 생리학적 모니터링 방식
③ 비주얼 모니터링 방식 ④ 반응에 의한 모니터링 방식
⑤ 환경에 의한 모니터링 방식

21

인간측정 자료의 응용원칙을 3가지 쓰시오.

해답

① 극단적인 사람을 위한 설계(극단치 설계)
② 조절범위
③ 평균치를 기준으로 한 설계

22

수평작업대에서 정상작업역과 최대작업역에 관하여 간단히 설명하시오.

해답

① 정상 작업역 : 윗팔을 자연스럽게 수직으로 늘어뜨린 채 아래팔만으로 편하게 뻗어 파악할 수 있는 구역
② 최대 작업역 : 아래팔과 윗팔을 곧게 펴서 파악할 수 있는 구역

23
의자의 설계원칙을 4가지 쓰시오.

해답

① 체중분포 ② 의자좌판의 높이 ③ 의자좌판의 깊이와 폭
④ 몸통의 안정

24
부품배치의 4가지 원칙을 쓰시오.

해답

① 중요성의 원칙 ② 사용빈도의 원칙 ③ 기능별 배치의 원칙
④ 사용순서의 원칙

25
기계에 대한 통제장치의 유형을 3가지 쓰시오.

해답

① 개폐에 의한 통제
② 양의 조절에 의한 통제
③ 반응에 의한 통제

26
통제비 설계시 고려해야 할 사항을 5가지 쓰시오.

해답

① 계기의 크기 ② 공차 ③ 방향성 ④ 조작시간 ⑤ 목측거리

27
정량적 동적 표시장치의 기본형에 해당하는 종류 3가지를 쓰시오.

해답

① 정침동목형 ② 정목동침형 ③ 계수형

28
실효온도(감각온도)에 영향을 끼치는 인자 3가지를 쓰시오.

해답

① 온도 ② 습도 ③기류(공기의 유동)

29
묘사적 표시장치에서 비행 자세 표시장치 설계의 제원칙을 3가지 쓰시오.

해답

① 표시장치 통합의 원칙 ② 회화적 사실성의 원칙
③ 이동 부분의 원칙 ④ 추종 추적의 원칙
⑤ 빈도 분리의 원칙 ⑥ 최적 축척의 원칙

30
조도의 정의에 관하여 간단히 설명하시오.

해답

물체의 표면에 도달하는 빛의 밀도(표면밝기의 정도)로 단위는 lux(meter candle)를 사용하며, 거리가 멀수록 역자승 법칙에 의해 감소한다.

31
소음작업의 기준을 쓰시오.

해답

1일 8시간 작업을 기준으로 85데시벨 이상의 소음이 발생하는 작업

32
소음의 방지대책으로 적당한 방법을 3가지 쓰시오.

해답

① 소음원의 제거(가장 적극적인 대책)
② 소음원의 통제(안전설계, 정비 및 주유, 고무 받침대 부착, 소음기 사용 등)
③ 소음의 격리 - 씌우개(enclosure), 방이나 장벽을 이용(창문을 닫으면 10dB 감음효과)
④ 차음 장치 및 흡음재 사용
⑤ 음향 처리제 사용
⑥ 적절한 배치(lay out)

33
작업장에서의 법정 조도 기준을 쓰시오.

해답

① 초정밀 작업 : 750 Lux 이상 ② 정밀 작업 : 300 Lux 이상
③ 보통 작업 : 150 Lux 이상 ④ 그 밖의 작업 : 75 Lux 이상

34
어떤 기계가 1시간 가동했을 때 고장발생확률이 0.0005일 경우 MTBF와 1,000시간 가동할 경우의 신뢰도 및 불신뢰도를 각각 구하시오.

해답

① MTBF(평균고장간격) $=\dfrac{1}{\lambda}=\dfrac{1}{0.0005}=2{,}000$ (시간)
② 신뢰도 $R(t)=e^{-\lambda t}=e^{-0.0005\times 1{,}000}=0.6065(60.65\%)$
③ 불신뢰도 $F(t)=1-R(t)=1-0.6065=0.3935(39.35\%)$

35
어떤부품 10,000 개를 1,000 시간 가동 중에 5개의 불량품이 발생하였다면 고장률과 MTBF는?

해답

① 고장률 $=\dfrac{5}{10{,}000\times 1{,}000}=5\times 10^{-7}$ (건/시간)
② MTBF $=\dfrac{1}{5\times 10^{-7}}=2\times 10^{6}$ (시간)

36
페일 세이프의 구조에 의한 분류를 4가지 쓰시오.

해답

① 다경로하중 구조 ② 분할구조 ③ 교대구조 ④ 하중경감구조

37
풀 푸르프의 정의를 간단히 쓰시오.

해답

바보가 작동을 시켜도 안전하다는 뜻으로 인간의 실수가 있어도 안전장치가 설치되어 사고나 재해로 연결되지 않는 구조

38

기계의 고장률 곡선(욕조곡선)에서 고장의 종류를 3가지 쓰시오.

해답

① 초기 고장 : 감소형(DFR : Decreasing Failure Rate)
② 우발 고장 : 일정형(CFR : Constant Failure Rate)
③ 마모 고장 : 증가형(IFR: Increasing Failure Rate)

39

기계설비의 방호장치에서 방호방법에 따른 종류를 쓰시오.

해답

① 격리형 방호장치(차단벽이나 망 등)
② 위치제한형 방호장치(양수조작식)
③ 접근 거부형 방호장치(수인식, 손쳐내기식)
④ 접근 반응형 방호장치(광전자식)
⑤ 포집형 방호장치(연삭숫돌의 칩 등)

40

기계의 원동기·회전축·기어·풀리·플라이휠·벨트 및 체인 등의 위험부위에 설치하는 방호장치의 종류를 4가지 쓰시오.

해답

① 덮개 ② 울 ③ 슬리이브 ④ 건널다리

41

광원으로부터의 직사휘광 처리방법을 4가지 쓰시오.

해답

① 광원의 휘도를 줄이고 수를 늘린다.
② 광원을 시선에서 멀리위치 시킨다.
③ 휘광원 주위를 밝게하여 광도비를 줄인다.
④ 가리개(shield), 갓(hood), 혹은 차양(visor)을 사용한다.

42

소음작업의 기준을 쓰시오.

해답

1일 8시간 작업을 기준으로 85데시벨 이상의 소음이 발생하는 작업

43

국소진동을 방지하기 위한 대책을 3가지 쓰시오.

해답

① 진동공구에서의 진동 발생을 감소
② 적절한 휴식
③ 진동공구의 무게를 10kg 이상 초과하지 않게 할 것
④ 손에 진동이 도달하는 것을 감소시키며, 진동의 감폭을 위하여 장갑(glove) 사용

44

소음을 방지하기 위한 소음관리(소음통제)방법을 4가지 쓰시오.

해답

① 소음원의 제거
② 소음원의 통제 (안전설계, 정비 및 주유, 고무 받침대 부착, 소음기 사용 등)
③ 소음의 격리(씌우개(enclosure), 방이나 장벽을 이용)
④ 차음 장치 및 흡음재 사용
⑤ 음향 처리제 사용
⑥ 적절한 배치(lay out)

45

TLV-TWA에 관하여 간략히 설명하시오.

해답

TLV-TWA(시간가중 평균 노출기준)
① 1일 8시간 작업기준으로 유해 요인의 측정치에 발생시간을 곱하여 8시간으로 나눈 값으로 1일 8시간, 주 40시간을 기준으로 유해물질에 매일 노출되어도 거의 모든 근로자에게 건강상의 장해가 없을 것으로 생각되는 농도
② 산출공식

$$TWA \text{ 환산값} = \frac{C_1 \cdot T_1 + C_2 \cdot T_2 + \cdots\cdots + C_n \cdot T_n}{8}$$

주) C : 유해요인의 측정치(단위 : ppm 또는 mg/m³)
T : 유해요인의 발생시간(단위 : 시간)

메모

03

산업재해 대응

CHAPTER 01

산업재해 처리 절차 수립하기

1 재해 발생시 조치사항 ★★★

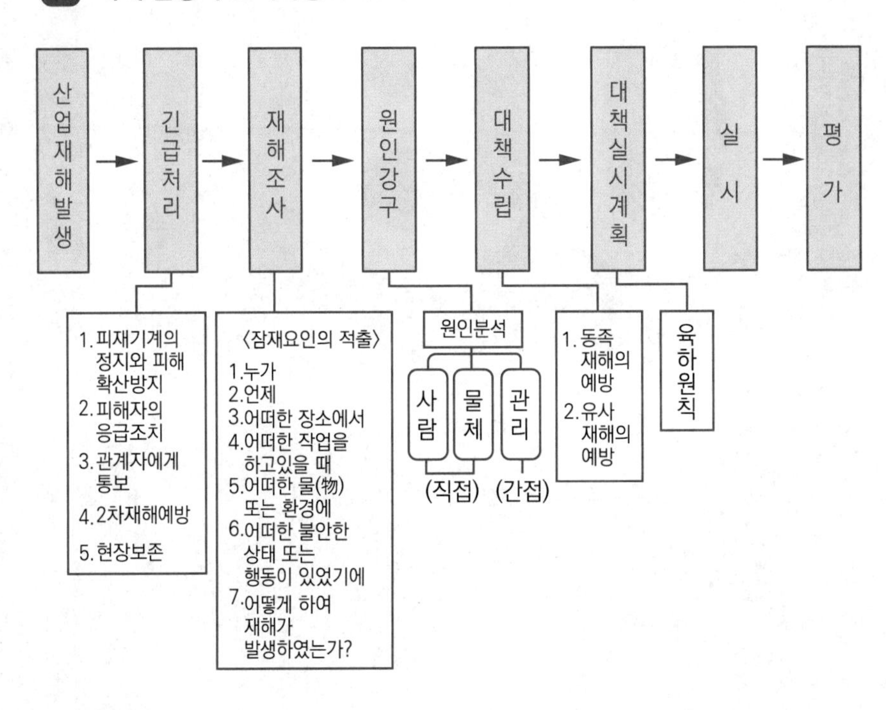

2 재해 조사시 유의사항

1) 조사상 유의사항 ★

① 사실을 수집한다. 그 이유는 뒤로 미룬다.

② 목격자가 발언하는 사실 이외의 추측의 말은 참고로 한다.

③ 조사는 신속히 행하고 2차 재해의 방지를 도모한다.

④ 사람, 설비, 환경의 측면에서 재해요인을 도출한다.

⑤ 제3의 입장에서 공정하게 조사하며, 그러기 위해 조사는 2인 이상이 한다.

⑥ 책임추궁보다 재발방지를 우선하는 기본태도를 견지한다.

2) 조사방법 및 유의사항

대부분의 사업장에서 사용하는 양식은 4M의 원칙에 근거

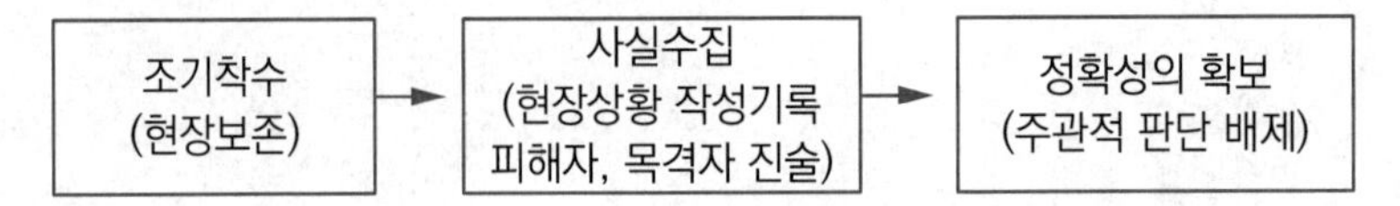

3 산업재해 보고방법 및 발생건수 공표대상 사업장

1) 산업재해 보고방법 및 내용 ★★

산업재해 보고	대상재해	산업재해로 사망자가 발생하거나 3일 이상의 휴업이 필요한 부상을 입거나 질병에 걸린 사람이 발생한 경우
	보고방법	재해가 발생한 날부터 1개월 이내에 산업재해조사표를 작성하여 관할 지방 고용노동관서의 장에게 제출
산업재해 발생 시 기록 보존해야 할 사항		① 사업장의 개요 및 근로자의 인적사항 ② 재해발생의 일시 및 장소 ③ 재해발생의 원인 및 과정 ④ 재해 재발방지 계획
중대재해 발생시 보고	보고방법	중대재해 발생사실을 알게 된 때에는 지체 없이 관할지방고용노동관서의 장에게 전화·팩스 또는 그 밖에 적절한 방법으로 보고(다만, 천재지변 등 부득이한 사유가 발생한 경우에는 그 사유가 소멸된 때부터 지체 없이 보고)
	보고사항	① 발생개요 및 피해 상황 ② 조치 및 전망 ③ 그 밖의 중요한 사항

2) 사업장의 산업재해 발생건수 등 공표대상 사업장 ★★★

① 산업재해로 인한 사망자(사망재해자)가 연간 2명 이상 발생한 사업장

② 사망만인율(연간 상시근로자 1만명당 발생하는 사망재해자 수의 비율)이 규모별 같은 업종의 평균 사망만인율 이상인 사업장

③ 중대산업사고가 발생한 사업장

④ 산업재해 발생 사실을 은폐한 사업장

⑤ 산업재해의 발생에 관한 보고를 최근 3년 이내 2회 이상 하지 않은 사업장

Key point

• ①호부터 ③호에 해당하는 사업장은 해당 사업장이 관계수급인의 사업장으로서 도급인이 관계수급인 근로자의 산업재해 예방을 위한 조치의무를 위반하여 관계수급인 근로자가 산업재해를 입은 경우에는 도급인의 사업장의 산업재해발생건수 등을 함께 공표한다.

CHAPTER 02

산업재해자 응급조치하기

1 재해 형태별 응급처치 요령

골절	① 재해자를 이동하거나 부상당한 부위를 함부로 건드리지 않도록 한다. ② 출혈이 있을 경우 압박으로 출혈을 방지하고 소독 후에 부목으로 고정한다. ③ 의료진이 올 때까지 편안한 자세를 유지하도록 한다.
타박상	① 재해자의 상태를 파악하여 필요할 경우 냉찜질, 압박, 부목 등의 처치를 한다. ② 호흡과 맥박을 확인하고 의식상태 및 피부상태 등을 살펴서 이상징후가 발견되면 즉시 의료기관으로 이송한다.
화상	① 안전한 장소로 대피시켜 열과 연기 흡입으로 인한 손상을 예방한다 ② 화상의 범위가 작을 경우 찬물에 담가 온도를 내리고 범위가 넓을 경우 소독 및 화상거즈로 덮는다. ③ 화상의 정도가 심하거나 맥박과 호흡이 정상적이지 않을 경우 119로 연락하거나 가까운 병원으로 신속하게 이송한다.
감전	① 감전으로 호흡이 정지될 경우 신속한 인공호흡 등 응급조치를 실시할 경우 95% 이상 소생시킬 수 있다. ② 재해자의 상태를 파악하여 인공호흡 및 흉부압박 등의 조치를 신속하게 실시한다.

2 응급처치의 일반적인 원칙 및 대처방법

1) 일반적인 원칙

① 구조자의 안전을 최우선으로 한다.

② 응급처치는 재해자 또는 보호자의 동의를 얻어 실시하는 것을 원칙으로 한다.

③ 당황하지 말고 침착하게 부상의 정도를 확인하고 재해자가 안정을 취할 수 있도록 한다.

④ 신속한 응급처치를 하되, 확인되지 않거나 불확실한 사항에 대해서는 주의해야 하며, 119 등에 응급구조를 신속하게 요청한다.

⑤ 의식이 있는 경우 재해자와 직접 대화하며 상태를 파악하고, 의식이 없는 경우 기도를 개방하고 똑바로 눕힌 상태에서 목격자 또는 보호자와 소통하며 상태를 파악한다.

2) 재해자의 상태에 따른 대처방법

(1) 의식이 없는 경우

① 호흡이 없거나 정상적이지 못할 경우 : 심폐소생술

② 정상적인 호흡일 경우 : 회복자세 유지

(2) 의식이 있는 경우

호흡곤란	구강내 이물질이 있는 경우	복부 밀어내기
	구강내 이물질이 없는 경우	올바른 자세로 안정
외상	출혈	압박 등의 방법으로 지혈
	골절	부목으로 고정
	화상	화상의 정도에 따른 처치

산업재해원인 분석하기

1 재해발생 메카니즘

1) 재해 발생의 메카니즘

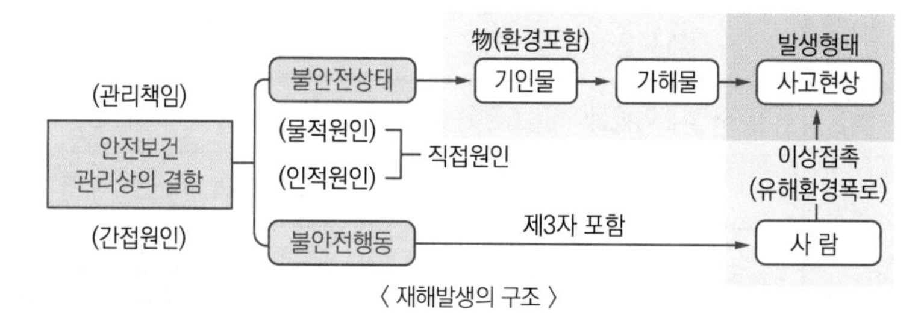

〈 재해발생의 구조 〉

2) 재해(사고)의 본질적 특성 ★

사고의 시간성	사고는 공간적인 것이 아니라 시간적이다.
우연성 중의 법칙성	우연히 발생하는 것처럼 보이는 사고도 알고 보면 분명한 직접원인 등의 법칙에 의해 발생한다.
필연성 중의 우연성	인간의 시스템은 복잡하여 필연적인 규칙과 법칙이 있다하더라도 불안전한 행동 및 상태, 또는 착오, 부주의 등의 우연성이 사고발생의 원인을 제공하기도 한다.
사고의 재현 불가능성	사고는 인간의 안전 의지와 무관하게 돌발적으로 발생하며, 시간의 경과와 함께 상황을 재현할 수는 없다.

3) 재해의 발생형태(등치성 이론) ★

구분	내용
단순자극형	상호 자극에 의하여 순간적으로 재해가 발생하는 유형으로 재해가 일어난 장소와 그 시기에 일시적으로 요인이 집중(집중형이라고도 함)
연쇄형	하나의 사고 요인이 또 다른 사고 요인을 일으키면서 재해를 발생시키는 유형(단순 연쇄형과 복합 연쇄형)
복합형	단순 자극형과 연쇄형의 복합적인 발생유형

① 단순 자극형(집중형) ②-1 단순 연쇄형 ②-2 복합 연쇄형 ③ 복합형

〈 재해의 발생형태 〉

2 산업재해 발생원인

1) 불안전 행동과 상태(직접원인)

(1) 불안전한 행동의 분류

구분	내용
물질 및 기계·설비의 부적절한 사용·관리	방호장치의 제거 및 무효화, 설비기능의 임의 변경, 결함요인이 있는 기계설비의 사용, 안전조치 없이 유해위험물질 사용 등
작업수행 불량 및 절차의 미준수	안전한 작업절차 미준수, 안전수칙을 무시한 작업수행, 위험상황에 대한 조치 불이행, 무의식적인 작업수행 등
구조물·공구 등의 위험한 방치	기계 설비 등 불안전 상태로 방치, 위험한 상태의 확인미흡, 작업장 바닥 및 공간의 정리정돈 불량 등
불안전한 작업자세	기계작업을 대신하는 무리한 인력작업, 부적당한 작업공간에서의 무리한 작업, 부적절한 운반작업, 불안정한 자세의 작업 등
작업수행중 과실	의도적으로 행하지 않은 작업상 발생할 수 있는 여러 가지 형태의 과실
복장 보호구의 잘못 사용	보호구의 미사용, 작업에 부적절한 보호구 선택, 복장 보호구를 규정대로 착용하지 않은 경우 등
불필요한 행위 및 동작 또는 무모한 행동	적절한 기구 및 도구를 사용하지 않고 작업, 안전지역을 벗어나는 행위, 작업과 무관한 행동으로 인한 위험, 동력전도장치에 접근하는 행위 등
기타 분류 불능	이상의 불안전한 행동으로 분류할 수 없는 경우

(2) 불안전한 상태의 분류

물체 및 설비자체의 결함	설계불량, 정비불량, 조립결함 및 노후화, 사용기계설비의 오작동, 고장요인에 대한 수리가 안된 상태로 사용 등
방호조치의 부적절	방호불충분, 방호장치 미설치, 방호장치의 결함, 안전표지의 결함 및 미설치, 규격에 맞지 않는 방호장치 설치 등
작업통로 등 장소의 불량 및 위험	작업발판 불량 및 미설치, 작업공간 부적절, 안전한 통로 미확보, 작업장소의 정리정돈 미비 등
물체, 기계설비 등의 취급상 위험	물체적재방법 불량, 부적절한 기계기구의 취급, 무리한 인력작업, 부적당한 공구선택 및 용도외 사용 등
작업환경등의 결함	환기불량, 부적당한 조명, 부적당한 온·습도, 유해한 광선, 강렬한 소음·진동, 유해물질의 누출, 기타 불량한 환경요인 등
작업공정·절차의 결함	작업방법 불량, 생산공정 결함, 안전한 작업순서 및 절차미수립 등
보호구 성능 및 착용상태 불량	지정된 보호구 미착용 및 미지급, 보호구 자체 성능 결함 및 미검정 보호구, 보호구 착용상태 불량 등
작업상 기타 잠재 위험 요인	자연 환경적 위험, 도로교통의 위험요인, 연약지반의 위험성, 신체적·정신적 결함 요인 등
기타 분류 불능	이상의 불안전한 상태로 분류할 수 없는 경우

(3) 불안전한 행동과 상태의 분류(과거기준)

불안전한 상태	물 자체의 결함, 안전방호장치의 결함, 복장·보호구의 결함, 물의 배치 및 작업장소 불량, 작업환경의 결함, 생산공정의 결함, 경계표시·설비의 결함, 기타
불안전한 행동	위험장소의 접근, 안전방호장치의 기능제거, 복장·보호구의 잘못 사용, 기계·기구의 잘못 사용, 운전중인 기계장치의 손질, 불안전한 속도조작, 위험물 취급 부주의, 불안전 상태 방치, 불안전한 자세동작, 감독 및 연락 불충분, 기타

2) 간접원인(관리적 원인) ★

기술적 원인	① 건물·기계등의 설계불량 ② 생산공정의 부적당 ③ 구조·재료의 부적합 ④ 점검 및 보존 불량
교육적 원인	① 안전지식 및 경험의 부족 ② 작업방법의 교육 불충분 ③ 경험 훈련의 미숙 ④ 안전수칙의 오해 ⑤ 유해위험 작업의 교육 불충분
작업관리상의 원인	① 안전관리조직 결함 ② 작업지시 부적당 ③ 작업준비 불충분 ④ 인원배치(적성배치) 부적당 ⑤ 안전수칙 미제정 ⑥ 작업기준의 불명확

3 통계적 원인분석 방법

1) 재해 분류방법

통계적 분류	사망	업무로 인하여 목숨을 잃게 되는 경우
	중상해	부상으로 인하여 8일 이상 휴업을 하는 경우
	경상해	부상으로 인하여 1일 이상 7일 이하의 휴업을 하는 경우
국제노동기구에 의한 분류(ILO) ★★	사망	안전사고 혹은 부상의 결과로서 사망한 경우
	영구전노동 불능 상해	부상결과 근로자로서의 근로기능을 완전히 잃은 경우 (신체장해등급 제1급~제3급)
	영구일부노동 불능 상해	부상결과 신체의 일부. 즉, 근로기능의 일부를 상실한 경우 (신체장해등급 제4급~제14급)
	일시전노동 불능 상해	의사의 진단에 따라 일정기간 근로를 할 수 없는 경우 (신체장해가 남지 않는 일반적 휴업재해)
	일시일부노동 불능 상해	의사의 진단에 따라 부상 다음날 혹은 그 이후에 정규근로에 종사할 수 없는 휴업재해 이외의 경우 (일시적으로 작업시간 중에 업무를 떠나 치료를 받는 정도의 상해)
	구급처치상해	응급처치 혹은 의료조치를 받아 부상당한 다음 날 정규근로에 종사할 수 있는 경우

2) 재해통계 도표 ★★

(1) 파레토도(Pareto diagram)

관리 대상이 많은 경우 최소의 노력으로 최대의 효과를 얻을 수 있는 방법(분류 항목을 큰 값에서 작은 값의 순서로 도표화 하는데 편리)

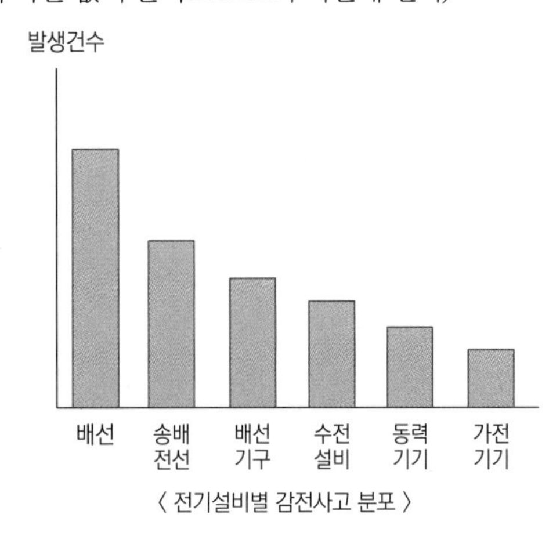

〈 전기설비별 감전사고 분포 〉

(2) 특성요인도

특성과 요인관계를 어골상으로 세분하여 연쇄관계를 나타내는 방법 (원인요소와의 관계를 상호의 인과관계만으로 결부)

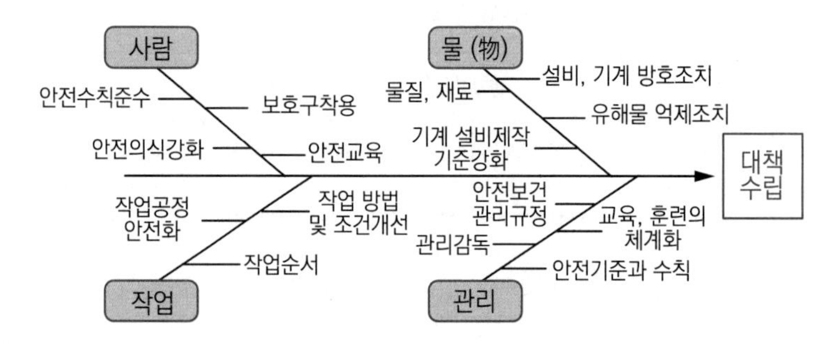

(3) 크로스(Cross)분석

두가지 또는 그 이상의 요인이 서로 밀접한 상호관계를 유지할 때 사용되는 방법

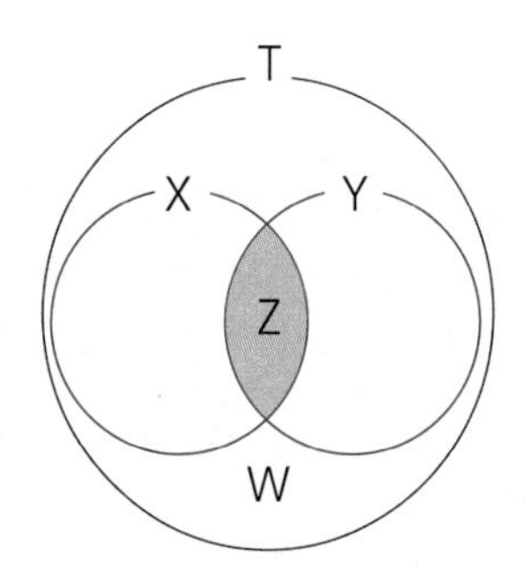

T : 전체 재해건수　　　　　　　X : 인적원인으로 발생한 재해건수
Y : 물적원인으로 발생한 재해건수　Z : 두가지 원인이 함께 겹쳐 발생한 재해건수
W : 물적원인 인적원인 어느 원인도 관계없이 일어난 재해

(4) 관리도

재해 발생건수 등의 추이파악 → 목표관리 행하는데 필요한 월별재해 발생 수의 그래프화 → 관리 구역 설정 → 관리하는 방법

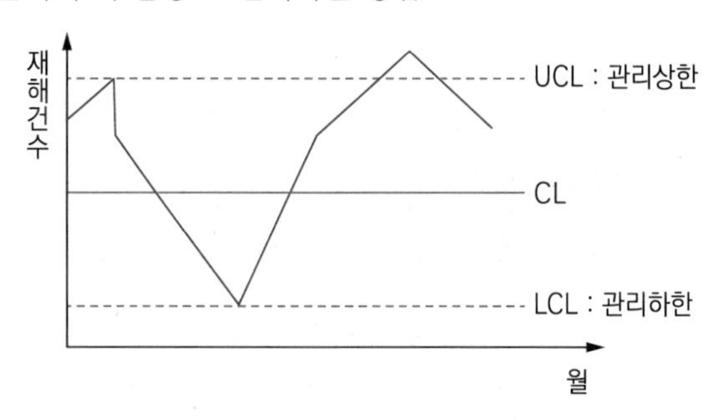

CHAPTER

04 산업재해 대책수립하기

1 재해율 ★★★

1) 재해율

(1) 재해율

① 산재보험적용근로자수 100명당 발생하는 재해자수의 비율(통상의 출퇴근으로 발생한 재해는 제외함)

② 구하는 식

$$재해율 = \frac{재해자수}{산재보험적용근로자수} \times 100$$

(2) 연천인율

① 근로자 1,000명당 년간 발생하는 재해자수

② 구하는 식

$$연천인율 = \frac{연간재해자수}{연평균근로자수} \times 1,000$$

(3) 도수율, 빈도율(Frequency Rate of Injury : FR)

① 산업재해의 빈도를 나타내는 단위

② 근로자의 수나 가동시간을 고려한 것으로 재해 발생 정도를 나타내는 국제적 표준 척도로 사용

③ 1,000,000 근로시간당 재해발생 건수

④ 구하는 식

$$빈도율(F.R) = \frac{재해건수}{연\ 근로시간수} \times 1,000,000$$

(4) 강도율(Severity Rate of Injury : SR)

① 재해의 경중(강도)의 정도를 손실일수로 나타내는 통계

② 근로시간 합계 1,000시간당 요양재해로 인한 근로손실 일수

③ 구하는 식

총요양근로손실일수는 요양재해자의 총 요양기간을 합산하여 산출하되, 사망, 부상 또는 질병이나 장해자의 등급별 요양근로손실일수는 아래의 표와 같다.

$$강도율(S.R) = \frac{총요양근로손실일수}{연\ 근로시간수} \times 1,000$$

④ 우리나라의 근로손실일수 산정기준

㉠ 사망 및 영구 전 노동불능(신체 장해 등급1~3급) : 7,500일

㉡ 영구일부 노동불능(요양근로손실일수 산정요령)

구분	사망	신체 장해자 등급											
		1~3	4	5	6	7	8	9	10	11	12	13	14
근로손실일수	7,500	7,500	5,500	4,000	3,000	2,200	1,500	1,000	600	400	200	100	50

㉢ 일시 전 노동불능 : 휴업일수×300/365

⑤ 구하는 식

$$\text{평균강도율} = \frac{\text{강도율}}{\text{도수율}} \times 1,000$$

(5) 사망만인율

① 사망만인율이란 산재보험적용근로자수 10,000명당 발생하는 사망자수의 비율

② 구하는 식

$$\text{사망만인율} = \frac{\text{사망자수}}{\text{산재보험적용근로자수}} \times 10,000$$

③ 사망자 수에서 제외되는 경우 : 사업장 밖의 교통사고(운수업, 음식숙박업은 사업장 밖의 교통사고도 포함)·체육행사·폭력행위·통상의 출퇴근에 의한 사망, 사고발생일로부터 1년을 경과하여 사망한 경우

(6) 휴업재해율

① 임금근로자수 100명당 발생하는 휴업재해자수의 비율

② 구하는식

$$\text{휴업재해율} = \frac{\text{휴업재해자수}}{\text{임금근로자수}} \times 100$$

참고

건설업의 경우

$$\text{상시근로자수} = \frac{\text{연간 국내 공사실적액} \times \text{노무비율}}{\text{건설업 월평균임금} \times 12}$$

2) 환산 재해율

(1) 환산 도수율(F)과 환산 강도율(S)

① 평생근로(10만 시간)하는 동안 발생할 수 있는 재해건 수(환산 도수율)

② 평생근로(10만 시간)하는 동안 발생할 수 있는 근로손실일 수(환산 강도율)

③ 구하는 식

- 환산강도율(S) = 강도율 $\times \dfrac{100,000}{1,000}$ = 강도율 $\times 100$(일)
- 환산도수율(F) = 도수율 $\times \dfrac{100,000}{1,000,000}$ = 도수율 $\times \dfrac{1}{10}$ (건)

- $\dfrac{S}{F}$ = 재해 1건당의 근로손실일수

④ 예제 : 우리나라의 전년도 도수율이 5.42 강도율이 2.53이라면 환산도수율과 환산강도율은 얼마인가?

풀이 : • 환산 도수율 = 5.42 × 1/10 = 0.54회
• 환산 강도율 = 2.53 × 100 = 253일
• 재해 1건당 근로손실일 수 = 468.52일

해석 : 우리나라 근로자는 누구나 입사하여 퇴직하기까지 평생 근로하는 동안 평균 0.54회 부상하고 1인 평균 253일의 근로손실을 가져오며, 재해 1건당 468.52일의 근로손실이 발생한다는 뜻이다.

3) 기타 재해 관련 공식

(1) 종합재해지수(frequency severity indicator : FSI)

① 재해의 빈도의 다소와 상해의 정도의 강약을 종합하여 나타내는 방식으로 직장과 기업의 성적지표로 사용

$$\text{FSI} = \sqrt{\text{도수율(FR)} \times \text{강도율(SR)}}$$

(2) Safe-T-Score

① 과거의 안전성적과 현재의 안전성적을 비교 평가하는 방식

② 안전에 관한 중대성의 차이를 비교하고자 사용하는 방식

③ 구하는 식

$$\text{Safe-T-Score} = \frac{\text{F.R(현재)} - \text{F.R(과거)}}{\sqrt{\dfrac{\text{F.R(과거)}}{\text{근로총시간수(현재)}} \times 1,000,000}}$$

④ 결과 : +이면 나쁜 기록이고, −이면 과거에 비해 좋은 기록

- +2.00 이상 : 과거보다 심각하게 나쁨
- +2.00에서 −2.00 사이 : 과거에 비해 심각한 차이 없음
- −2.00 이하 : 과거보다 좋아짐

Key point

안전활동건수에 포함되어야 할 항목

㉠ 실시한 안전개선 권고수
㉡ 안전 조치한 불안전 작업수
㉢ 불안전 행동 적발수
㉣ 불안전 물리적 지적 건수
㉤ 안전회의 건수
㉥ 안전 홍보 건수

참고

기타 : 장해특별급여, 유족특별급여 (민법에 의한 손해배상 청구)

(3) 안전활동률

① 1,000,000시간당 안전활동 건수(안전활동의 결과를 정량적으로 표시하는 기준)

② 구하는 식

$$\text{안전활동률} = \frac{\text{안전활동건수}}{\text{총근로시간수}} \times 10^6$$

2 재해 코스트

1) 하인리히(H.W.Heinrich) 방식 (1:4원칙)

(1) 직접비와 간접비

직접비(법적으로 지급되는 산재보상비)		간접비 (직접비 제외한 모든 비용)
요양급여	요양비 전액(진찰, 약제, 처치·수술기타치료, 의료시설수용, 간병, 이송 등)	인적손실 물적손실 생산손실 임금손실 시간손실 기타손실 등
휴업급여	1일당 지급액은 평균임금의 100분의 70에 상당하는 금액	
장해급여	장해등급에 따라 장해보상연금 또는 장해보상일시금으로 지급	
간병급여	요양급여 받은 자가 치유 후 간병이 필요하여 실제로 간병을 받는 자에게 지급	
유족급여	근로자가 업무상 사유로 사망한 경우 유족에게 지급(유족보상연금 또는 유족보상일시금)	
상병 보상 연금	요양 개시후 2년 경과된 날 이후에 다음의 상태가 계속되는 경우 지급 1. 부상 또는 질병이 치유되지 아니한 상태 2. 부상 또는 질병에 의한 폐질의 정도가 폐질등급기준에 해당	
장의비	평균임금의 120일분에 상당하는 금액	

(2) 직접손실비용 : 간접손실비용 = 1 : 4 (1대 4의 경험법칙) ★★

$$\text{재해손실비용} = \text{직접비} + \text{간접비} = \text{직접비} \times 5$$

(3) 손실금 비율 적용

① 경공업 분야 1:4

② 중공업 분야 1:10~1:20

3) Simonds and Grimaldi 방식

(1) 총 재해 비용 산출방식 ★★

총 재해 비용 산출방식＝보험 Cost＋비 보험 Cost
＝산재보험료＋A×(휴업상해건수)＋B×(통원상해건수)
＋C×(응급처치건수)＋D×(무상해사고건수)

* A, B, C, D (상수)는 상해정도별 재해에 대한 비보험 코스트의 평균액 (산재 보험금을 제외한 비용)

분류	내용
휴업상해	영구부분 노동불능, 일시전 노동불능
통원상해	일시부분 노동불능, 의사의 조치를 요하는 통원상해
응급처치	20달러 미만의 손실 또는 8시간 미만의 휴업손실 상해
무상해사고	의료조치를 필요로 하지 않는 경미한 상해, 사고 및 무상해 사고 (20달러 이상의 재산손실 또는 8시간 이상의 손실사고)

〈 재해사고의 분류 〉

(2) 손실비용 세부항목변수

보험 cost	비보험 cost
① 보험금 총액 ② 보험회사의 보험에 관련된 제경비와 이익금	① 작업 중지에 따른 임금손실 ② 기계설비 및 재료의 손실비용 ③ 작업 중지로 인한 시간 손실 ④ 신규 근로자의 교육훈련비용 ⑤ 기타 제경비

(3) 시몬즈와 하인리히 방식의 차이점

① 시몬즈는 보험 cost와 비보험 cost로, 하인리히는 직접비와 간접비로 구분

② 산재보험료와 보상금의 차이 : 시몬즈는 보험 cost에 가산, 하인리히는 가산하지 않음

③ 간접비와 비보험 cost는 같은 개념이나 구성 항목에 차이

④ 시몬즈는 하인리히의 1 : 4 방식 전면 부정하고 새로운 산정방식인 평균치법 채택

Key point

사망과 영구전노동불능상해는 재해 범주에서 제외됨

PART 03

3 재해 사례 연구순서 ★★

순서	구분		내용
전제조건	재해상황 파악		① 발생일시, 장소 ② 업종, 규모 ③ 상해 상황 ④ 물적피해 ⑤ 가해물, 기인물 ⑥ 사고의 형태 ⑦ 피해자 특성 등
제1단계	사실의 확인	사람에 관한 사항	① 작업명과 그 내용 ② 공동작업자의 역할 ③ 재해자 인적 사항 ④ 불안전 행동 유무 등
		물(物)에 관한 사항	① 레이아웃 ② 물질, 재료 ③ 복장, 보호구 ④ 방호장치 ⑤ 불안전 상태 유무
		관리에 관한 사항	① 안전보건 관리 규정 ② 작업표준 ③ 관리 감독상황 ④ 순찰, 점검, 확인 ⑤ 연락, 보고 등
		재해발생까지의 경과	① 객관적인 표현 ② 육하원칙 · 언제 · 누가 · 어디서 · 무엇을 · 왜 · 어떻게 · 할 것인가 · 할 수 있는가 · 하였는가
제2단계	문제점 발견		① 기준에서 벗어난 사실을 문제점으로 하고 그 이유를 명확히 ② 관계 법규, 사내규정, 안전수칙 등의 관계검출 ③ 관리자 및 책임자의 직무. 권한 등에 대하여 평가, 판단
제3단계	근본적 문제점의 결정 (재해원인)		① 파악된 문제점 중 재해의 중심적 원인을 설정 ② 문제점을 인적, 물적, 관리적인 면 결정 ③ 재해 원인 결정(관리적 책임에 비중)
제4단계	대책의 수립		① 동종재해 예방대책 ② 유사재해 예방대책 ③ 대책의 실시 계획 수립(육하원칙)

Part 3

단원별 출제예상문제

01

재해조사시 유의해야 할 사항에 관하여 4가지 쓰시오.

해답

① 사실을 수집한다. 이유는 뒤에 확인한다.
② 목격자 등이 증언하는 사실 이외의 추측의 말은 참고로만 한다.
③ 객관적인 입장에서 공정하게 조사하며, 조사는 2인 이상이 한다.
④ 책임추궁보다 재발방지를 우선하는 기본태도를 갖는다.
⑤ 피해자에 대한 구급조치를 우선한다.

02

재해발생시의 조치사항을 순서대로 쓰시오.

해답

① 긴급처리 ② 재해조사
③ 원인규명 ④ 대책수립
⑤ 대책실시계획 ⑥ 실시
⑦ 평가

03

재해발생시의 긴급처리내용을 4가지 쓰시오.

해답

① 피재기계의 정지 ② 피해자의 응급조치
③ 관계자에게 통보 ④ 2차 재해방지
⑤ 현장보존

04

산업안전보건법상의 산업재해의 정의를 쓰시오.

해답

근로자가 업무에 관계되는 건설물·설비·원재료·가스·증기·분진 등에 의하거나 작업 기타 업무에 기인하여 사망 또는 부상하거나 질병에 이환 되는 것

05

중대재해의 종류를 3가지 쓰시오.

해답

① 사망자가 1명 이상 발생한 재해
② 3개월 이상의 요양이 필요한 부상자가 동시에 2명 이상 발생한 재해
③ 부상자 또는 직업성 질병자가 동시에 10명 이상 발생한 재해

06

산업재해의 발생형태(등치성 이론)를 3가지로 분류하여 쓰시오.

해답

① 단순자극형(집중형) ② 연쇄형 ③ 복합형

07

노동불능 상해(상해정도별 구분)의 종류를 4가지 쓰시오.

해답

① 영구 전 노동불능 상해 ② 영구일부 노동불능 상해
③ 일시 전 노동불능 상해 ④ 일시일부 노동불능 상해

08

중대재해 발생 시 보고방법과 보고사항에 관하여 쓰시오.

해답

(1) 보고방법 : 중대재해발생사실을 알게된 경우에는 지체없이 관할지방노동관서의 장에게 전화·팩스, 또는 그 밖에 기타 적절한 방법으로 보고

(2) 보고사항

① 발생개요 및 피해 상황 ② 조치 및 전망

③ 그 밖에 중요한 사항

09

재해(사고)의 본질적 특성을 4가지 쓰시오.

해답

① 사고의 시간성 ② 우연성 중의 법칙성

③ 필연성 중의 우연성 ④ 사고의 재현 불가능성

10

다음 상해의 종류를 간략히 설명하시오.

해답

① 부종 : 국부의 혈액순환의 이상으로 몸이 퉁퉁 부어오르는 상해

② 찔림(자상) : 칼날 등 날카로운 물건에 찔린 상해

③ 좌상(타박상) : 타박, 충돌, 추락 등으로 피부표면보다는 피하조직 또는 근육부를 다친 상해

④ 베임(창상) : 창, 칼등에 베인 상해

11

다음 재해의 발생 형태에 관하여 간략히 설명하시오.

해답

① 추락 : 사람이 건축물, 비계, 기계, 사다리, 계단, 경사면, 나무 등에서 떨어지는 것

② 전도 : 사람이 평면상으로 넘어졌을 때를 말함

③ 충돌 : 사람이 정지물에 부딪힌 경우

④ 낙하·비래 : 물건이 주체가 되어 사람이 맞는 경우

⑤ 협착 : 물건에 끼워진 상태, 말려든 상태

12

과거의 안전성적과 현재의 안전성적을 비교 평가하는 방식인 Safe-T-Score의 공식을 쓰시오.

해답

$$\text{Safe}-\text{T}-\text{Score}=\frac{\text{F.R}(\text{현재})-\text{F.R}(\text{과거})}{\sqrt{\dfrac{\text{F.R}(\text{과거})}{\text{근로총시간수(현재)}}\times 1{,}000{,}000}}$$

13

500명의 근로자가 1년간 작업하는 동안 신체장해등급 11급 10명, 사망 및 영구근로장해 2명이 발생하였다. 강도율을 구하시오.(단, 근로손실년수는 25년, 1인당 근로시간은 년 2,400시간)

해답

$$\text{강도율}(\text{S.R})=\frac{\text{근로손실일수}}{\text{연간총근로시간수}}\times 1{,}000$$

$$\therefore\ \text{강도율}=\frac{(7{,}500\times 2)+(400\times 10)}{500\times 2{,}400}\times 1{,}000 \fallingdotseq 15.833=15.83$$

14

400명의 근로자가 1일 8시간, 연간 300일 근무하는 어느 사업장에서 11건의 재해가 발생하여 신체장해등급 11급 10명, 1급 1명이 발생하였다. 연천인율과 강도율을 구하시오.

해답

① 연천인율 $= \dfrac{\text{연간재해자수}}{\text{연평균근로자수}} \times 1{,}000$

$\therefore$ 연천인율 $= \dfrac{11}{400} \times 1{,}000 = 27.5$

② 강도율(S.R) $= \dfrac{\text{근로손실일수}}{\text{연간총근로시간수}} \times 1{,}000$

$\therefore$ 강도율 $= \dfrac{7{,}500 + (400 \times 10)}{400 \times 8 \times 300} \times 1{,}000 \fallingdotseq 11.979 = 11.98$

15

근로자 400명이 작업하는 사업장에서 1일 8시간씩 년간 300일 근무하는 동안 10건의 재해가 발생하였다. 도수율(빈도율)은 얼마인가? (단, 결근율은 10%이다)

해답

빈도율(F.R) $= \dfrac{\text{재해건수}}{\text{연간총근로시간수}} \times 1{,}000{,}000$

$\therefore$ 도수율 $= \dfrac{10}{(400 \times 8 \times 300 \times 0.9)} \times 10^6 \fallingdotseq 11.574 = 11.57$

16

상시근로자 1,500명이 근로하는 H기업의 연간 재해건수는 45건이며, 지난해에 납부한 산재보험료는 25,000,000원, 산재보상금은 15,800,000원을 받았다. H기업의 재해건수 중 휴업상해(A)건수는 12건, 통원상해(B)건수는 10건, 구급처치(C)건수는 8건, 무상해사고(D)건수는 15건 발생하였다면 Heinrich 방식과 Simonds방식에 의한 재해손실비용을 각각 계산하시오.(단, A : 850,000원, B : 320,000원, C : 220,000원, D : 120,000원)

해답

① Heinrich 방식 (1 : 4의 원칙)

$\therefore$ 15,800,000 + (15,800,000 × 4) = 79,000,000(원)

② Simonds(시몬즈) 방식

재해 코스트 = 보험 cost + 비보험cost
= 산재 보험 cost + (A × 휴업 상해 건수) + (B × 통원 상해 건수) + (C × 구급 상해 건수) + (D × 무상해 사고 건수)

$\therefore$ 25,000,000 + {(850,000 × 12) + (320,000 × 10) + (220,000 × 8) + (120,000 × 15)}
= 41,960,000(원)

17

재해코스트 산출방식에 있어 시몬즈와 하인리히 방식의 차이점을 간략히 설명하시오.

해답

① 시몬즈는 보험 cost와 비보험 cost로, 하인리히는 직접비와 간접비로 구분
② 산재보험료와 보상금의 차이 : 시몬즈는 보험 cost에 가산, 하인리히는 가산하지 않음
③ 간접비와 비보험 cost는 같은 개념이나 구성 항목에 차이
④ 시몬즈는 하인리히의 1 : 4방식 전면 부정하고 새로운 산정방식인 평균치법 채택

18

산업안전보건법상 사업장의 산업재해 발생건수 등 공표 대상 사업장을 3가지 쓰시오.

해답

① 산업재해로 인한 사망자(사망재해자)가 연간 2명 이상 발생한 사업장
② 사망만인율(연간 상시근로자 1만명당 발생하는 사망재해자 수의 비율)이 규모별 같은 업종의 평균 사망만인율 이상인 사업장
③ 중대산업사고가 발생한 사업장
④ 산업재해 발생 사실을 은폐한 사업장
⑤ 산업재해의 발생에 관한 보고를 최근 3년 이내 2회 이상 하지 않은 사업장

tip

2020년 시행되는 법령전부개정으로 변경된 내용입니다. 해답은 변경된 내용에 맞도록 수정하였으니 착오 없으시기 바랍니다.

04

사업장 안전점검

CHAPTER 01

산업안전 점검계획 수립 및 점검표 작성하기

01 산업안전 점검계획 수립하기

1 안전점검의 정의 및 목적

1) 정의

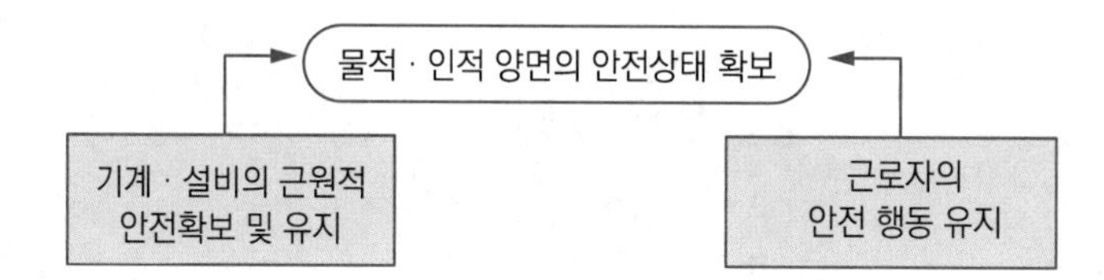

2) 목적

건설물 및 기계 설비 등의 제작기준이나 안전기준에 적합한가를 확인하고 작업현장 내의 불안전한 상태가 없는지를 확인하는 것으로 사고발생의 가능성 요인들을 제거하여 안전성을 확보하기 위함

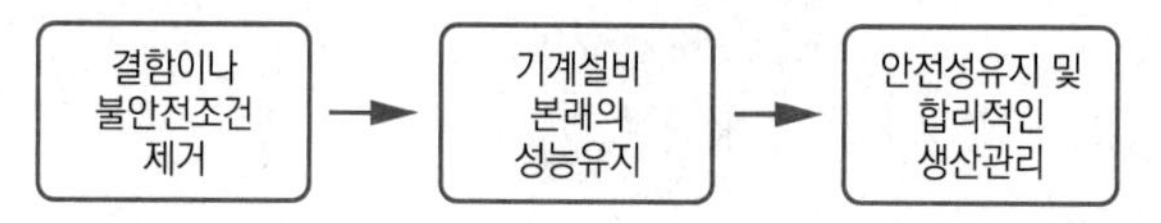

2 안전점검의 종류 ★

점검 주기에 의한 구분	일상점검 (수시 점검, 작업시작 전 점검)	작업 시작 전이나 사용 전 또는 작업중에 일상적으로 실시하는 점검. 작업담당자, 감독자가 실시하고 결과를 담당책임자가 확인
	정기점검 (계획점검)	1개월, 6개월, 1년 단위로 일정기간마다 정기적으로 점검(외관, 구조, 기능의 점검 및 분해검사)
	임시점검	정기점검 실시 후 다음 점검시기 이전에 임시로 실시하는 점검 (기계, 기구, 설비의 갑작스런 이상 발생시)
	특별점검	• 기계, 기구, 설비의 신설변경 또는 고장, 수리 등을 할 경우. • 정기점검기간을 초과하여 사용하지 않던 기계설비를 다시 사용하고자 할 경우. • 강풍(순간풍속 30m/s초과) 또는 지진(중진 이상 지진) 등의 천재지변 후
점검 방법에 의한 구분	외관점검 (육안 검사)	기기의 적정한 배치, 부착상태, 변형, 균열, 손상, 부식, 마모, 볼트의 풀림 등의 유무를 외관의 감각기관인 시각 및 촉감 등으로 조사하고 점검기준에 의해 양부를 확인
	기능점검(조작검사)	간단한 조작을 행하여 대상기기에 대한 기능의 양부확인
	작동점검 (작동상태검사)	방호장치나 누전차단기 등을 정하여진 순서에 의해 작동시켜 그 결과를 관찰하여 상황의 양부 확인
	종합점검	정해진 기준에 따라서 측정검사를 실시하고 정해진 조건 하에서 운전 시험을 실시하여 기계설비의 종합적인 기능 판단

02 산업안전 점검표 작성하기

1 점검 기준 및 작성시 유의사항

1) 점검기준(포함되어야 할 항목)

① 점검대상 ② 점검부분 ③ 점검항목 ④ 실시주기

⑤ 점검방법 ⑥ 판정기준 ⑦ 조치

2) 작성시 유의사항

① 사업장에 적합하고 쉽게 이해되도록 작성

② 재해예방에 실효가 있도록 작성

③ 내용은 구체적으로 표현하고 위험도가 높은 것부터 순차적으로 작성

④ 일정한 양식을 정하고 가능하면 점검대상마다 별도로 작성

⑤ 주관적 판단을 배제하기 위해 점검 방법과 결과에 대한 판단기준을 정하여 결과를 평가

⑥ 정기적으로 적정성 여부를 검토하여 수정 보완하여 사용

Key point

작업분석 방법(E.C.R.S)

① Eliminate(제거)
② Combine(결합)
③ Rearrange(재조정)
④ Simplify(단순화)

2 유해위험방지 계획서 ★★

1) 대상 사업장 및 기계기구 설비

대상 사업장 (전기 계약용량이 300 킬로와트 이상)	① 금속가공제품(기계 및 가구는 제외)제조업 ② 비금속 광물제품 제조업 ③ 기타 기계 및 장비 제조업 ④ 자동차 및 트레일러 제조업 ⑤ 식료품 제조업 ⑥ 고무제품 및 플라스틱제품 제조업 ⑦ 목재 및 나무제품 제조업 ⑧ 기타 제품 제조업 ⑨ 1차 금속제조업 ⑩ 가구 제조업 ⑪ 화학물질 및 화학제품 제조업 ⑫ 반도체 제조업 ⑬ 전자부품 제조업
대상 기계기구 설비	① 금속이나 그 밖의 광물의 용해로 ② 화학설비 ③ 건조설비 ④ 가스집합 용접장치 ⑤ 근로자의 건강에 상당한 장해를 일으킬 우려가 있는 물질로서 고용노동부령으로 정하는 물질의 밀폐·환기·배기를 위한 설비

2) 대상 건설공사 및 첨부서류

(1) 대상 건설공사

① 다음 각목의 어느 하나에 해당하는 건축물 또는 시설 등의 건설, 개조 또는 해체공사

㉠ 지상 높이가 31미터 이상인 건축물 또는 인공구조물

㉡ 연면적 3만 제곱미터 이상인 건축물

㉢ 연면적 5천 제곱미터 이상인 시설로서 다음의 어느 하나에 해당하는 시설

㉮ 문화 및 집회시설
㉯ 판매시설, 운수시설
㉰ 종교시설
㉱ 의료시설 중 종합병원
㉲ 숙박시설 중 관광숙박시설
㉳ 지하도 상가
㉴ 냉동, 냉장 창고시설

② 최대 지간 길이가 50미터 이상인 다리의 건설 등 공사

③ 연면적 5천 제곱미터 이상인 냉동, 냉장창고 시설의 설비공사 및 단열공사

④ 다목적댐, 발전용댐, 저수용량 2천만톤 이상의 용수전용댐 및 지방 상수도 전용댐의 건설 등 공사

⑤ 터널의 건설등 공사

⑥ 깊이 10미터 이상인 굴착공사

(2) 제출시 첨부서류

① 공사개요 및 안전보건관리계획

㉠ 공사개요서

㉡ 공사현장의 주변현황 및 주변과의 관계를 나타내는 도면(매설물 현황 포함)

㉢ 전체공정표

㉣ 산업안전보건관리비 사용계획서

㉤ 안전관리 조직표

㉥ 재해발생 위험 시 연락 및 대피방법

② 작업공사 종류별 유해·위험방지계획

대상공사	작업공종
건축물 또는 시설 등의 건설·개조 또는 해체(이하 "건설 등"이라 한다)공사	1. 가설공사 2. 구조물 공사 3. 마감공사 4. 기계 설비공사 5. 해체공사
냉동·냉장창고시설의 설비공사 및 단열공사	1. 가설공사 2. 단열공사 3. 기계 설비공사
다리 건설 등의 공사	1. 가설공사 2. 다리 하부(하부공) 공사 3. 다리 상부(상부공) 공사
터널 건설 등의 공사	1. 가설공사 2. 굴착 및 발파공사 3. 구조물 공사
댐 건설 등의 공사	1. 가설공사 2. 굴착 및 발파공사 3. 댐 축조공사
굴착공사	1. 가설공사 2. 굴착 및 발파공사 3. 흙막이 지보공(支保工)공사

PART 04

CHAPTER 02

산업안전 점검 실행 및 평가하기

01 산업안전 점검 실행하기

1 안전인증

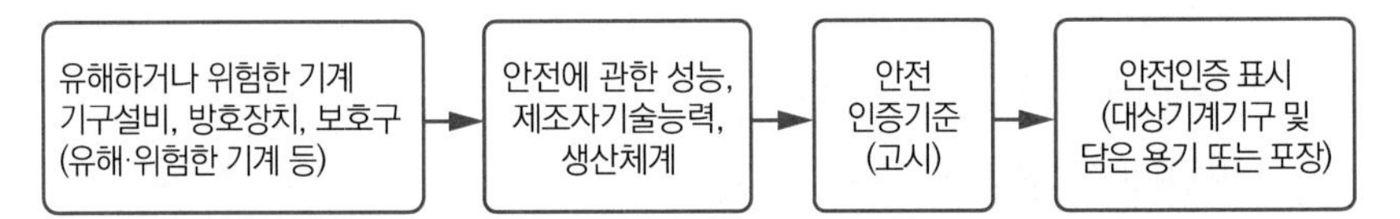

참고

① 기계 또는 설비에 해당하는 대상은 주요구조부분을 변경한 경우에도 동일하게 적용된다.
② 다만, 설치이전 하는 경우에 안전인증을 받아야 할 대상은 크레인, 리프트, 곤돌라이다.

1) 안전인증 대상 기계 등 ★★★

구분	대상
기계 또는 설비	① 프레스 ② 전단기 및 절곡기 ③ 크레인 ④ 리프트 ⑤ 압력용기 ⑥ 롤러기 ⑦ 사출성형기 ⑧ 고소 작업대 ⑨ 곤돌라
방호장치	① 프레스 및 전단기 방호장치 ② 양중기용 과부하방지장치 ③ 보일러 압력방출용 안전밸브 ④ 압력용기 압력방출용 안전밸브 ⑤ 압력용기 압력방출용 파열판 ⑥ 절연용 방호구 및 활선작업용 기구 ⑦ 방폭구조 전기기계·기구 및 부품 ⑧ 추락·낙하 및 붕괴 등의 위험 방지 및 보호에 필요한 가설기자재로서 고용노동부 장관이 정하여 고시하는 것 ⑨ 충돌·협착 등의 위험방지에 필요한 산업용 로봇 방호장치로서 고용노동부장관이 정하여 고시하는 것
보호구	① 추락 및 감전 위험방지용 안전모 ② 안전화 ③ 안전장갑 ④ 방진마스크 ⑤ 방독마스크 ⑥ 송기마스크 ⑦ 전동식 호흡보호구 ⑧ 보호복 ⑨ 안전대 ⑩ 차광 및 비산물 위험방지용 보안경 ⑪ 용접용 보안면 ⑫ 방음용 귀마개 또는 귀덮개

2) 안전인증 면제 대상

① 연구개발을 목적으로 제조 수입하거나 수출을 목적으로 제조하는 경우

② 고용노동부 장관이 정하여 고시하는 외국의 안전인증기관에서 인증을 받은 경우

③ 다른 법령에 따라 안전성에 관한 검사나 인증을 받은 경우로서 고용노동부령으로 정하는 경우

3) 안전인증의 취소 및 사용금지 또는 개선 대상

① 거짓이나 그 밖의 부정한 방법으로 안전인증을 받은 경우

② 안전인증을 받은 유해·위험한 기계 등의 안전에 관한 성능 등이 안전인증기준에 맞지 아니하게 된 경우

③ 정당한 사유 없이 안전인증기준 준수여부의 확인(확인주기 : 3년 이하의 범위)을 거부, 기피 또는 방해하는 경우

4) 안전인증 심사의 종류 및 방법 ★★★

<table>
<tr><th>종류</th><th colspan="3">방법</th><th>심사 기간</th></tr>
<tr><td>예비 심사</td><td colspan="3">기계 및 방호장치·보호구가 유해·위험 기계 등인지를 확인하는 심사(안전인증을 신청한 경우만 해당)</td><td>7일</td></tr>
<tr><td>서면 심사</td><td colspan="3">유해·위험 기계 등의 종류별 또는 형식별로 설계도면 등 유해·위험한 기계 등의 제품기술과 관련된 문서가 안전인증기준에 적합한지 여부에 대한 심사</td><td>15일
(외국에서 제조한 경우 30일)</td></tr>
<tr><td>기술능력 및 생산체계 심사</td><td colspan="3">유해·위험 기계 등의 안전성능을 지속적으로 유지·보증하기 위하여 사업장에서 갖추어야 할 기술능력과 생산체계가 안전인증기준에 적합한지에 대한 심사</td><td>30일
(외국에서 제조한 경우 45일)</td></tr>
<tr><td rowspan="2">제품 심사</td><td rowspan="2">유해·위험 기계 등이 서면심사내용과 일치하는지와 유해·위험 기계 등의 안전에 관한 성능이 안전인증기준에 적합한지에 대한 심사</td><td>개별 제품 심사</td><td>서면심사결과가 안전인증기준에 적합할 경우에 하는 유해·위험 기계 등 모두에 대하여 하는 심사(서면심사와 개별 제품심사를 동시에 할 것을 요청하는 경우 병행하여 할 수 있다)</td><td>15일</td></tr>
<tr><td>형식별 제품 심사</td><td>서면심사와 기술능력 및 생산체계 심사결과가 안전인증기준에 적합할 경우에 하는 유해·위험 기계 등의 형식별로 표본을 추출하여 하는 심사(서면심사, 기술능력 및 생산체계 심사와 형식별 제품심사를 동시에 할 것을 요청하는 경우 병행하여 할 수 있다)</td><td>30일
(방폭구조전기기계기구 및 부품과 일부 보호구는 60일)</td></tr>
</table>

안전인증 및 자율안전확인 제품의 표시 ★★★

안전인증 제품
① 형식 또는 모델명
② 규격 또는 등급 등
③ 제조자명
④ 제조번호 및 제조연월
⑤ 안전인증 번호

자율안전 확인 제품
① 형식 또는 모델명
② 규격 또는 등급 등
③ 제조자명
④ 제조번호 및 제조연월
⑤ 자율안전확인 번호

2 자율안전 확인

1) 신고절차

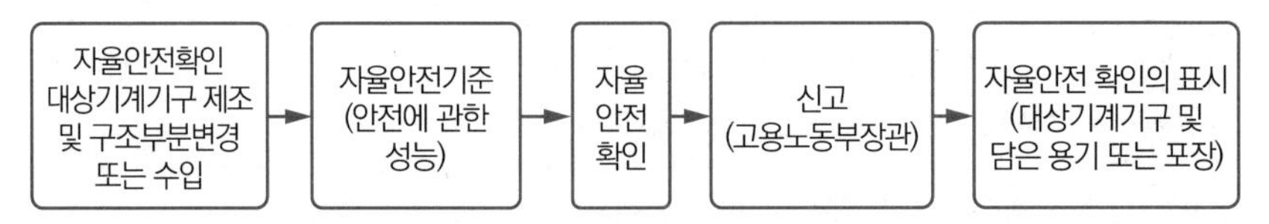

2) 자율안전확인 대상기계 등 ★★★

기계 또는 설비	① 연삭기 또는 연마기(휴대형은 제외) ② 산업용 로봇 ③ 혼합기 ④ 파쇄기 또는 분쇄기 ⑤ 식품가공용기계(파쇄·절단·혼합·제면기만 해당) ⑥ 컨베이어 ⑦ 자동차 정비용 리프트 ⑧ 공작기계(선반, 드릴기, 평삭·형삭기, 밀링만 해당) ⑨ 고정형 목재가공용 기계(둥근톱, 대패, 루타기, 띠톱, 모떼기 기계만 해당) ⑩ 인쇄기
방호장치	① 아세틸렌 용접장치용 또는 가스집합 용접장치용 안전기 ② 교류아크 용접기용 자동전격 방지기 ③ 롤러기 급정지장치 ④ 연삭기 덮개 ⑤ 목재가공용 둥근톱 반발예방장치와 날접촉 예방장치 ⑥ 동력식 수동대패용 칼날 접촉방지장치 ⑦ 추락·낙하 및 붕괴 등의 위험방지 및 보호에 필요한 가설기자재(안전인증대상 기계기구에 해당되는 사항 제외)로서 고용노동부장관이 정하여 고시하는 것
보호구	① 안전모(안전인증대상보호구에 해당되는 안전모는 제외) ② 보안경(안전인증대상보호구에 해당되는 보안경은 제외) ③ 보안면(안전인증대상보호구에 해당되는 보안면은 제외)

3 작업 시작 전 점검사항 ★★

작업의 종류	점검 내용
1. 프레스 등을 사용하여 작업을 할 때	가. 클러치 및 브레이크의 기능 나. 크랭크축·플라이휠·슬라이드·연결봉 및 연결나사의 풀림유무 다. 1행정 1정지기구·급정지장치 및 비상정지장치의 기능 라. 슬라이드 또는 칼날에 의한 위험방지 기구의 기능 마. 프레스의 금형 및 고정볼트 상태 바. 방호장치의 기능 사. 전단기의 칼날 및 테이블의 상태
2. 로봇의 작동범위에서 그 로봇에 관하여 교시 등(로봇의 동력원을 차단하고 행하는 것을 제외한다)의 작업을 할 때	가. 외부전선의 피복 또는 외장의 손상유무 나. 매니퓰레이터(manipulator)작동의 이상유무 다. 제동장치 및 비상정지장치의 기능
3. 공기압축기를 가동할 때	가. 공기저장 압력용기의 외관상태 나. 드레인 밸브의 조작 및 배수 다. 압력방출장치의 기능 라. 언로드밸브의 기능 마. 윤활유의 상태 바. 회전부의 덮개 또는 울 사. 그 밖의 연결부위의 이상유무
4. 크레인을 사용하여 작업을 할 때	가. 권과방지장치·브레이크·클러치 및 운전장치의 기능 나. 주행로의 상측 및 트롤리가 횡행하는 레일의 상태 다. 와이어로프가 통하고 있는 곳의 상태
5. 이동식 크레인을 사용하여 작업을 할 때	가. 권과방지장치나 그 밖의 경보장치의 기능 나. 브레이크·클러치 및 조정장치의 기능 다. 와이어로프가 통하고 있는 곳 및 작업장소의 지반상태
6. 리프트(자동차 정비용 리프트 포함)를 사용하여 작업을 할 때	가. 방호장치·브레이크 및 클러치의 기능 나. 와이어로프가 통하고 있는 곳의 상태
7. 곤돌라를 사용하여 작업을 할 때	가. 방호장치·브레이크의 기능 나. 와이어로프·슬링와이어 등의 상태
8. 양중기의 와이어로프·달기체인·섬유로프·섬유벨트 또는 훅·샤클·링 등의 철구(와이어로프 등)를 사용하여 고리걸이 작업을 할 때	와이어로프 등의 이상유무
9. 지게차를 사용하여 작업을 할 때	가. 제동장치 및 조종장치 기능의 이상유무 나. 하역장치 및 유압장치 기능의 이상유무 다. 바퀴의 이상유무 라. 전조등·후미등·방향지시기 및 경보장치 기능의 이상유무

작업의 종류	점검 내용
10. 구내운반차를 사용하여 작업을 할 때	가. 제동장치 및 조종장치 기능의 이상유무 나. 하역장치 및 유압장치 기능의 이상유무 다. 바퀴의 이상유무 라. 전조등·후미등·방향지시기 및 경음기 기능의 이상유무 마. 충전장치를 포함한 홀더 등의 결합상태의 이상유무
11. 고소작업대를 사용하여 작업을 할 때	가. 비상정지 및 비상하강방지장치 기능의 이상유무 나. 과부하방지장치의 작동유무(와이어로프 또는 체인구동방식의 경우) 다. 아웃트리거 또는 바퀴의 이상유무 라. 작업면의 기울기 또는 요철유무 마. 활선작업용 장치의 경우 홈·균열·파손 등 그 밖의 손상유무
12. 화물자동차를 사용하는 작업을 하게 할 때	가. 제동장치 및 조종장치의 기능 나. 하역장치 및 유압장치의 기능 다. 바퀴의 이상유무
13. 컨베이어 등을 사용하여 작업을 할 때	가. 원동기 및 풀리기능의 이상유무 나. 이탈 등의 방지장치기능의 이상유무 다. 비상정지장치 기능의 이상유무 라. 원동기·회전축·기어 및 풀리 등의 덮개 또는 울 등의 이상유무
14. 차량건설기계를 사용하여 작업을 할 때	브레이크 및 클러치 등의 기능
15. 이동식 방폭구조 전기기계·기구를 사용할 때	전선 및 접속부 상태
16. 근로자가 반복하여 계속적으로 중량물을 취급하는 작업을 할 때	가. 중량물 취급의 올바른 자세 및 복장 나. 위험물이 날아 흩어짐에 따른 보호구의 착용 다. 카바이드·생석회(산화칼슘) 등과 같이 온도상승이나 습기에 의하여 위험성이 존재하는 중량물의 취급방법 라. 그 밖에 하역운반기계 등의 적절한 사용방법
17. 양화장치를 사용하여 화물을 싣고 내리는 작업을 할 때	가. 양화장치의 작동상태 나. 양화장치에 제한하중을 초과하는 하중을 실었는지 여부
18. 슬링 등을 사용하여 작업을 할 때	가. 훅이 붙어있는 슬링·와이어링 등이 매달린 상태 나. 슬링·와이어링 등의 상태(작업시작 전 및 작업 중 수시로 점검)
19. 용접·용단 작업 등의 화재위험작업을 할 때	가. 작업 준비 및 작업 절차 수립 여부 나. 화기작업에 따른 인근 가연성 물질에 대한 방호조치 및 소화기구 비치 여부 다. 용접불티 비상방지덮개 또는 용접방화포 등 불꽃·불티 등의 비산을 방지 하기 위한 조치 여부 라. 인화성 액체의 증기 또는 인화성 가스가 남아 있지 않도록 하는 환기 조치 여부 마. 작업근로자에 대한 화재예방 및 피난교육 등 비상조치 여부

4 안전검사

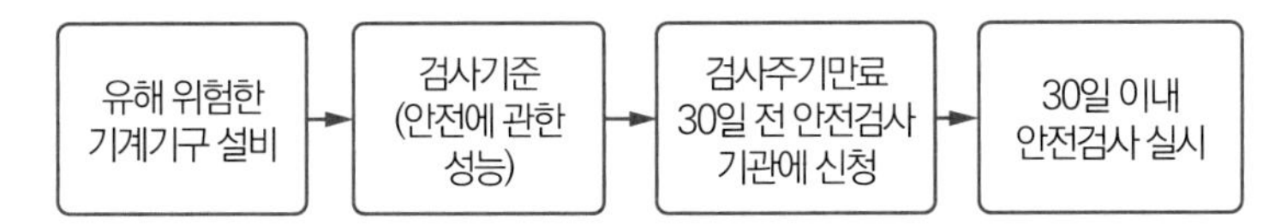

1) 안전검사 대상 유해·위험기계 ★★★

① 프레스

② 전단기

③ 크레인(정격하중 2톤 미만 제외)

④ 리프트

⑤ 압력용기

⑥ 곤돌라

⑦ 국소배기장치(이동식 제외)

⑧ 원심기(산업용만 해당)

⑨ 롤러기(밀폐형 구조제외)

⑩ 사출성형기[형 체결력 294킬로뉴튼(kN) 미만 제외]

⑪ 고소작업대(화물자동차 또는 특수자동차에 탑재한 것으로 한정)

⑫ 컨베이어

⑬ 산업용 로봇

⑭ 혼합기

⑮ 파쇄기 또는 분쇄기

2) 안전검사의 주기 ★★★

크레인(이동식크레인 제외), 리프트(이삿짐운반용리프트 제외) 및 곤돌라	사업장에 설치가 끝난 날부터 3년 이내에 최초 안전검사를 실시하되, 그 이후부터 2년마다(건설현장에서 사용하는 것은 최초로 설치한 날부터 6개월마다)
이동식크레인, 이삿짐운반용리프트, 고소작업대	자동차 관리법에 따른 신규 등록 이후 3년 이내에 최초 안전검사를 실시하되, 그 이후부터는 2년마다
프레스, 전단기, 압력용기, 국소배기장치, 원심기, 롤러기, 사출성형기, 컨베이어, 산업용 로봇, 혼합기, 파쇄기 또는 분쇄기	사업장에 설치가 끝난 날부터 3년 이내에 최초 안전검사를 실시하되, 그 이후부터 2년마다(공정안전보고서를 제출하여 확인을 받은 압력용기는 4년마다)

Key point

사용금지 유해위험 기계

① 안전검사를 받지 아니한 유해위험 기계 등
② 안전검사에 불합격한 유해위험 기계 등

안전검사 합격표시

안 전 검 사 합 격 증 명 서	
① 안전검사대상기계명	
② 신청인	
③ 형식번(기)호(설치장소)	
④ 합격번호	
⑤ 검사유효기간	
⑥ 검사기관(실시기관)	○○○○○○ (직인) 검사원 : ○○○
	고 용 노 동 부 장 관 [직인 생략]

3) 자율검사 프로그램에 따른 안전검사(유효기간 : 2년)

(1) 절차

사업주가 근로자 대표와 협의 → 검사방법, 주기 등을 충족하는 검사프로그램 → 안전에 관한 성능검사 → 안전검사 받은 것으로 인정

(2) 자율검사프로그램의 인정 요건 ★

① 자격을 갖춘 검사원을 고용하고 있을 것

② 검사를 실시할 수 있는 장비를 갖추고 이를 유지·관리할 수 있을 것

③ 안전검사 주기의 2분의 1에 해당하는 주기(크레인 중 건설현장 외에서 사용하는 크레인의 경우에는 6개월)마다 검사를 실시할 것

④ 자율검사프로그램의 검사 기준이 안전검사기준을 충족할 것

(3) 자율검사프로그램의 인정 취소 및 개선을 명할 수 있는 경우 ★★

① 거짓이나 그 밖의 부정한 방법으로 자율검사프로그램을 인정받은 경우

② 자율검사프로그램을 인정받고도 검사를 하지 아니한 경우

③ 인정받은 자율검사프로그램의 내용에 따라 검사를 하지 아니한 경우

④ 자격을 가진 사람(안전에 관한 성능검사 교육을 이수하고 해당 분야의 실무 경험이 있는 사람) 또는 자율안전검사기관이 검사를 하지 아니한 경우

5 도급사업의 안전조치

1) 안전보건총괄책임자 ★★★

대상 사업장	① 관계수급인에게 고용된 근로자를 포함한 상시 근로자가 100명(선박 및 보트 건조업, 1차 금속 제조업 및 토사석 광업의 경우에는 50명) 이상인 사업 ② 관계수급인의 공사금액을 포함한 해당 공사의 총공사금액이 20억원 이상인 건설업
직무	① 위험성 평가의 실시에 관한 사항 ② 산업재해가 발생할 급박한 위험이 있거나, 중대재해가 발생하였을 때에는 즉시 작업의 중지 ③ 도급 시 산업재해 예방조치 ④ 산업안전보건관리비의 관계수급인 간의 사용에 관한 협의·조정 및 그 집행의 감독 ⑤ 안전인정대상기계 등과 자율안전확인대상기계 등의 사용 여부 확인

2) 다음 각 목의 어느 하나의 경우에 대비한 경보체계 운영과 대피방법 등 훈련 ★

① 작업장소에서 발파작업을 하는 경우

② 작업장소에서 화재·폭발, 토사·구축물 등의 붕괴 또는 지진 등이 발생한 경우

PART 04

02 산업안전점검 평가하기

1 동작경제의 3원칙 ★★

신체의 사용에 관한 원칙 (Use of the human body)	① 두 손의 동작은 같이 시작하고 같이 끝나도록 한다. ② 휴식시간을 제외하고는 양손이 동시에 쉬지 않도록 한다. ③ 두 팔의 동작은 동시에 서로 반대방향으로 대칭적으로 움직이도록 한다. ④ 손의 동작은 원활하고 연속적인 동작이 되도록 하며, 방향이 급작스럽게 크게 변화하는 모양의 직선동작은 피하도록 한다. ⑤ 가능한 한 관성(momentum)을 이용하여 작업을 하되 작업자가 관성을 억제해야 하는 경우에는 관성을 최소화하도록 한다. ⑥ 가능하다면 쉽고 자연스러운 리듬이 작업동작에 생기도록 작업을 배치한다.
작업장의 배치에 관한 원칙 (Arrangement of the workplace)	① 모든 공구나 재료는 제 위치에 있도록 한다. ② 공구 재료 및 제어기기는 사용위치에 가까이 두도록 한다. ③ 중력 이송원리를 이용하고 가능하면 낙하식 운반방법을 사용한다. ④ 작업자가 자세의 변경이 가능하도록 작업대와 의자높이가 조정되도록 한다. ⑤ 공구나 재료는 작업조작이 원활하게 수행되도록 그 위치를 정한다.
공구 및 설비 디자인에 관한 원칙 (Design of tools and equipments)	① 치구(治具,jig)나 발로 작동시키는 기기를 사용할 수 있는 작업에서는 양손이 다른 일을 할 수 있도록 한다. ② 공구의 기능은 결합하여 사용하도록 한다. ③ 레버, 핸들 및 통제기기는 몸의 자세를 크게 바꾸지 않아도 조작하기 쉽도록 배열한다. ④ 공구와 자재는 가능한 한 사용하기 쉽도록 미리 위치를 잡아준다.

2 위험성 감소대책 수립 및 실행 ★

① 위험한 작업의 폐지·변경, 유해·위험물질 대체 등의 조치 또는 설계나 계획 단계에서 위험성을 제거 또는 저감하는 조치

② 연동장치, 환기장치 설치 등의 공학적 대책

③ 사업장 작업절차서 정비 등의 관리적 대책

④ 개인용 보호구의 사용

참고

대책 수립 및 실행

위험성의 수준, 영향을 받는 근로자 수 및 감소대책 순서를 고려하여 대책 수립 및 실행.

단원별 출제예상문제

01

관계수급인 근로자가 도급인의 사업장에서 작업하는 경우 도급인이 이행하여야 할 산업재해 예방조치 사항을 3가지 쓰시오.

해답

도급에 따른 산업재해 예방조치(도급인의 이행사항)

(1) 도급인과 수급인을 구성원으로 하는 안전 및 보건에 관한 협의체의 구성 및 운영
(2) 작업장 순회점검
(3) 관계수급인이 근로자에게 하는 안전보건교육을 위한 장소 및 자료의 제공 등 지원
(4) 관계수급인이 근로자에게 하는 안전보건교육의 실시 확인
(5) 다음 각목의 어느 하나의 경우에 대비한 경보체계 운영과 대피방법 등 훈련
  ① 작업 장소에서 발파작업을 하는 경우
  ② 작업 장소에게 화재·폭발, 토사·구축물 등의 붕괴 또는 지진 등이 발생한 경우
(6) 위생시설 등 고용노동부령으로 정하는 시설의 설치 등을 위하여 필요한 장소의 제공 또는 도급인이 설치한 위생시설 이용의 협조
(7) 같은 장소에서 이루어지는 도급인과 관계수급인 등의 작업에 있어서 관계수급인 등의 작업시기·내용, 안전조치 및 보건조치 등의 확인
(8) (7)호에 따른 확인결과 관계수급인 등의 작업 혼재로 인하여 화재·폭발 등 위험이 발생할 우려가 있는 경우 관계수급인 등의 작업시기·내용 등의 조정

tip

본 문제는 2021년 법령개정으로 수정된 내용입니다. (해답은 개정된 내용 적용)

02

도급사업의 합동 안전보건 점검실시 횟수를 업종별로 쓰시오.

해답

실시 횟수	대상 사업
2개월에 1회 이상	① 건설업 ② 선박 및 보트 건조업
분기에 1회 이상	①, ② 사업을 제외한 사업

03

안전점검의 종류를 4가지 쓰시오.

해답

① 정기점검 : 매주, 매월, 매년 등 일정한 기간을 정하여 정기적으로 점검 실시
② 수시점검 : 작업전, 중, 후에 점검 실시
③ 특별점검 : 기계 기구, 설비의 신설, 변경, 고장, 수리시 점검 실시
④ 임시점검 : 기계설비의 이상 발견시 점검 실시

04

안전점검표(체크리스트)에 포함되어야 할 사항을 쓰시오.

해답

① 점검대상 ② 점검부분 ③ 점검항목 ④ 점검주기 또는 기간
⑤ 점검방법 ⑥ 판정기준 ⑦ 조치사항

05

작업위험분석에서 ECRS란 무엇인가?

해답

① Eliminate(제거) ② Combine(결합)
③ Rearrange(재조정) ④ Simplify(단순화)

06

동작경제의 원칙을 3가지로 분류하고 각각의 내용을 3가지씩 쓰시오.

해답

(1) 동작능 활용의 원칙
- ① 발 또는 왼손으로 할 수 있는 것은 오른손으로 하지 않는다.
- ② 양손으로 동시에 작업을 시작하고 동시에 끝낸다.
- ③ 양손이 동시에 쉬지 않도록 함이 좋다.

(2) 작업량 절약의 원칙
- ① 적게 운동한다.
- ② 재료나 공구는 취급하는 부근에 정돈할 것
- ③ 동작의 수를 줄일 것
- ④ 동작의 량을 줄일 것
- ⑤ 물건을 장시간 취급할 때에는 장구를 사용할 것

(3) 동작개선의 원칙
- ① 동작이 자동적으로 리드미컬한 순서로 한다.
- ② 양손은 동시에 반대 방향으로, 좌우 대칭적으로 운동하게 할 것
- ③ 관성, 중력, 기계력 등을 이용할 것
- ④ 작업점의 높이를 적당히 하고 피로를 줄일 것

07

컨베이어 등을 사용하여 작업을 하는 때 작업시작 전 점검해야 할 사항을 쓰시오.

해답

① 원동기 및 풀리기능의 이상유무
② 이탈 등의 방지장치기능의 이상유무
③ 비상정지장치 기능의 이상유무
④ 원동기·회전축·기어 및 풀리 등의 덮개 또는 울 등의 이상유무

08

안전인증대상 기계 등에서 기계 및 설비에 해당하는 종류를 5가지 쓰시오.

해답

① 프레스	② 전단기 및 절곡기	③ 크레인
④ 리프트	⑤ 압력용기	⑥ 롤러기
⑦ 사출성형기	⑧ 고소작업대	⑨ 곤돌라

09

안전인증대상 기계 등에서 방호장치의 종류를 5가지 쓰시오.

해답

① 프레스 및 전단기 방호장치
② 양중기용 과부하방지장치
③ 보일러 압력방출용 안전밸브
④ 압력용기 압력방출용 안전밸브
⑤ 압력용기 압력방출용 파열판
⑥ 절연용 방호구 및 활선작업용 안전밸브
⑦ 방폭구조 전기기계·기구 및 부품
⑧ 추락·낙하 및 붕괴 등의 위험 방지 및 보호에 필요한 가설기자재로서 고용노동부장관이 정하여 고시하는 것
⑨ 충돌·협착 등의 위험방지에 필요한 산업용 로봇 방호장치로서 고용노동부장관이 정하여 고시하는 것

10

안전인증대상 기계 등에서 보호구에 해당하는 종류를 6가지 쓰시오.

해답

① 추락 및 감전 위험장지용 안전모	② 안전화	③ 안전장갑
④ 방진마스크	⑤ 방독 마스크	⑥ 송기마스크
⑦ 전동식 호흡보호구	⑧ 보호복	⑨ 안전대
⑩ 차광 및 비산물 위험방지용 보안경	⑪ 용접용 보안면	
⑫ 방음용 귀마개 또는 귀덮개		

11

산업안전보건법상 안전인증이 면제되는 대상을 3가지 쓰시오.

해답

① 연구개발을 목적으로 제조 수입하거나 수출을 목적으로 제조하는 경우
② 노동부 장관이 정하여 고시하는 외국의 안전인증기관에서 인증을 받은 경우
③ 다른 법령에 따라 안전성에 관한 검사나 인증을 받은 경우로서 고용노동부령으로 정하는 경우

12

안전인증기준을 지키고 있는지의 여부를 확인하기위한 확인주기는 얼마이하의 범위에서 노동부령으로 정하는지 쓰시오.

해답

3년 이하의 범위

13

안전인증 심사의 종류를 4가지 쓰시오.

해답

① 예비심사 ② 서면심사
③ 기술능력 및 생산체계심사
④ 제품심사(개별제품심사, 형식별 제품심사)

14

자율안전확인대상 기계 등에서 기계 및 설비의 종류를 3가지 쓰시오.

해답

① 산업용 로봇 ② 혼합기 ③ 컨베이어

15

자율안전확인대상 기계 등에서 방호장치에 해당하는 종류를 6가지 쓰시오.

해답

① 아세틸렌 용접장치용 또는 가스집합 용접장치용 안전기
② 교류아크 용접기용 자동전격 방지기
③ 롤러기 급정지장치
④ 연삭기 덮개
⑤ 목재가공용 둥근톱 반발예방장치와 날접촉 예방장치
⑥ 동력식 수동대패용 칼날 접촉방지장치
⑦ 추락·낙하 및 붕괴 등의 위험방지 및 보호에 필요한 가설기자재(안전인증 대상 기계기구에 해당되는 사항 제외)로서 노동부장관이 정하여 고시하는 것

tip

2020년 시행되는 법령전부개정으로 변경된 내용입니다. 문제와 해답은 변경된 내용에 맞도록 수정했으니 착오없으시기 바랍니다.

16

자율안전확인대상 기계 등에서 보호구에 해당하는 종류를 3가지 쓰시오.

해답

① 안전모(안전인증대상보호구에 해당되는 안전모는 제외)
② 보안경(안전인증대상보호구에 해당되는 보안경은 제외)
③ 보안면(안전인증대상보호구에 해당되는 보안면은 제외)

tip

2020년 시행되는 법령전부개정으로 변경된 내용입니다. 문제와 해답은 변경된 내용에 맞도록 수정했으니 착오없으시기 바랍니다.

17

안전검사 대상 유해·위험기계의 종류를 6가지 쓰시오.

해답

① 프레스 ② 전단기 ③ 크레인(정격하중 2톤 미만 제외)
④ 리프트 ⑤ 압력용기 ⑥ 곤돌라
⑦ 국소배기장치(이동식 제외) ⑧ 원심기(산업용만 해당)
⑨ 롤러기(밀폐형 구조제외)
⑩ 사출성형기[형 체결력 294킬로뉴튼(KN) 미만 제외]
⑪ 고소작업대(화물자동차 또는 특수자동차에 탑재한 것으로 한정)
⑫ 컨베이어 ⑬ 산업용 로봇 ⑭ 혼합기
⑮ 파쇄기 또는 분쇄기

tip

법령 개정으로 ⑭, ⑮ 내용이 추가되었으며, 2026년 6월 26일부터 시행

18

안전인증 제품에 표시해야할 사항을 4가지 쓰시오.

해답

① 형식 또는 모델명 ② 규격 또는 등급 등 ③ 제조자명
④ 제조번호 및 제조연월 ⑤ 안전인증 번호

19

자율안전 확인 제품에 표시해야할 사항을 4가지 쓰시오.

해답

① 형식 또는 모델명 ② 규격 또는 등급 등
③ 제조자명 ④ 제조번호 및 제조연월
⑤ 자율안전확인 번호

20

산업안전보건법에서 정하고 있는 안전검사의 주기에 대하여 쓰시오.

해답

안전검사의 주기(2020년 시행. 법령전부 개정 내용임)

대상	주기
크레인(이동식크레인 제외), 리프트(이삿짐운반용리프트 제외) 및 곤돌라	사업장에 설치가 끝난 날부터 3년 이내에 최초 안전검사를 실시하되, 그 이후부터 2년마다(건설현장에서 사용하는 것은 최초로 설치한 날부터 6개월마다)
이동식크레인, 이삿짐운반용 리프트, 고소작업대	자동차 관리법에 따른 신규 등록 이후 3년 이내에 최초 안전검사를 실시하되, 그 이후부터는 2년마다
프레스, 전단기, 압력용기, 국소배기장치, 원심기, 롤러기, 사출성형기, 컨베이어, 산업용 로봇, 혼합기,파쇄기 또는 분쇄기	사업장에 설치가 끝난 날부터 3년 이내에 최초 안전검사를 실시하되, 그 이후부터 2년마다(공정안전보고서를 제출하여 확인을 받은 압력용기는 4년마다)

tip

법령개정으로 혼합기, 파쇄기 또는 분쇄기가 추가되었으며, 2026년 6월 26일부터 시행

21

자율검사 프로그램에 따른 안전검사의 유효기간은 얼마인가?

해답

2년

22

자율안전 프로그램의 인정요건을 3가지 쓰시오.

해답

① 검사원을 고용하고 있을 것
② 검사를 할 수 있는 장비를 갖추고 이를 유지·관리할 수 있을 것
③ 안전검사 주기에 따른 검사주기의 2분의 1에 해당하는 주기(크레인 중 건설현장 외에서 사용하는 크레인의 경우에는 6개월)마다 검사를 할 것
④ 자율검사프로그램의 검사 기준이 안전검사기준을 충족할 것

23

안전인증기관의 확인사항을 3가지 쓰시오.

해답

① 안전인증서에 적힌 제조 사업장에서 해당 유해·위험 기계 등을 생산하고 있는지 여부
② 안전인증을 받은 유해·위험 기계 등이 안전인증기준에 적합한지 여부
③ 제조자가 안전인증을 받을 당시의 기술능력·생산체계를 지속적으로 유지하고 있는지 여부
④ 유해·위험 기계 등이 서면심사 내용과 같은 수준 이상의 재료 및 부품을 사용하고 있는지 여부

24

안전인증대상 보호구에 대한 안전인증의 확인주기는 얼마인가?

해답

매년 확인(다만, 안전인증을 신청하여 안전인증을 받은 경우는 2년마다)

25

안전관리자의 직무를 5가지 쓰시오.

해답

① 산업안전보건위원회 또는 안전·보건에 관한 노사협의체에서 심의·의결한 업무와 해당 사업장의 안전보건관리규정 및 취업규칙에서 정한 업무
② 안전인증대상 기계 등과 자율안전확인대상 기계 등 구입 시 적격품의 선정에 관한 보좌 및 지도·조언
③ 위험성평가에 관한 보좌 및 지도·조언
④ 해당 사업장 안전교육계획의 수립 및 안전교육 실시에 관한 보좌 및 지도·조언
⑤ 사업장 순회점검·지도 및 조치의 건의
⑥ 산업재해 발생의 원인 조사·분석 및 재발 방지를 위한 기술적 보좌 및 지도·조언
⑦ 산업재해에 관한 통계의 유지·관리·분석을 위한 보좌 및 지도·조언
⑧ 법 또는 법에 따른 명령으로 정한 안전에 관한 사항의 이행에 관한 보좌 및 지도·조언
⑨ 업무수행 내용의 기록·유지
⑩ 그 밖에 안전에 관한 사항으로서 고용노동부장관이 정하는 사항

26

안전보건총괄 책임자의 업무를 3가지 쓰시오.

해답

① 위험성평가의 실시에 관한 사항
② 산업재해가 발생할 급박한 위험이 있거나, 중대재해가 발생하였을 때에는 즉시 작업의 중지
③ 도급 시 산업재해예방조치
④ 안전보건관리비의 관계 수급인간의 사용에 관한 협의조정 및 그 집행의 감독
⑤ 안전 인증 대상 기계 등과 자율안전확인대상 기계 등의 사용 여부 확인

27

프레스 등을 사용하여 작업을 할 때 작업시작전 점검해야 할 사항을 4가지 쓰시오.

해답

① 클러치 및 브레이크의 기능
② 크랭크축·플라이휠·슬라이드·연결봉 및 연결나사의 풀림유무
③ 1행정 1정지기구·급정지장치 및 비상정지장치의 기능
④ 슬라이드 또는 칼날에 의한 위험방지 기구의 기능
⑤ 프레스의 금형 및 고정볼트 상태
⑥ 방호장치의 기능
⑦ 전단기의 칼날 및 테이블의 상태

28

고소작업대를 사용하여 작업을 하는 경우 작업시작전 점검 사항을 3가지 쓰시오.

해답

① 비상정지 및 비상하강방지장치 기능의 이상유무
② 과부하방지장치의 작동유무(와이어로프 또는 체인구동방식의 경우)
③ 아웃트리거 또는 바퀴의 이상유무
④ 작업면의 기울기 또는 요철유무

29

컨베이어 등을 사용하여 작업을 할 때 작업시작전 점검해야 할 사항을 3가지 쓰시오.

해답

① 원동기 및 풀리기능의 이상유무
② 이탈 등의 방지장치기능의 이상유무
③ 비상정지장치 기능의 이상유무
④ 원동기·회전축·기어 및 풀리 등의 덮개 또는 울 등의 이상유무

30

지게차를 사용하여 작업을 할 때 작업시작전 점검해야 할 사항을 3가지 쓰시오.

해답

① 제동장치 및 조종장치 기능의 이상유무
② 하역장치 및 유압장치 기능의 이상유무
③ 바퀴의 이상유무
④ 전조등·후미등·방향지시기 및 경보장치 기능의 이상유무

31

유해위험 방지 계획서를 작성해야 하는 대상 건설업을 5가지 쓰시오.

해답

① 다음 각목의 어느 하나에 해당하는 건축물 또는 시설 등의 건설, 개조 또는 해체공사
  ㉠ 지상 높이가 31미터 이상인 건축물 또는 인공구조물
  ㉡ 연면적 3만제곱미터 이상인 건축물
  ㉢ 연면적 5천제곱미터 이상인 시설로서 다음의 어느 하나에 해당하는 시설
    ㉮ 문화 및 집회시설　㉯ 판매시설, 운수시설　㉰ 종교시설
    ㉱ 의료시설 중 종합병원　㉲ 숙박시설 중 관광숙박시설
    ㉳ 지하도 상가　㉴ 냉동, 냉장 창고시설
② 최대 지간 길이가 50미터 이상인 다리의 건설 등 공사
③ 연면적 5천 제곱 미터 이상인 냉동, 냉장창고 시설의 설비공사 및 단열공사
④ 다목적댐, 발전용댐, 저수용량 2천만톤 이상의 용수전용댐 및 지방 상수도 전용댐의 건설 등 공사
⑤ 터널의 건설등 공사
⑥ 깊이 10미터 이상인 굴착 공사

32

유해위험 방지 계획서의 첨부서류 중 작업공사종류별 유해위험방지계획에 해당하는 대상 공사의 종류를 6가지 쓰시오.

해답

① 건축물 또는 시설 등의 건설·개조 또는 해체(건설 등) 공사
② 냉동·냉장창고시설의 설비공사 및 단열공사
③ 다리건설 등의 공사
④ 터널건설 등의 공사
⑤ 댐 건설 등의 공사
⑥ 굴착공사

33

도급에 따른 산업재해 예방조치 중 경보체계 운영과 대피방법 등 훈련이 필요한 경우를 쓰시오.

해답

경보체계 운영과 대피방법 등 훈련
① 작업 장소에서 발파작업을 하는 경우
② 작업 장소에게 화재·폭발, 토사·구축물 등의 붕괴 또는 지진 등이 발생한 경우

34

도급사업에 있어서 안전 및 보건에 관한 협의체의 구성 및 운영에 관한 내용을 쓰시오.

해답

(1) 도급인 및 그의 수급인 전원으로 구성
(2) 협의사항
① 작업의 시작 시간
② 작업 또는 작업장 간의 연락 방법
③ 재해발생 위험이 있는 경우 대피 방법
④ 작업장에서의 위험성평가의 실시에 관한 사항
⑤ 사업주와 수급인 또는 수급인 상호 간의 연락 방법 및 작업공정의 조정
(3) 매월 1회 이상 정기적으로 회의개최(결과 기록보존)

35

유해위험방지 계획서의 제출 대상 기계기구설비의 종류를 4가지 쓰시오.

해답

① 금속이나 그 밖의 광물의 용해로　② 화학설비
③ 건조설비　④ 가스집합 용접장치
⑤ 근로자의 건강에 상당한 장해를 일으킬 우려가 있는 물질로서 고용노동부령으로 정하는 물질의 밀폐·환기·배기를 위한 설비

36

동일한 장소에서 행하여지는 사업의 일부를 도급에 의하여 행하는 사업에서 산업재해 예방을 위하여 안전보건 총괄책임자를 지정해야 하는 대상 사업장을 쓰시오.

해답

① 관계수급인에게 고용된 근로자를 포함한 상시 근로자가 100명(선박 및 보트 건조업, 1차 금속 제조업 및 토사석 광업의 경우에는 50명) 이상인 사업
② 관계수급인의 공사금액을 포함한 해당 공사의 총공사금액이 20억원 이상인 건설업

37

유해위험방지계획서에서 건설공사의 경우 제출해야 하는 첨부서류의 제출기한과 첨부되어야 하는 서류를 3가지 쓰시오.

해답

(1) 제출기한 : 해당 공사의 착공 전날까지
(2) 첨부서류
① 공사 개요서
② 공사현장의 주변 현황 및 주변과의 관계를 나타내는 도면(매설물 현황을 포함)
③ 전체 공정표
④ 산업안전보건관리비 사용계획서
⑤ 안전관리 조직표
⑥ 재해 발생 위험 시 연락 및 대피방법

메모

05

기계안전시설 관리

CHAPTER 01

안전시설 관리 계획하기

1 기계설비의 위험점

1) 기계 설비에 의해 형성되는 위험점 ★★★

협착점 (Squeeze-point)	왕복 운동하는 운동부와 고정부 사이에 형성(작업점이라 부르기도 함)	① 프레스 금형 조립부위 ② 전단기의 누름판 및 칼날부위 ③ 선반 및 평삭기의 베드 끝 부위
끼임점 (Shear-point)	고정부분과 회전 또는 직선운동부분에 의해 형성	① 연삭숫돌과 작업대 ② 반복동작되는 링크기구 ③ 교반기의 교반날개와 몸체사이
절단점 (Cutting-point)	회전운동부분 자체와 운동하는 기계 자체에 의해 형성	① 밀링 컷터 ② 둥근톱 날 ③ 목공용 띠톱 날 부분
물림점 (Nip-point)	회전하는 두 개의 회전축에 의해 형성(회전체가 서로 반대방향으로 회전하는 경우)	① 기어와 피니언 ② 롤러의 회전 등
접선 물림점 (Tangential Nip-point)	회전하는 부분이 접선방향으로 물려 들어가면서 형성	① V벨트와 풀리 ② 기어와 랙 ③ 롤러와 평벨트 등
회전 말림점 (Trapping-point)	회전체의 불규칙 부위와 돌기 회전 부위에 의해 형성	① 회전축 ② 드릴축 등

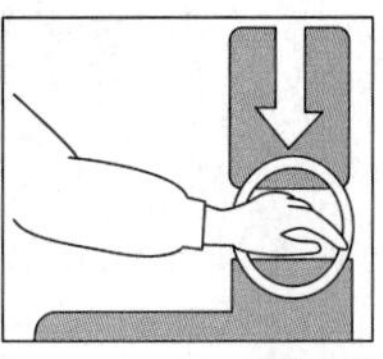
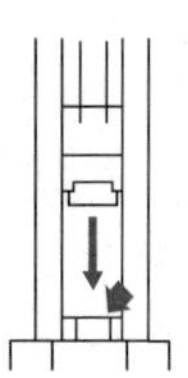

▲ 협착점

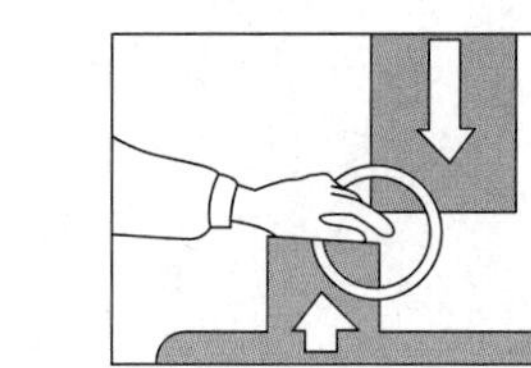

▲ 끼임점

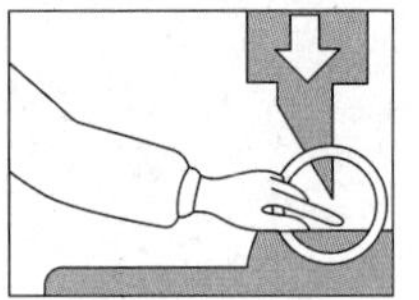

▲ 절단점

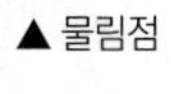

▲ 물림점

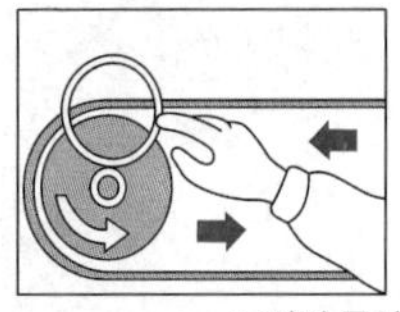

▲ 접선 물림점

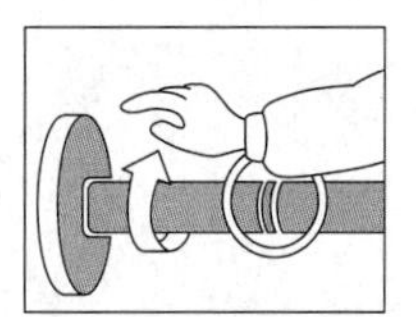

▲ 회전 말림점

2) 위험 요소 분류시 체크 사항 ★

1요소 : 함정 (Trap)
기계의 운동에 의해 트랩점이 발생할 수 있는가?

2요소 : 충격 (Impact)
운동하는 기계 요소와 사람이 부딪쳐 사고가 날 가능성은 없는가?
① 고정된 물체에 사람이 충돌
② 움직이는 물체가 사람에 충돌
③ 사람과 물체가 동시에 움직이면서 충돌

3요소 : 접촉 (Contact)
날카로운 부분, 뜨겁거나 차가운 부분, 전류가 흐르는 부분에 접촉할 위험은 없는가?
(움직이거나 정지한 모든 기계 설비 포함)

4요소 : 얽힘 또는 말림 (Entanglement)
머리카락, 옷소매나 바지, 장갑, 넥타이, 작업복 등인 가동중인 기계설비에 말려들 위험은 없는가?

5요소 : 튀어나옴(Ejection)
기계부분이나 가공재가 기계로부터 튀어나올 위험은 없는가?

2 기계설비의 본질적 안전화 ★★★

안전기능이 기계 내에 내장되어 있을 것	기계의 설계 단계에서 안전기능이 이미 반영되어 제작
풀 프루프(fool proof)	① 인간의 실수가 있어도 안전장치가 설치되어 사고나 재해로 연결되지 않는 구조 ② 바보가 작동을 시켜도 안전하다는 뜻
페일 세이프(fail safe)의 기능을 가질 것	① 고장이 생겨도 어느 기간 동안은 정상기능이 유지되는 구조 ② 병렬 계통이나 대기 여분을 갖춰 항상 안전하게 유지되는 기능

3 기계설비의 안전조건 ★

1) 외관상의 안전화

① 가드 설치(기계 외형 부분 및 회전체 돌출 부분)

② 별실 또는 구획된 장소에 격리(원동기 및 동력 전도 장치)

③ 안전 색채 조절(기계 장비 및 부수되는 배관)

2) 작업의 안전화

안전 작업을 위한 설계 요건	① 안전한 기동 장치와 배치 ② 정지 장치와 정지시의 시건장치 ③ 급정지 버튼, 급정지 장치 등의 구조와 배치 ④ 작업자가 위험 부분에 근접할 때 작동하는 검출형 안전장치의 사용 ⑤ 연동장치(interlock)된 커버 사용
인간공학적 견지의 배려 사항	① 기계에 부착된 조명이나 기계에서 발생되는 소음 등의 검토 개선 ② 기계류 표시와 배치를 바르게 하여 혼돈이 생기지 않도록 할 것 ③ 작업대나 의자의 높이 또는 형을 알맞게 할 것 ④ 충분한 작업공간 확보(평상작업, 보수, 점검시) ⑤ 작업시 안전한 통로나 계단을 확보할 것

3) 작업점의 안전화

① 자동제어

② 원격제어 장치

③ 방호장치

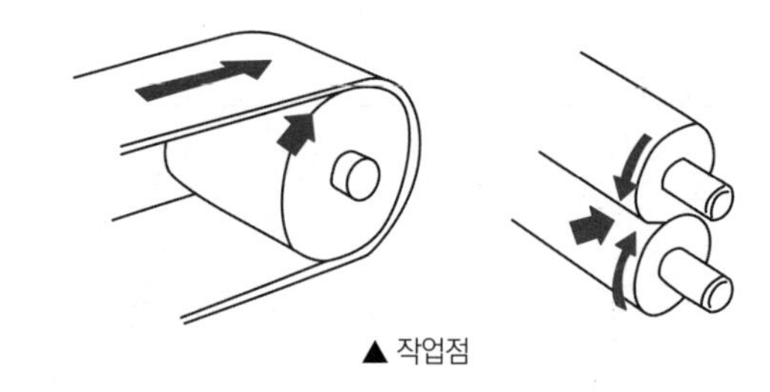

▲ 작업점

4) 기능상의 안전화

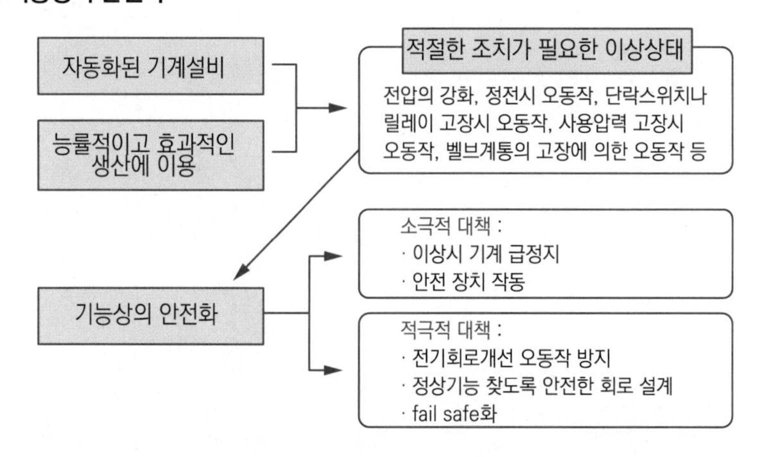

5) 구조부분의 안전화

(1) 설계상의 안전화

① 가장 큰 원인은 강도산정(부하예측, 강도계산)상의 오류

② 사용상 강도의 열화를 고려하여 안전율을 구한다.

* 안전율 구하는 방법

$$안전율 F_1 = \frac{극한강도}{최대설계응력} = \frac{파괴하중}{최대사용하중}$$

(2) 가공시의 안전화

① 재료부품의 적절한 열처리 - 강도와 인성 부여 (열처리 불량 시 파괴 현상)

② 용접구조물의 미세균열이나 잔류응력에 의한 파괴 방지 - 작업방법 준수 및 철저한 품질 관리

③ 기계 가공시 응력 집중 방지 - 안전한 설계 및 응력 분산 가능한 구조로 제작

6) 보전 작업의 안전화

초기 고장	감소형(DFR : Decreasing Failure Rate)	디버깅기간, 번인 기간
우발 고장	일정형(CFR : Constant Failure Rate)	내용 수명
마모 고장	증가형(IFR : Increasing Failure Rate)	정기진단(검사)

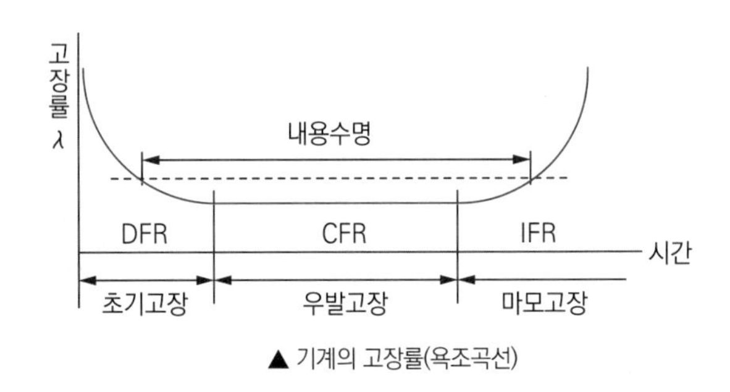

▲ 기계의 고장률(욕조곡선)

참고

재료선정의 안전화

① 재료의 필요한 강도 확보 - 재료의 조직이나 성분에 결함이 없는 것으로

② 양질의 재료 설정 - 가공조건이나 사용조건에 맞지 않아 일어나는 사고 방지

CHAPTER 02

안전시설 설치하기

1 안전보건 표지 ★★★

1) 안전보건 표지의 종류와 형태

1 금지표지	101 출입금지	102 보행금지	103 차량통행금지	104 사용금지	105 탑승금지	106 금연
107 화기 금지	108 물체이동 금지	2 경고표지	201 인화성물질 경고	202 산화성물질 경고	203 폭발성 물질 경고	204 급성독성물질 경고
205 부식성물질 경고	206 방사성물질 경고	207 고압전기 경고	208 매달린물체 경고	209 낙하물경고	210 고온경고	211 저온경고
212 몸균형상실 경고	213 레이저광선 경고	214 발암성·변이 원성·생식 독성·전신 독성·호흡기 과민성 물질 경고	215 위험장소 경고	3 지시표지	301 보안경 착용	302 방독마스크 착용
303 방진마스크 착용	304 보안면착용	305 안전모착용	306 귀마개착용	307 안전화착용	308 안전장갑착용	309 안전복착용
4 안내표지	401 녹십자표지	402 응급구호표지	403 들것	404 세안장치	405 비상용기구	406 비상구

407 좌측비상구	408 우측비상구	5 관계자외 출입금지	501 허가대상물질 작업장	502 석면취급/해체 작업장	503 금지대상물질의 취급 실험실 등
			관계자외 출입금지 (허가물질 명칭) 제조/사용/보관 중 보호구/보호복 착용 흡연 및 음식물 섭취 금지	관계자외 출입금지 석면 취급/해체 중 보호구/보호복 착용 흡연 및 음식물 섭취 금지	관계자외 출입금지 발암물질 취급 중 보호구/보호복 착용 흡연 및 음식물 섭취 금지
6 문자 추가시 예시문	0.1d 휘발유화기엄금 0.25d 이상 d		• 내 자신의 건강과 복지를 위하여 안전을 늘 생각한다. • 내 가정의 행복과 화목을 위하여 안전을 늘 생각한다. • 내 자신의 실수로써 동료를 해치지 않도록 하기 위하여 안전을 늘 생각한다. • 내 자신이 일으킨 사고로써 오는 회사의 재산과 과실을 방지하기 위하여 안전을 늘 생각한다. • 내 자신의 방심과 불안전한 행동이 조국의 번영에 장애가 되지 않도록 하기 위하여 안전을 늘 생각한다.		

2) 안전보건표지의 색채 및 색도기준

색채	색도기준	용도	사용례	형태별 색채기준
빨간색	7.5R 4/14	금지	정지신호, 소화설비 및 그 장소, 유해행위의 금지	바탕은 흰색, 기본모형은 빨간색, 관련부호 및 그림은 검은색
		경고	화학물질 취급장소에서의 유해·위험 경고	바탕은 노란색, 기본모형·관련부호 및 그림은 검은색 (주1)
노란색	5Y 8.5/12	경고	화학물질 취급장소에서의 유해·위험 경고 이외의 위험경고, 주의표지 또는 기계 방호물	
파란색	2.5PB 4/10	지시	특정행위의 지시 및 사실의 고지	바탕은 파란색, 관련 그림은 흰색
녹색	2.5G 4/10	안내	비상구 및 피난소, 사람 또는 차량의 통행표지	바탕은 흰색, 기본모형 및 관련부호는 녹색, 바탕은 녹색, 관련부호 및 그림은 흰색
흰색	N9.5		파란색 또는 녹색에 대한 보조색	
검은색	N0.5		문자 및 빨간색 또는 노란색에 대한 보조색	

(주 1) 다만, 인화성물질경고·산화성물질경고·폭발성물질경고·급성독성물질경고·부식성물질경고 및 발암성·변이원성·생식독성·전신독성·호흡기과민성물질경고의경우 바탕은 무색, 기본모형은 빨간색(검은색도 가능)

참고

허용오차범위

$H=\pm2$, $V=\pm0.3$, $C=\pm1$, (H는 색상, V는 명도, C는 채도)

참고

출입금지표지의 색체 : 글자는 흰색 바탕에 흑색 다음 글자는 적색

- ○○○제조/사용/보관 중
- 석면취급/해체중
- 발암물질 취급중

PART 05

2 프레스의 방호장치 및 설치방법

1) 프레스의 작업점에 대한 방호방법

<table>
<tr><td rowspan="3">이송장치나 수공구 사용</td><td>송급장치</td><td>① 1차 가공용 송급장치 : 로울 피더(Roll feeder)
② 2차 가공용 송급장치 : 슈트, 푸셔 피더(Pusher feeder), 다이얼 피더(Dial feeder), 트랜스퍼 피더(Transfer feeder) 등
③ 슬라이딩 다이(Sliding die)</td></tr>
<tr><td>배출장치</td><td>공기분사장치, 키커, 이젝터 등 설치</td></tr>
<tr><td>수공구</td><td>① 누름봉, 갈고리류
② 핀셋트류
③ 플라이어류
④ 마그넷 공구류
⑤ 진공컵류</td></tr>
<tr><td rowspan="3">방호장치 사용</td><td>일행정 일정지식</td><td>양수조작식</td></tr>
<tr><td>행정길이 40mm 이상</td><td>수인식(50mm 이상), 손쳐내기식</td></tr>
<tr><td>슬라이드 작동중 정지가능</td><td>감응형, 안전블록</td></tr>
<tr><td>금형의 개선</td><td>안전금형
(안전울 사용)</td><td>① 상형울과 하형울 사이 12mm정도 겹치게
② 상사점에서 상형과 하형, 가이드포스트와 가이드부시의 틈새는 8mm 이하</td></tr>
<tr><td>그 밖의 방호장치 병용</td><td colspan="2">급정지 장치, 비상정지장치, 페달의 U자형 덮개 등</td></tr>
</table>

2) 방호장치 설치방법

(1) 양수 조작식

① 방호장치 설치방법

㉠ 정상동작표시등은 녹색, 위험표시등은 붉은색으로 하며, 쉽게 근로자가 볼 수 있는 곳에 설치

㉡ 슬라이드 하강 중 정전 또는 방호장치의 이상 시에 정지할 수 있는 구조

㉢ 방호장치는 릴레이, 리미트스위치 등의 전기부품의 고장, 전원전압의 변동 및 정전에 의해 슬라이드가 불시에 동작하지 않아야 하며, 사용전원전압의 ±(100분의 20)의 변동에 대하여 정상으로 작동

㉣ 1행정1정지 기구에 사용할 수 있어야 한다.

㉤ 누름버튼을 양손으로 동시에 조작하지 않으면 작동시킬 수 없는 구조이어야 하며, 양쪽버튼의 작동시간 차이는 최대 0.5초 이내일 때 프레스가 동작

ⓑ 1행정마다 누름버튼에서 양손을 떼지 않으면 다음 작업의 동작을 할 수 없는 구조

ⓢ 램의 하행정중 버튼(레버)에서 손을 뗄 시 정지하는 구조

ⓞ 누름버튼의 상호간 내측거리는 300mm 이상

ⓙ 누름버튼(레버 포함)은 매립형의 구조(다만, 개구부에서 조작되지 않는 구조의 개방형 누름버튼(레버 포함)은 매립형으로 본다)

㉮ 누름버튼(레버 포함)의 전구간(360°)에서 매립된 구조

㉯ 누름버튼(레버 포함)은 방호장치 상부표면 또는 버튼을 둘러싼 개방된 외함의 수평면으로부터 하단(2mm 이상)에 위치

ⓒ 버튼 및 레버는 작업점에서 위험한계를 벗어나게 설치

ⓚ 양수조작식 방호장치는 푸트스위치를 병행하여 사용할 수 없는 구조

② 설치 안전거리 ★★★

㉠ 양수조작식

$$D(mm)=1600\times(Tc+Ts)$$

D : 안전거리(mm)
Tc : 방호장치의 작동시간[즉 누름버튼으로부터 한 손이 떨어졌을 때부터 급정지기구가 작동을 개시할 때까지의 시간(초)]
Ts : 프레스의 급정지시간[즉 급정지기구가 작동을 개시했을 때부터 슬라이드가 정지할 때까지의 시간(초)]

㉡ 양수기동식의 안전거리

$$D_m=1.6T_m$$

D_m : 안전거리 (mm)
T_m: 양손으로 누름단추 누르기 시작할 때부터 슬라이드가 하사점에 도달하기까지 소요시간(ms)

$$T_m=\left(\frac{1}{\text{클러치 맞물림 개소수}}+\frac{1}{2}\right)\times\frac{60000}{\text{매분 행정수}}(ms)$$

참고

안전거리(cm)

= 160 × 프레스기 작동후 작업점까지의 도달시간(초)

(2) 가드식, 수인식, 손쳐내기식 방호장치의 설치방법 ★

가드식 (C)	① 가드는 금형의 착탈이 용이하도록 설치 ② 가드의 용접부위는 완전 용착되고 면이 미려해야 한다. ③ 가드에 인체가 접촉하여 손상될 우려가 있는 곳은 부드러운 고무 등을 입혀야 한다. ④ 게이트 가드 방호장치는 가드가 열린 상태에서 슬라이드를 동작시킬 수 없고 또한 슬라이드 작동 중에는 게이트 가드를 열 수 없어야 한다. ⑤ 게이트 가드 방호장치에 설치된 슬라이드 동작용 리미트스위치는 신체의 일부나 재료 등의 접촉을 방지할 수 있는 구조 ⑥ 가드의 닫힘으로 슬라이드의 기동신호를 알리는 구조의 것은 닫힘을 표시하는 표시 램프를 설치 ⑦ 수동으로 가드를 닫는 구조의 것은 가드의 닫힘 상태를 유지하는 기계적 잠금장치를 작동한 후가 아니면 슬라이드 기동이 불가능한 구조
수인식 (E)	① 손목밴드(wrist band)의 재료는 유연한 내유성 피혁 또는 이와 동등한 재료사용 ② 손목밴드는 착용감이 좋으며 쉽게 착용할 수 있는 구조 ③ 수인끈의 재료는 합성섬유로 직경이 4㎜ 이상. ④ 수인끈은 작업자와 작업공정에 따라 그 길이를 조정할 수 있어야 한다. ⑤ 수인끈의 안내통은 끈의 마모와 손상을 방지할 수 있는 조치 ⑥ 각종 레버는 경량이면서 충분한 강도를 가져야 한다. ⑦ 수인량의 시험은 수인량이 링크에 의해서 조정될 수 있도록 되어야 하며 금형으로부터 위험한계 밖으로 당길 수 있는 구조
손쳐내기식 (D)	① 슬라이드 하행정거리의 3/4 위치에서 손을 완전히 밀어내어야 한다. ② 손쳐내기봉의 행정(Stroke) 길이를 금형의 높이에 따라 조정할 수 있고 진동폭은 금형폭 이상이어야 한다. ③ 방호판과 손쳐내기봉은 경량이면서 충분한 강도를 가져야 한다. ④ 방호판의 폭은 금형폭의 1/2 이상이어야 하고, 행정길이가 300mm 이상의 프레스 기계에는 방호판 폭을 300mm로 해야 한다. ⑤ 손쳐내기봉은 손 접촉 시 충격을 완화할 수 있는 완충재를 붙이는 등의 조치가 강구되어야 한다. ⑥ 부착볼트 등의 고정금속부분은 예리한 돌출현상이 없어야 한다.

(3) 광전자식(감응형)

① 방호장치 설치방법

㉠ 정상동작표시램프는 녹색, 위험표시램프는 붉은색으로 하며, 쉽게 근로자가 볼 수 있는 곳에 설치

㉡ 슬라이드 하강 중 정전 또는 방호장치의 이상 시에 정지할 수 있는 구조

㉢ 방호장치는 릴레이, 리미트스위치 등의 전기부품의 고장, 전원전압의 변동 및 정전에 의해 슬라이드가 불시에 동작하지 않아야 하며, 사용전원전압의 ±(100분의 20)의 변동에 대하여 정상으로 작동

㉣ 방호장치의 정상작동 중에 감지가 이루어지거나 공급전원이 중단되는 경우 적어도 두개 이상의 출력신호개폐장치가 꺼진 상태로 돼야 한다.

㉤ 방호장치에 제어기(Controller)가 포함되는 경우에는 이를 연결한 상태에서 모든 시험을 한다.

② 안전거리

광전자식 방호장치와 위험한계 사이의 거리(안전거리 : D)는 슬라이드의 하강 속도가 최대로 되는 위치에서 다음 식에 따라 계산한 값 이상이어야 한다.

$$D(mm) = 1600 \times (Tc + Ts)$$

D : 안전거리(mm)

Tc : 방호장치의 작동시간[즉 손이 광선을 차단했을 때부터 급정지기구가 작동을 개시할 때까지의 시간 (초)]

Ts : 프레스의 최대정지시간[즉 급정지기구가 작동을 개시했을 때부터 슬라이드가 정지할 때까지의 시간 (초)]

3 아세틸렌용접장치 및 가스집합 용접장치의 방호장치 및 설치방법

1) 방호장치(안전기) 설치방법 및 성능시험 ★★★

아세틸렌 용접장치	① 취관마다 안전기설치. 다만, 주관 및 취관에 가장 가까운 분기관마다 안전기를 부착한 경우에는 그렇지 않다. ② 가스용기가 발생기와 분리되어 있는 아세틸렌 용접장치에 대하여 발생기와 가스용기 사이에 안전기 설치
가스집합 용접장치의 배관	① 플렌지·밸브·콕 등의 접합부에는 개스킷을 사용하고 접합면을 상호 밀착시키는 등의 조치를 할 것 ② 주관 및 분기관에는 안전기를 설치할 것(이 경우 하나의 취관에 2개 이상의 안전기를 설치)
성능시험	① 내압시험 ② 기밀시험 ③ 역류방지시험 ④ 역화방지시험 ⑤ 가스압력손실시험 ⑥ 방출장치동작시험

2) 아세틸렌 발생기실의 설치장소 및 구조 ★★

발생기실의 설치장소	① 전용의 발생기실에 설치 ② 건물의 최상층에 위치하여야 하며, 화기를 사용하는 설비로부터 3미터를 초과하는 장소에 설치 ③ 옥외에 설치한 경우에는 그 개구부를 다른 건축물로부터 1.5미터 이상 떨어지도록 할 것
발생기실의 구조	① 벽은 불연성 재료로 하고 철근콘크리트 또는 그 밖에 이와 같은 수준이거나 그 이상의 강도를 가진 구조로 할 것 ② 지붕과 천정에는 얇은 철판이나 가벼운 불연성 재료를 사용할 것 ③ 바닥면적의 16분의 1 이상의 단면적을 가진 배기통을 옥상으로 돌출시키고 그 개구부를 창이나 출입구로부터 1.5미터 이상 떨어지도록 할 것 ④ 출입구의 문은 불연성 재료로 하고 두께 1.5밀리미터 이상의 철판이나 그 밖에 그 이상의 강도를 가진 구조로 할 것 ⑤ 벽과 발생기 사이에는 발생기의 조정 또는 카바이드 공급 등의 작업을 방해하지 않도록 간격을 확보할 것

4 양중기의 방호장치 및 재해유형

1) 양중기의 방호장치의 종류 ★★★

(1) 양중기의 종류

① 크레인(호이스트 포함)

② 이동식 크레인

③ 리프트(이삿짐 운반용 리프트의 경우 적재하중 0.1톤 이상인 것)

④ 곤돌라

⑤ 승강기

(2) 양중기의 방호장치

방호장치의 조정 대상	① 크레인 ② 이동식 크레인 ③ 리프트 ④ 곤돌라 ⑤ 승강기
방호장치의 종류	① 과부하방지장치 ② 권과방지장치 ③ 비상정지장치 및 제동장치 ④ 그 밖의 방호장치(승강기의 파이널 리미트 스위치, 속도조절기, 출입문 인터록 등)

2) 양중기의 안전기준

(1) 크레인 작업시 조치 및 준수사항(근로자 교육내용)

① 인양할 하물(荷物)을 바닥에서 끌어당기거나 밀어내는 작업을 하지 아니할 것

② 유류드럼이나 가스통 등 운반 도중에 떨어져 폭발하거나 누출될 가능성이 있는 위험물용기는 보관함(또는 보관고)에 담아 안전하게 매달아 운반할 것

③ 고정된 물체를 직접 분리·제거하는 작업을 하지 아니할 것

④ 미리 근로자의 출입을 통제하여 인양중인 하물이 작업자의 머리위로 통과하지 않도록 할 것

⑤ 인양할 하물이 보이지 아니하는 경우에는 어떠한 동작도 하지 아니할 것(신호하는 사람에 의하여 작업을 하는 경우 제외)

(2) 폭풍 등에 의한 안전조치사항 ★★★

풍속의 기준	내용	시기	조치사항
순간풍속이 초당 30m 초과	폭풍에 의한 이탈방지	바람이 불어올 우려가 있는 경우	옥외에 설치된 주행크레인의 이탈방지 장치 작동 등 이탈방지를 위한 조치
	폭풍 등으로 인한 이상유무 점검	바람이 불거나 중진 이상 진도의 지진이 있은 후	옥외에 설치된 양중기를 사용하여 작업하는 경우 미리 기계 각 부위에 이상이 있는지 점검
순간풍속이 초당 35m 초과	붕괴 등의 방지	바람이 불어올 우려가 있는 경우	건설용 리프트의 받침의 수를 증가시키는 등 붕괴방지조치
	폭풍에 의한 무너짐 방지		옥외에 설치된 승강기의 받침의 수를 증가시키는 등 무너지는 것을 방지하기 위한 조치

5 보일러의 방호장치

1) 방호장치의 종류 ★★★

고저수위 조절장치	① 고저 수위 지점을 알리는 경보등·경보음 장치 등을 설치 – 동작상태 쉽게 감시 ② 자동으로 급수 또는 단수 되도록 설치
압력방출 장치	① 보일러 규격에 맞는 압력방출장치를 1개 또는 2개 이상 설치하고 최고사용압력(설계압력 또는 최고허용압력) 이하에서 작동되도록 한다. ② 압력방출장치가 2개 이상 설치된 경우 최고사용압력 이하에서 1개가 작동되고, 다른 압력방출장치는 최고사용압력 1.05배 이하에서 작동되도록 부착 ③ 매년 1회 이상 교정을 받은 압력계를 이용하여 설정압력에서 압력방출장치가 적정하게 작동하는지 검사후 납으로 봉인(공정안전보고서 이행상태 평가결과가 우수한 사업장은 4년마다 1회 이상 설정압력에서 압력방출장치가 적정하게 작동하는지 검사할 수 있다) ④ 스프링식, 중추식, 지렛대식(일반적으로 스프링식 안전 밸브가 많이 사용)
압력제한 스위치	보일러의 과열방지를 위해 최고사용압력과 상용압력 사이에서 버너연소를 차단할 수 있도록 압력 제한 스위치 부착 사용
화염검출기	연소상태를 항상 감시하고 그 신호를 프레임 릴레이가 받아서 연소차단밸브 개폐

2) 보일러 이상현상의 종류 ★

플라이밍 (priming)	보일러의 과부하로 보일러수가 극심하게 끓어서 수면에서 계속하여 물방울이 비산하고 증기부가 물방울로 충만하여 수위가 불안정하게 되는 현상
포밍 (foaming)	보일러수에 불순물이 많이 포함되었을 경우, 보일러수의 비등과 함께 수면부위에 거품층을 형성하여 수위가 불안정하게 되는 현상
캐리오버 (carry over)	보일러에서 증기관 쪽에 보내는 증기에 대량의 물방울이 포함되는 경우로 프라이밍이나 포밍이 생기면 필연적으로 발생. 캐리오버는 과열기 또는 터빈 날개에 불순물을 퇴적시켜 부식 또는 과열의 원인이 된다.
워터햄머 (water hammer)	증기관 내에서 증기를 보내기 시작할 때 해머로 치는 듯한 소리를 내며 관이 진동하는 현상. 워터햄머는 캐리오버에 기인한다.

6 롤러기의 방호장치 및 설치방법

1) 롤러기 가드의 개구부 간격 ★

ILO 기준 (프레스 및 전단기의 작업점이나 롤러기의 맞물림 점)

$$Y=6+0.15X$$

X : 가드와 위험점간의 거리(안전 거리)[mm] 단, $X<160$
Y : 가드 개구부 간격(안전 거리)[mm] 단, $X\geq160$이면 $Y=30$

2) 방호장치의 설치방법 ★★★

① 급정지 장치 중 로프식 급정지 장치 조작부는 롤러기의 전면 및 후면에 각각 1개씩 수평으로 설치하고 그 길이는 로울의 길이 이상이어야 한다.

② 로프식 급정지 장치 조작부에 사용하는 줄은 사용 중에 늘어나거나 끊어지기 쉬운 것으로 해서는 아니된다.

③ 급정지 장치의 조작부는 그 종류에 따라 다음에 정하는 위치에 설치하고 또 작업자가 긴급시에 쉽게 조작할 수 있어야 한다.

조작부의 종류	설치 위치	비고
손조작식	밑면에서 1.8m 이내	위치는 급정지 장치의 조작부의 중심점을 기준으로 함
복부조작식	밑면에서 0.8m 이상 1.1m 이내	
무릎조작식	밑면에서 0.4m 이상 0.6m 이내	

Key point

급정지 장치는 롤러기의 가동장치를 조작하지 않으면 가동하지 않는 구조의 것이어야 한다.

3) 방호장치의 성능조건 ★★★

앞면 롤러의 표면 속도(m/분)	급정지 거리
30 미만	앞면 롤러 원주의 1/3 이내
30 이상	앞면 롤러 원주의 1/2.5 이내

$$표면속도 V = \frac{\pi DN}{1000} \text{(m/분)}$$

D : 롤러 원통의 직경 : mm,
N : rpm

7 연삭기의 재해유형

1) 연삭숫돌의 파괴원인 ★★

숫돌의 파괴 원인	① 숫돌의 회전 속도가 너무 빠를 때 ② 숫돌 자체에 균열이 있을 때 ③ 숫돌에 과대한 충격을 가할 때 ④ 숫돌의 측면을 사용하여 작업할 때 ⑤ 숫돌의 불균형이나 베어링 마모에 의한 진동이 있을 때 ⑥ 숫돌 반경 방향의 온도 변화가 심할 때 ⑦ 플랜지가 현저히 작을 때 ⑧ 작업에 부적당한 숫돌을 사용할 때 ⑨ 숫돌의 치수가 부적당할 때

2) 연삭기 안전대책 ★★

① 구조 규격에 적당한 덮개를 설치할 것

② 플랜지의 직경은 숫돌직경의 1/3 이상인 것을 사용하며 양쪽을 모두 같은 크기로 할 것 (플랜지 안쪽에 종이나 고무판을 부착하여 고정시, 종이나 고무판의 두께는 0.5~1mm정도가 적합하며, 숫돌의 종이라벨은 제거하지 않고 고정)

③ 숫돌 결합 시 축과는 0.05~0.15mm 정도의 틈새를 둘 것

④ 칩 비산 방지 투명판(shield), 국소배기장치를 설치할 것

⑤ 탁상용 연삭기는 워크레스트와 조정편을 설치할 것(워크레스트와 숫돌과의 간격은 : 3mm 이하)

⑥ 덮개의 조정편과 숫돌과의 간격은 5mm 이내

⑦ 최고 회전속도 이내에서 작업할 것

$$v = \frac{D \times \pi \times n}{60 \times 1000}$$

v : 원주속도(m/s)
n : 회전속도(rpm)
D : 연삭숫돌의 외경(mm)

3) 연삭기의 방호장치

(1) 덮개의 설치 방법 ★★

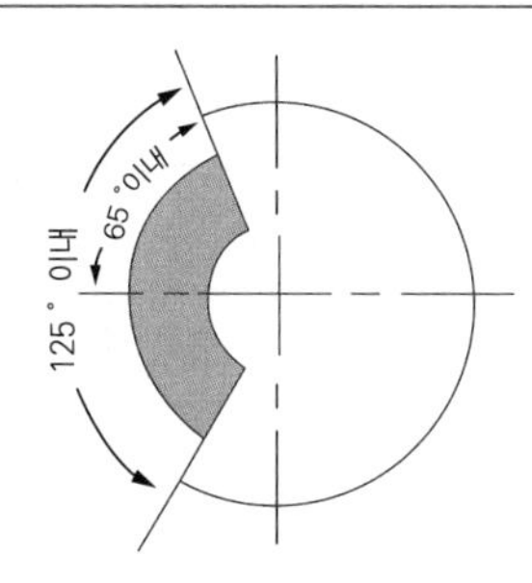

① 일반연삭작업 등에 사용하는 것을 목적으로 하는 탁상용 연삭기의 덮개 각도

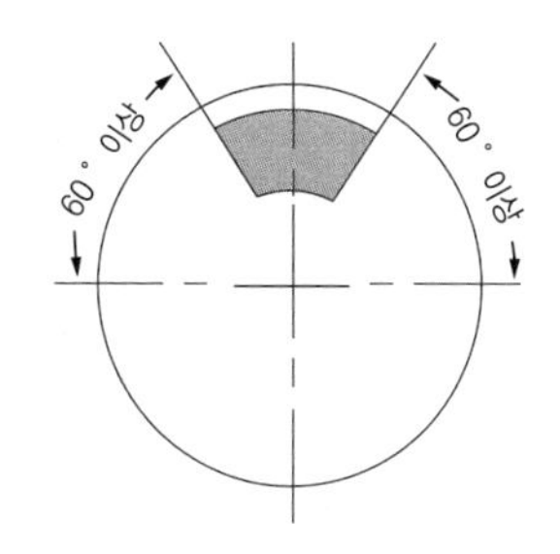

② 연삭숫돌의 상부를 사용하는 것을 목적으로 하는 탁상용 연삭기의 덮개 각도

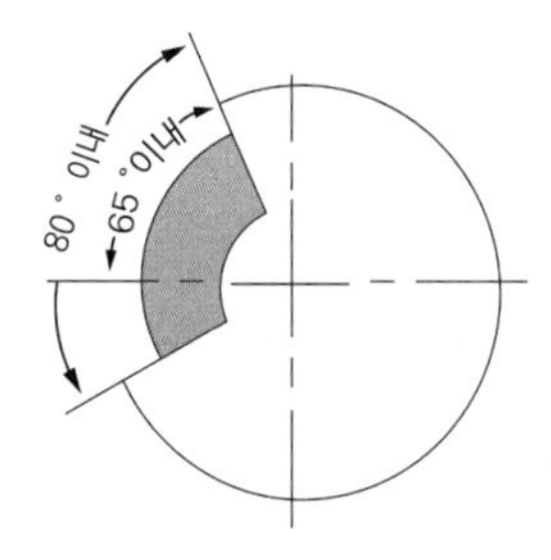

③ ① 및 ② 이외의 탁상용 연삭기, 기타 이와 유사한 연삭기의 덮개 각도

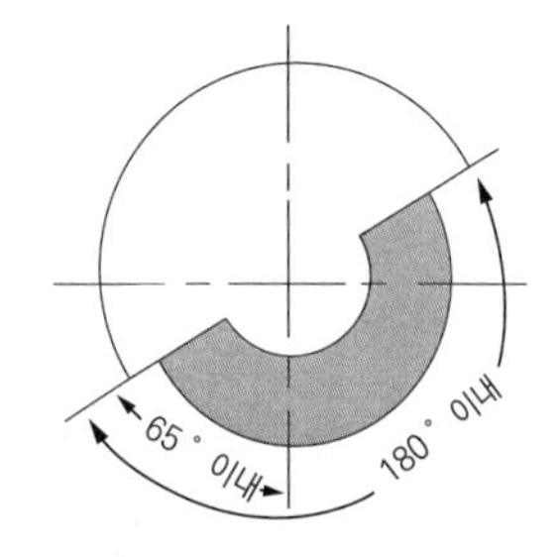

④ 원통연삭기, 센터리스연삭기, 공구연삭기, 만능연삭기, 기타 이와 비슷한 연삭기의 덮개 각도

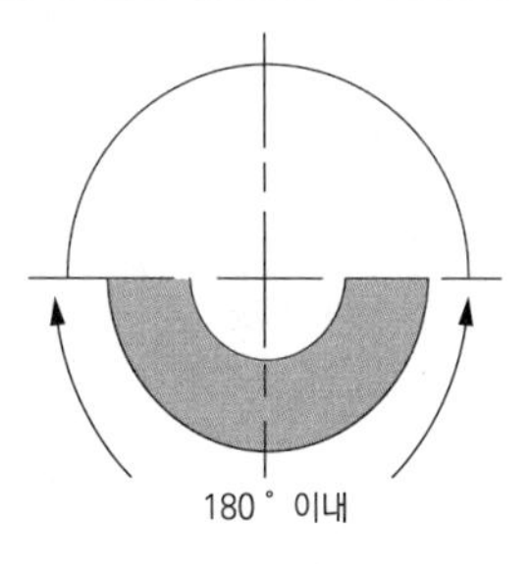

⑤ 휴대용 연삭기, 스윙연삭기, 스라브연삭기, 기타 이와 비슷한 연삭기의 덮개 각도

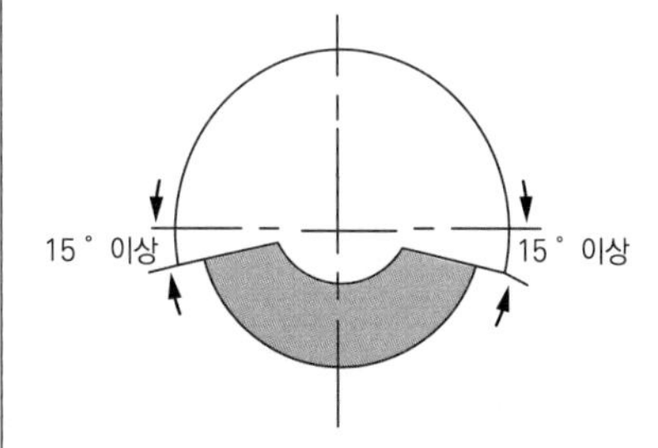

⑥ 평면연삭기, 절단연삭기, 기타 이와 비슷한 연삭기의 덮개 각도

참고

덮개의 성능

① 덮개는 인체의 접촉으로 인한 손상이 없어야 한다.
② 덮개에는 그 강도를 저하시키는 균열 및 기포 등이 없어야 한다.
③ 탁상용 연삭기의 덮개에는 워크레스트 및 조정편을 구비해야 하며 워크레스트는 연삭숫돌과의 간격을 3mm 이하로 조정할 수 있는 구조이어야 한다.

8 동력식 수동대패기

▼ 대패기계의 덮개(칼날의 접촉방지장치)

구분	종류	용도
대패기계	가동식 덮개	대패날 부위를 가공재료의 크기에 따라 움직이며 인체가 날에 접촉하는 것을 방지해 주는 형식
	고정식 덮개	대패날 부위를 필요에 따라 수동조정하도록 하는 형식

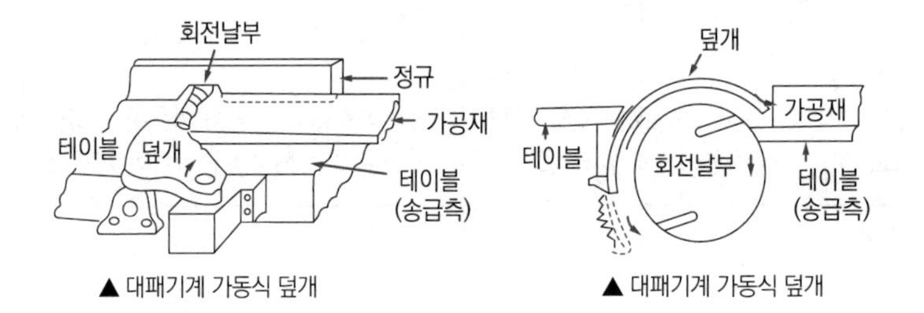

▲ 대패기계 가동식 덮개　　▲ 대패기계 가동식 덮개

(2) 방호장치의 성능시험

① 가동식 방호장치는 스프링의 복원력상태 및 날과 덮개와의 접촉유무를 확인한다.

② 가동부의 고정상태 및 작업자의 접촉으로 인한 위험성 유무를 확인한다.

③ 날접촉 예방장치인 덮개와 송급테이블면과의 간격이 8mm 이하가 되게 하여야 한다.

④ 작업에 방해의 유무, 안전성의 여부를 확인한다.

9 목재가공용 둥근톱

1) 방호장치의 종류 ★★

구분	종류	구조
둥근톱 덮개	가동식 날접촉 예방장치	덮개, 보조덮개가 가공물의 크기에 따라 상하로 움직이며 가공할 수 있는 것으로 그 덮개의 하단이 송급되는 가공재의 윗면에 항상 접하는 구조이며, 가공재를 절단하고 있지 않을 때는 덮개가 테이블면까지 내려가 어떠한 경우에도 근로자의 손 등이 톱날에 접촉되는 것을 방지하도록 된 구조
	고정식 날접촉 예방장치	작업 중에는 덮개가 움직일 수 없도록 고정된 덮개로 비교적 얇은 판재를 가공할 때 이용하는 구조
둥근톱 분할날	겸형식 분할날	분할날은 가공재에 쐐기작용을 하여 공작물의 반발을 방지할 목적으로 설치된 것으로 둥근톱의 크기에 따라 2가지로 구분
	현수식 분할날	

▲ 둥근톱의 날접촉예방장치

2) 분할날의 설치기준 ★★

① 분할 날의 두께는 둥근톱 두께의 1.1배 이상이어야 한다.

$1.1t_1 \leqq t_2 < b$ (t_1 : 톱두께, t_2 : 분할날두께, b : 치진폭)

② 견고히 고정할 수 있으며 분할날과 톱날 원주면과의 거리는 12mm 이내로 조정, 유지할 수 있어야 하고 표준 테이블면 상의 톱 뒷날의 2/3 이상을 덮도록 하여야 한다.

3) 목재가공용 둥근톱 기계 ★

목재가공용 둥근톱 기계	가로절단용 둥근톱기계 및 반발에 의하여 근로자에게 위험을 미칠 우려가 없는 것 제외	분할날 등 반발예방장치
목재가공용 둥근톱 기계	휴대용 둥근톱을 포함하되, 원목제재용 둥근톱기계 및 자동이송장치를 부착한 둥근톱기계 제외	톱날접촉 예방장치

10 산업용로봇의 방호장치 ★★★

1) 교시 등의 작업시 안전조치 사항

① 다음 각목의 사항에 관한 지침을 정하고 그 지침에 따라 작업을 시킬 것

㉠ 로봇의 조작방법 및 순서

㉡ 작업중의 매니퓰레이터의 속도

㉢ 2명 이상의 근로자에게 작업을 시킬 경우의 신호방법

㉣ 이상을 발견한 경우의 조치

㉤ 이상을 발견하여 로봇의 운전을 정지시킨 후 이를 재가동시킬 경우의 조치

㉥ 그 밖에 로봇의 예기치 못한 작동 또는 오조작에 의한 위험을 방지하기 위하여 필요한 조치

② 작업에 종사하고 있는 근로자 또는 그 근로자를 감시하는 사람은 이상을 발견하면 즉시 로봇의 운전을 정지시키기 위한 조치를 할 것

③ 작업을 하고 있는 동안 로봇의 기동스위치 등에 작업중이라는 표시를 하는 등 작업에 종사하고 있는 근로자가 아닌 사람이 그 스위치 등을 조작할 수 없도록 필요한 조치를 할 것

2) 운전중 위험 방지 조치(근로자가 로봇에 부딪힐 위험이 있을 경우)

① 높이 1.8미터 이상의 울타리 설치

② 컨베이어 시스템의 설치 등으로 울타리를 설치할 수 없는 일부 구간
- 안전매트 또는 광전자식 방호장치 등 감응형(感應形) 방호장치 설치

3) 수리 등 작업시의 조치사항

로봇의 작동범위에서 해당 로봇의 수리, 검사, 조정, 청소, 급유 또는 결과에 대한 확인작업을 하는 경우

① 해당 로봇의 운전정지함과 동시에 작업중 로봇의 기동스위치를 잠근 후 열쇠 별도관리

② 해당 로봇의 기동스위치에 작업중이란 내용의 표지판 부착(필요한 조치를 통하여 근로자 외의 자가 해당 기동스위치를 조작할 수 없도록 하여야 한다.)

안전시설 관리하기

1 지게차의 재해유형

1) 지게차의 안전성 ★★

지게차의 안정성을 유지하기 위해서는 아래 그림과 같은 조건의 경우는,

$$Wa \leq Gb$$

W : 화물의 중량
G : 지게차의 중량
a : 앞바퀴부터 하물의 중심까지의 거리
b : 앞바퀴부터 차의 중심까지의 거리

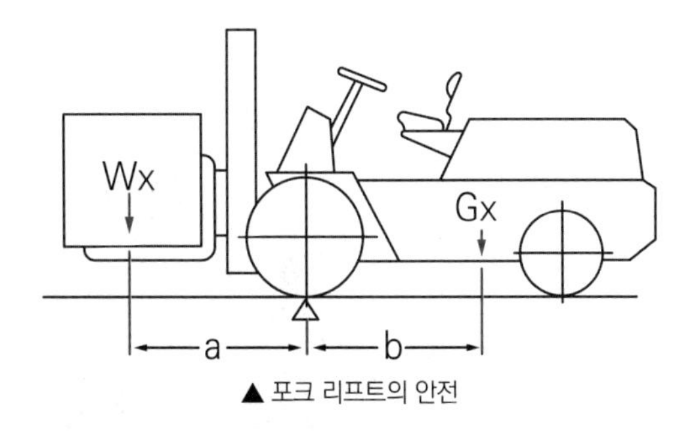

▲ 포크 리프트의 안전

2) 지게차의 안정도 ★

안정도	지게차의 상태	
하역작업 시 전후 안정도 4% 이내 (5톤 이상은 3.5%)		위에서 본 상태
주행시의 전후 안정도 18% 이내		

하역작업 시의 좌우 안정도 6% 이내		위에서 본 상태
주행시의 좌우 안정도 (15 + 1.1V)% 이내 V : 최고속도(km/hr)		
안정도$=\frac{h}{l}\times 100\%$	전도구배	

▲ 지게차의 작업장면

3) 헤드가드(head guard) ★★★

① 강도는 지게차의 최대하중의 2배 값(4톤을 넘는 값에 대해서는 4톤으로 한다)의 등분포정하중에 견딜 수 있을 것

② 상부틀의 각 개구의 폭 또는 길이가 16센티미터 미만일 것

③ 운전자가 앉아서 조작하거나 서서 조작하는 지게차의 헤드가드는 한국산업표준에서 정하는 높이 기준 이상일 것

2 와이어로프

1) 양중기의 와이어로프 등

(1) 와이어로프의 안전계수 ★★★

근로자가 탑승하는 운반구를 지지하는 달기와이어로프 또는 달기체인의 경우	10 이상
화물의 하중을 직접 지지하는 경우 달기와이어로프 또는 달기체인의 경우	5 이상
훅, 샤클, 클램프, 리프팅 빔의 경우	3 이상
그 밖의 경우	4 이상

(2) 와이어로프의 절단방법

① 절단하여 양중 작업 용구 제작 시 : 반드시 기계적인 방법으로 절단(가스용단 등 열에 의한 방법 금지)

㉠ 기계적인 방법

㉡ 유압식 절단

㉢ 숫돌절단 방법

② 아크, 화염, 고온부 접촉 등으로 인하여 열 영향을 받은 와이어로프 사용금지(강도저하)

2) 양중기 와이어로프 및 체인 등의 사용금지 조건 ★★★

양중기 와이어로프	① 이음매가 있는 것 ② 와이어로프의 한 꼬임(스트랜드)에서 끊어진 소선(필러선 제외)의 수가 10퍼센트 이상(비자전로프의 경우에는 끊어진 소선의 수가 와이어로프 호칭지름의 6배 길이 이내에서 4개 이상이거나 호칭지름 30배 길이 이내에서 8개 이상)인 것 ③ 지름의 감소가 공칭지름의 7퍼센트를 초과하는 것 ④ 꼬인 것 ⑤ 심하게 변형되거나 부식된 것 ⑥ 열과 전기충격에 의해 손상된 것
양중기 달기체인	① 달기체인의 길이가 달기체인이 제조된 때의 길이의 5퍼센트를 초과한 것 ② 링의 단면지름이 달기체인이 제조된 때의 해당 링의 지름의 10퍼센트를 초과하여 감소한 것 ③ 균열이 있거나 심하게 변형된 것
변형되어 있는 훅, 샤클 등의 사용금지	① 변형되어 있는 것 또는 균열이 있는 것을 고리걸이용구로 사용금지 ② 안전성 시험을 거쳐 안전율이 3 이상 확보된 중량물 취급용구를 사용하거나 자체 제작한 중량물 취급용구에 대해 비파괴 시험 실기
양중기 섬유로프	① 꼬임이 끊어진 것 ② 심하게 손상되거나 부식된 것

3) 와이어로프의 꼬임 ★★★

구분	보통꼬임(Ordinary lay)	랭꼬임(Lang's lay)
개념	스트랜드의 꼬임 방향과 로프의 꼬임방향이 반대로 된 것	스트랜드의 꼬임방향과 로프의 꼬임방향이 동일한 것
특성	① 소선의 외부길이가 짧아 쉽게 마모 ② 킹크가 잘 생기지 않으며 로프자체변형이 적음 ③ 하중에 대한 큰 저항성 ④ 선박, 육상 등에 많이 사용되며, 취급이 용이	① 소선과 외부의 접촉길이가 보통꼬임에 비해 길다 ② 꼬임이 풀리기 쉽고, 킹크가 생기기 쉽다 ③ 내마모성, 유연성, 내피로성이 우수

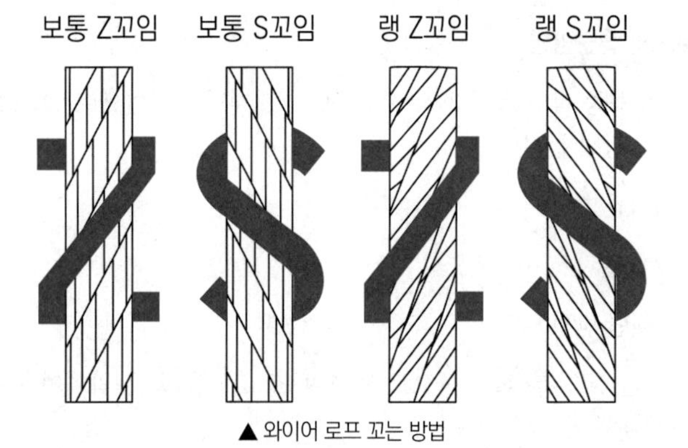

▲ 와이어 로프 꼬는 방법

4) 와이어로프에 걸리는 하중 ★★★

(1) 와이어로프의 안전율

안전하중(Q)=보증파단하중(P) / 안전율(S)

$$\text{안전율(S)} = \frac{\text{로프의 가닥수}(N) \times \text{로프의 파단하중}(P) \times \text{단말고정이음효율}(nR)}{\text{안전하중(최대사용하중, } W) \times \text{하중계수}(C)}$$

(2) 와이어로프에 걸리는 하중계산

와이어로프에 걸리는 총하중	총하중 (W)=정하중 (W_1)+동하중 (W_2) 동하중 $(W_2)=\frac{W_1}{g}\times a$ [g : 중력가속도(9.8m/s²) a : 가속도(m/s²)]
슬링와이어로프의 한 가닥에 걸리는 하중	하중$=\frac{\text{화물의 무게}(W_1)}{2}\div\cos\frac{\theta}{2}$

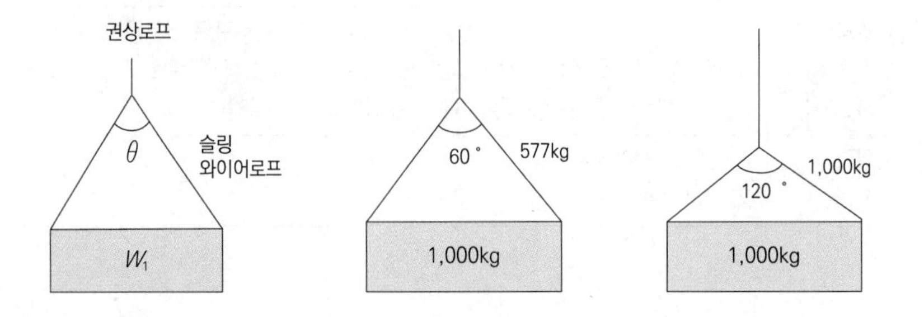

단원별 출제예상문제

01

안전보건표지의 종류 4가지를 쓰시오.

해답

① 금지표지 ② 경고표지 ③ 지시표지 ④ 안내표지
⑤ 관계자외 출입금지

02

경고표지 중 바탕은 무색, 기본모형은 빨간색(검은색도 가능)의 마름모 모양의 표지로 나타내는 종류를 3가지 쓰시오.

해답

① 인화성물질경고 ② 산화성물질경고 ③ 폭발성물질경고
④ 급성독성물질경고 ⑤ 부식성물질경고 등

03

안전표지의 색채별 용도를 쓰시오.

해답

① 빨간색 : 금지, 경고 ② 노란색 : 경고 ③ 파란색 : 지시
④ 녹색 : 안내

04

기계설비의 본질적 안전화 3가지를 쓰고 간단히 설명하시오.

해답

안전기능이 기계 내에 내장되어 있을 것	기계의 설계 단계에서 안전기능이 이미 반영되어 제작
풀 프루프 (fool proof)	① 인간의 실수가 있어도 안전장치가 설치되어 사고나 재해로 연결되지 않는 구조 ② 바보가 작동을 시켜도 안전하다는 뜻
페일 세이프 (fail safe)의 기능을 가질 것	① 고장이 생겨도 어느 기간 동안은 정상기능이 유지되는 구조 ② 병렬 계통이나 대기 여분을 갖춰 항상 안전하게 유지되는 기능

05

기계설비의 안전조건을 6가지 쓰시오.

해답

① 외형의 안전화 ② 작업점의 안전화 ③ 기능의 안전화
④ 구조의 안전화 ⑤ 보전작업의 안전화 ⑥ 작업의 안전화

06

위험요소를 5가지로 분류하여 쓰시오.

해답

① 1요소 : 함정(Trap) ② 2요소 : 충격(Impact)
③ 3요소 : 접촉(Contact) ④ 4요소 : 얽힘 또는 말림(Entanglement)
⑤ 5요소 : 튀어나옴(Ejection)

07

기계설비에 형성되는 위험점의 종류를 쓰시오.

해답

① 협착점 ② 끼임점 ③ 절단점
④ 물림점 ⑤ 접선물림점 ⑥ 회전말림점

08

다음에 해당하는 대상기계기구의 법적인 방호장치를 쓰시오.

해답

① 보일러	압력방출장치 및 압력제한스위치
② 롤러기	급정지장치
③ 연삭기	덮개
④ 목재가공용 둥근톱	반발예방장치 및 날접촉예방장치
⑤ 동력식 수동대패	칼날접촉방지장치
⑥ 복합동작을 할 수 있는 산업용 로봇	안전매트 또는 방호울

09

프레스의 방호장치를 다음의 내용에 따라 구분하여 쓰시오.

해답

① 일행정 일정지식	양수조작식, 게이트 가드식
② 슬라이드 작동중 정지가능	감응형, 안전블록

10

프레스의 방호장치 중 게이트가드(gate guard)식의 작동방식에 따른 종류를 3가지 쓰시오.

해답

① 하강식 ② 상승식 ③ 횡 슬라이드식

11

프레스의 방호장치 중 양수조작식 방호장치의 설치방법을 5가지 쓰시오.

해답

① 정상동작표시등은 녹색, 위험표시등은 붉은색으로 하며, 쉽게 근로자가 볼 수 있는 곳에 설치
② 슬라이드 하강 중 정전 또는 방호장치의 이상 시에 정지할 수 있는 구조
③ 방호장치는 릴레이, 리미트스위치 등의 전기부품의 고장, 전원전압의 변동 및 정전에 의해 슬라이드가 불시에 동작하지 않아야 하며, 사용전원전압의 ±(100분의 20)의 변동에 대하여 정상으로 작동
④ 1행정1정지 기구에 사용할 수 있어야 한다.
⑤ 누름버튼을 양손으로 동시에 조작하지 않으면 작동시킬 수 없는 구조이어야 하며, 양쪽버튼의 작동시간 차이는 최대 0.5초 이내일 때 프레스가 동작
⑥ 1행정마다 누름버튼에서 양손을 떼지 않으면 다음 작업의 동작을 할 수 없는 구조
⑦ 램의 하행정중 버튼(레버)에서 손을 뗄 시 정지하는 구조
⑧ 누름버튼의 상호간 내측거리는 300㎜ 이상

12

프레스의 방호장치 중 양수조작식 방호장치 설치 안전거리를 구하는 식을 쓰시오.

해답

$D = 1600 \times (Tc + Ts)$

D : 안전거리(mm)

Tc : 방호장치의 작동시간[즉 누름버튼으로부터 한 손이 떨어졌을 때부터 급정지기구가 작동을 개시할 때까지의 시간(초)]

Ts : 프레스의 급정지시간[즉 급정지기구가 작동을 개시했을 때부터 슬라이드가 정지할 때까지의 시간(초)]

13

프레스의 방호장치 중 감응형 방호장치의 설치방법에 대하여 3가지 쓰시오.

해답

① 정상동작표시램프는 녹색, 위험표시램프는 붉은색으로 하며, 쉽게 근로자가 볼 수 있는 곳에 설치
② 슬라이드 하강 중 정전 또는 방호장치의 이상 시에 정지할 수 있는 구조
③ 방호장치는 릴레이, 리미트스위치 등의 전기부품의 고장, 전원전압의 변동 및 정전에 의해 슬라이드가 불시에 동작하지 않아야 하며, 사용전원전압의 ±(100분의 20)의 변동에 대하여 정상으로 작동
④ 방호장치의 정상작동 중에 감지가 이루어지거나 공급전원이 중단되는 경우 적어도 두개 이상의 출력신호개폐장치가 꺼진 상태로 돼야 한다.
⑤ 방호장치에 제어기(Controller)가 포함되는 경우에는 이를 연결한 상태에서 모든 시험을 한다.
⑥ 광전자식 방호장치와 위험한계 사이의 거리(안전거리)는 슬라이드의 하강속도가 최대로 되는 위치에서 다음 식에 따라 계산한 값 이상이어야 한다.

$D = 1600 \times (Tc + Ts)$

D : 안전거리(mm)
Tc : 방호장치의 작동시간[즉 누름버튼으로부터 한 손이 떨어졌을 때부터 급정지기구가 작동을 개시할 때까지의 시간(초)]
Ts : 프레스의 급정지시간[즉 급정지기구가 작동을 개시했을 때부터 슬라이드가 정지할 때까지의 시간(초)]

14

프레스의 양수기동식 방호장치의 안전거리를 구하는 공식을 쓰시오.

해답

D_m = 1.6Tm
D_m : 안전거리(mm)
T_m : 양손으로 누름단추 누르기 시작할 때부터 슬라이드가 하사점에 도달하기까지 소요시간(ms)

$$T_m = \left(\frac{1}{\text{클러치 맞물림 개소수}} + \frac{1}{2}\right) \times \frac{60000}{\text{매분 행정수}} (\text{ms})$$

15

롤러기의 방호장치 설치방법을 3가지 쓰시오.

해답

① 급정지 장치 중 로프식 급정지 장치 조작부는 롤러기의 전면 및 후면에 각각 1개씩수평으로 설치하고 그 길이는 로울의 길이 이상이어야 한다.
② 로프식 급정지 장치 조작부에 사용하는 줄은 사용 중에 늘어나거나 끊어지기 쉬운 것으로 해서는 아니된다.
③ 급정지 장치의 조작부는 그 종류에 따라 다음에 정하는 위치에 설치하고 또 작업자가 긴급시에 쉽게 조작할 수 있어야 한다.
④ 급정지 장치는 롤러기의 가동장치를 조작하지 않으면 가동하지 않는 구조의 것이어야 한다.

16

롤러의 방호장치 조작부의 종류를 3가지 쓰고 설치 위치를 쓰시오.

해답

조작부의 종류	설치 위치
손조작식	밑면에서 1.8m 이내
복부조작식	밑면에서 0.8m 이상 1.1m 이내
무릎조작식	밑면에서 0.6m 이내

17

연삭기 구조면에 있어서의 안전대책을 5가지 쓰시오.

해답

① 구조 규격에 적당한 덮개를 설치할 것
② 플랜지의 직경은 숫돌직경의 1/3 이상인 것을 사용하며 양쪽을 모두 같은 크기로 할 것(플랜지 안쪽에 종이나 고무판을 부착하여 고정시, 종이나 고무판의 두께는 0.5~1mm 정도가 적합하며, 숫돌의 종이라벨은 제거하지 않고 고정)
③ 숫돌 결합 시 축과는 0.05~0.15mm 정도의 틈새를 둘 것
④ 칩 비산 방지 투명판(shield), 국소배기장치를 설치할 것
⑤ 탁상용 연삭기는 워크레스트와 조정편을 설치할 것(워크레스트와 숫돌과의 간격은 : 3mm 이하)
⑥ 덮개의 조정편과 숫돌과의 간격은 10mm 이내
⑦ 최고 회전속도 이내에서 작업할 것

18

연삭숫돌의 파괴원인을 5가지 쓰시오.

해답

① 숫돌의 회전 속도가 너무 빠를 때
② 숫돌 자체에 균열이 있을 때
③ 숫돌에 과대한 충격을 가할 때
④ 숫돌의 측면을 사용하여 작업할 때
⑤ 숫돌의 불균형이나 베어링 마모에 의한 진동이 있을 때
⑥ 숫돌 반경 방향의 온도 변화가 심할 때
⑦ 플랜지가 현저히 작을 때
⑧ 작업에 부적당한 숫돌을 사용할 때
⑨ 숫돌의 치수가 부적당할 때

19

연삭숫돌의 수정에서 글레이징(glazing)의 현상과 원인을 3가지 쓰시오.

해답

(1) 현상 : 숫돌차의 입자가 탈락되지 않고 마모에 의해 납작하게 된 상태에서 연삭되는 현상
(2) 원인
① 숫돌의 결합도가 크다.
② 숫돌의 회전속도가 너무 빠르다.
③ 숫돌의 재료가 공작물의 재료에 부적합하다.

20

롤러 방호장치(급정지장치)의 성능조건을 쓰시오.

해답

앞면 롤러의 표면 속도(m/분)	급정지거리
30 미만	앞면 롤러 원주의 1/3 이내
30 이상	앞면 롤러 원주의 1/2.5 이내

21

아세틸렌용접장치 및 가스집합용접장치의 방호장치(안전기) 설치방법을 각각 쓰시오.

해답

아세틸렌 용접장치	① 취관 마다 안전기설치 ② 주관 및 취관에 가장 근접한 분기관 마다 안전기부착 ③ 가스용기가 발생기와 분리되어 있는 아세틸렌 용접장치는 발생기와 가스용기 사이(흡입관)에 안전기 설치
가스집합 용접장치의 배관	① 플렌지·밸브·콕등의 접합부에는 개스킷을 사용하고 접합면을 상호밀착시키는 등의 조치를 취할 것 ② 주관 및 분기관에는 안전기를 설치할 것(이 경우 하나의 취관에 대하여 2개이상의 안전기를 설치)

22

아세틸렌 발생기실의 설치장소의 기준을 3가지 쓰시오.

해답

① 전용의 발생기 실내에 설치
② 건물의 최상층에 위치, 화기를 사용하는 설비로부터 3m를 초과하는 장소에 설치
③ 옥외에 설치할 경우 그 개구부를 다른 건축물로부터 1.5m이상 떨어지도록 할 것

23

아세틸렌발생기실의 구조에 대하여 4가지 쓰시오.

해답

① 벽은 불연성의 재료로 하고 철근콘크리트 또는 그 밖에 이와 같은 수준이거나 그 이상의 강도를 가진 구조로 할 것
② 지붕 및 천정에는 얇은 철판이나 가벼운 불연성 재료를 사용할 것
③ 바닥면적의 16분의 1 이상의 단면적을 가진 배기통을 옥상으로 돌출시키고 그 개구부를 창 또는 출입구로부터 1.5m 이상 떨어지도록 할 것
④ 출입구의 문은 불연성 재료로 하고 두께 1.5mm 이상의 철판이나 그 밖에 그 이상의 강도를 가진 구조로 할 것
⑤ 벽과 발생기 사이에는 발생기의 조정 또는 카바이드 공급 등의 작업을 방해하지 아니하도록 간격을 확보할 것

24

양중기의 방호장치 조정대상과 방호장치의 종류를 쓰시오.

해답

양중기의 방호장치

방호장치의 조정 대상	① 크레인 ② 이동식 크레인 ③ 리프트 ④ 곤돌라 ⑤ 승강기
방호장치의 종류	① 과부하방지장치 ② 권과방지장치 ③ 비상정지장치 및 제동장치 ④ 그 밖의 방호장치(승강기의 파이널 리미트 스위치, 속도조절기, 출입문 인터록 등)

25

크레인의 설치, 조립, 수리, 점검 또는 해체작업 시 조치해야 할 사항을 4가지 쓰시오.

해답

① 작업순서를 정하고 그 순서에 의하여 작업 실시할 것
② 비·눈 그 밖의 기상상태의 불안정으로 인하여 날씨가 몹시 나쁠 때에는 그 작업을 중지시킬 것
③ 작업장소는 안전한 작업이 이루어질 수 있도록 충분한 공간을 확보하고 장애물이 없도록 할 것
④ 들어올리거나 내리는 기자재는 균형을 유지하면서 작업을 실시하도록 할 것
⑤ 크레인의 능력, 사용조건 등에 따라 충분한 응력을 갖는 구조로 기초를 설치하고 침하등이 일어나지 아니하도록 할 것
⑥ 규격품인 조립용 볼트를 사용하고 대칭되는 곳을 순차적으로 결합하고 분해할 것

26

양중기의 안전기준에서 순간풍속이 매 초당 30미터를 초과하는 폭풍 등에 의한 안전조치사항을 시기별로 구분하여 쓰시오.

해답

내용	시기	조치사항
폭풍에 의한 이탈방지	바람이 불어올 우려가 있는 경우	옥외에 설치된 주행크레인의 이탈방지 장치 작동 등 이탈방지를 위한 조치
폭풍 등으로 인한 이상 유무 점검	바람이 불거나 중진 이상 진도의 지진이 있은 후	옥외에 설치된 양중기를 사용하여 작업하는 경우 미리 기계 각 부위에 이상이 있는지 점검

27

보일러의 방호장치의 종류를 3가지 쓰시오.

해답

① 고저수위 조절장치 ② 압력방출장치 ③ 압력제한스위치
④ 화염검출기

28

다음은 보일러의 방호장치에 관한 설치기준이다. ( ) 안에 알맞은 말을 쓰시오.

> (1) 보일러 규격에 맞는 압력방출장치를 (①)압력 이하에서 작동되도록 1개 또는 2개 이상 설치
> (2) 2개 이상 설치된 경우 최고사용압력 이하에서 1개가 작동되고, 다른 압력방출장치는 최고사용압력 (②) 배 이하에서 작동되도록 부착
> (3) 1년에 1회 이상 (③) 시험 후 납으로 봉인(공정 안전관리 이행수준 평가결과가 우수한 사업장은 4년에 1회 이상 토출 압력 시험 실시)
> (4) 스프링식, (④), 지렛대식(일반적으로 스프링식 안전밸브가 많이 사용)

해답

① 최고사용 ② 1.05 ③ 토출 압력 ④ 중추식

29

보일러의 이상현상의 종류 중 플라이밍(priming)에 관하여 간단히 설명하시오.

해답

보일러의 과부하로 보일러수가 극심하게 끓어서 수면에서 계속하여 물방울이 비산하고 증기부가 물방울로 충만하여 수위가 불안정하게 되는 현상

30

드릴링 머신의 작업시 일감의 고정방법을 3가지 쓰시오.

해답

① 일감이 작을 때 : 바이스로 고정
② 일감이 크고 복잡할 때 : 볼트와 고정구 사용
③ 대량생산과 정밀도를 요구할 때 : 지그 사용

31

세이퍼의 안전장치를 3가지 쓰시오.

해답

① 칩받이 ② 칸막이 ③ 울타리(방책)

32

일반연삭작업 등에 사용하는 것을 목적으로 하는 탁상용 연삭기의 덮개 각도를 쓰시오.

해답

① 덮개의 최대노출각도 : 125° 이내
② 숫돌주축에서 수평면위로 이루는 원주각도 : 65° 이내

33

목재가공용 둥근톱기계의 방호장치명과 설치요령을 쓰시오.

해답

(1) 방호장치
① 분할날 등 반발예방장치 ② 톱날접촉예방장치
(2) 설치요령
① 반발방지기구는 목재 송급쪽에 설치하되 목재의 반발을 충분히 방지할 수 있도록 설치
② 분할날은 톱날로부터 12mm 이내에 설치. 두께는 톱 두께의 1.1배 이상이어야 하며, 높이는 표준 테이블면 상의 톱 뒷날의 2/3 이상을 덮도록 하여야 한다.
③ 톱날 접촉예방장치는 분할날에 대면하고 있는 부분과 가공재를 절단하는 부분 이외의 톱날을 덮을 수 있는 구조이어야 한다.

tip

목재가공용 둥근톱(날 접촉예방장치, 반발예방장치)과 다른 내용이므로 구분하여 정리할 것

34

목재가공용 둥근톱기계의 반발예방장치의 종류를 3가지 쓰시오.

해답

① 반발방지기구 ② 분할날 ③ 반발방지롤러

35

동력식 수동대패기의 방호장치를 쓰시오.

해답

칼날접촉방지장치

36

no-hand in die 방식에 있어서 본질안전화 추진사항을 3가지 쓰시오.

해답

① 전용 프레스 도입 ② 자동 프레스 도입
③ 안전울을 부착한 프레스 ④ 안전금형을 부착한 프레스

37

프레스기에 설치하는 방호장치의 종류를 5가지 쓰시오.

해답

① 양수조작식 ② 게이트 가드식 ③ 수인식 ④ 손쳐내기식
⑤ 광전자식(감응형)

38

크랭크 프레스기의 페달에 U자형 덮개를 설치하는 목적을 쓰시오.

해답

근로자가 부주의로 페달을 밟거나 낙하물의 불시 낙하로 인하여 페달이 작동되어 사고가 나는 것을 막기 위함이다.

39

급정지 기구가 부착되어 있어야만 유효한 프레스의 방호장치를 쓰시오.

해답

① 양수조작식 ② 광전자식(감흥형)

40

산업용 로봇의 작동범위 내에서 교시 등의 작업시 작업 시작전 점검사항을 쓰시오.

해답

① 외부전선의 피복 또는 외장의 손상유무
② 매니퓰레이터(manipulator)작동의 이상유무
③ 제동장치 및 비상정지장치의 기능

41

산업용 로봇의 수리 등 작업시의 조치사항을 쓰시오.

해답

① 당해 로봇의 운전 정지함과 동시에 작업 중 로봇의 기동스위치를 잠근 후 열쇠별도관리
② 당해 로봇의 기동스위치에 작업중이란 취지의 표지판 부착

42

산업용 로봇의 운전 중 위험방지를 위해 조치해야 할 사항을 2가지 쓰시오.

해답

① 높이 1.8미터 이상의 울타리 설치
② 컨베이어 시스템의 설치 등으로 울타리를 설치할 수 없는 일부 구간
- 안전매트 또는 광전자식 방호장치 등 감응형(感應形) 방호장치 설치

43

지게차의 대표적인 재해유형을 3가지 쓰시오.

해답

① 물체의 낙하 ② 보행자 등과의 접촉 ③ 차량의 전도

44

지게차의 주행시 좌우 안정도를 쓰시오.

해답

(15+1.1V)% 이내 여기서, V : 최고속도(km/hr)

45

지게차 헤드가드(head guard)의 안전기준을 쓰시오.

해답

① 강도는 지게차의 최대하중의 2배의 값(그 값이 4톤을 넘는 것에 대하여서는 4톤으로 한다)의 등분포정하중에 견딜 수 있는 것일 것
② 상부틀의 각 개구의 폭 또는 길이가 16㎝ 미만일 것
③ 운전자가 앉아서 조작하거나 서서 조작하는 지게차의 헤드가드는 한국산업표준에서 정하는 높이 기준 이상일 것

46

양중기 와이어로프의 안전계수를 쓰시오.

해답

근로자가 탑승하는 운반구를 지지하는 경우	10 이상
화물의 하중을 직접 지지하는 경우	5 이상
기타의 경우	4 이상

47

양중기 와이어로프의 사용금지조건에 해당하는 내용을 쓰시오.

해답

① 이음매가 있는 것
② 와이어로프의 한 꼬임(스트랜드)에서 끊어진 소선(필러선 제외)의 수가 10% 이상(비자전로프의 경우에는 끊어진 소선의 수가 와이어로프 호칭지름의 6배 길이 이내에서 4개 이상이거나 호칭지름 30배 길이 이내에서 8개이상)인 것
③ 지름의 감소가 공칭지름의 7%를 초과하는 것
④ 꼬인 것
⑤ 심하게 변형되거나 부식된 것
⑥ 열과 전기충격에 의해 손상된 것

48

양중기 달기체인의 사용금지조건에 해당하는 내용을 쓰시오.

해답

① 달기체인의 길이가 달기체인이 제조된 때의 길이의 5퍼센트를 초과한 것
② 링의 단면지름이 달기체인이 제조된 때의 해당 링의 지름의 10퍼센트를 초과하여 감소한 것
③ 균열이 있거나 심하게 변형된 것

49

양중기 슬링 와이어로프의 한가닥에 걸리는 하중을 계산하는 공식을 쓰시오.

해답

$$하중=\frac{화물의\ 무게(W_1)}{2}\div\cos\frac{\theta}{2}$$

50

금속의 용접·용단, 가열에 사용되는 가스등의 용기취급 시 준수해야 할 사항을 5가지 쓰시오.

해답

① 다음의 장소에서 사용하거나 해당 장소에 설치·저장 또는 방치하지 아니하도록 할 것
  ㉠ 통풍이나 환기가 불충분한 장소
  ㉡ 화기를 사용하는 장소 및 그 부근
  ㉢ 위험물 또는 인화성 액체를 취급하는 장소 및 그 부근
② 용기의 온도를 섭씨 40도 이하로 유지할 것
③ 전도의 위험이 없도록 할 것
④ 충격을 가하지 않도록 할 것
⑤ 운반하는 경우에는 캡을 씌울 것
⑥ 밸브의 개폐는 서서히 할 것
⑦ 용해아세틸렌의 용기는 세워둘 것
⑧ 사용하는 경우에는 용기의 마개에 부착되어 있는 유류 및 먼지를 제거할 것
⑨ 사용전 또는 사용중인 용기와 그 밖의 용기를 명확히 구별하여 보관할 것
⑩ 용기의 부식·마모 또는 변형상태를 점검한 후 사용할 것

51

고속회전체의 회전시험을 하는 때에는 미리 회전축의 재질 및 형상 등에 상응하는 종류의 비파괴검사를 실시하여 결함유무를 확인하여야 하는 경우를 쓰시오.

해답

회전축의 중량이 1톤을 초과하고 원주속도가 매초당 120미터 이상인 것

52

선반 등으로부터 돌출하여 회전하고 있는 가공물이 근로자에게 위험을 미칠 우려가 있을 경우 설치해야 하는 안전장치를 쓰시오.

해답

덮개 또는 울

53

프레스의 방호장치 중 손쳐내기식 방호장치의 설치방법을 3가지 쓰시오.

해답

① 슬라이드 하행정거리의 3/4 위치에서 손을 완전히 밀어내어야 한다.
② 손쳐내기봉의 행정(Stroke) 길이를 금형의 높이에 따라 조정할 수 있고 진동폭은 금형폭 이상이어야 한다.
③ 방호판과 손쳐내기봉은 경량이면서 충분한 강도를 가져야 한다.
④ 방호판의 폭은 금형폭의 1/2 이상이어야 하고, 행정길이가 300mm 이상의 프레스기계에는 방호판 폭을 300mm로 해야 한다.
⑤ 손쳐내기봉은 손 접촉 시 충격을 완화할 수 있는 완충재를 붙이는 등의 조치가 강구되어야 한다.
⑥ 부착볼트 등의 고정금속부분은 예리한 돌출현상이 없어야 한다.

54

프레스의 방호장치 중 가드식 방호장치의 설치방법을 4가지 쓰시오.

해답

① 가드는 금형의 착탈이 용이하도록 설치
② 가드의 용접부위는 완전 용착되고 면이 미려해야 한다.
③ 가드에 인체가 접촉하여 손상될 우려가 있는 곳은 부드러운 고무 등을 입혀야 한다.
④ 게이트 가드 방호장치는 가드가 열린 상태에서 슬라이드를 동작시킬 수 없고 또한 슬라이드 작동 중에는 게이트 가드를 열 수 없어야 한다.
⑤ 게이트 가드 방호장치에 설치된 슬라이드 동작용 리미트스위치는 신체의 일부나 재료 등의 접촉을 방지할 수 있는 구조
⑥ 가드의 닫힘으로 슬라이드의 기동신호를 알리는 구조의 것은 닫힘을 표시하는 표시램프를 설치
⑦ 수동으로 가드를 닫는 구조의 것은 가드의 닫힘 상태를 유지하는 기계적 잠금장치를 작동한 후가 아니면 슬라이드 기동이 불가능한 구조

55

프레스의 방호장치중 수인식 방호장치의 설치방법을 5가지 쓰시오.

해답

① 손목밴드(wrist band)의 재료는 유연한 내유성 피혁 또는 이와 동등한 재료사용
② 손목밴드는 착용감이 좋으며 쉽게 착용할 수 있는 구조
③ 수인끈의 재료는 합성섬유로 직경이 4mm 이상
④ 수인끈은 작업자와 작업공정에 따라 그 길이를 조정할 수 있어야 한다.
⑤ 수인끈의 안내통은 끈의 마모와 손상을 방지할 수 있는 조치
⑥ 각종 레버는 경량이면서 충분한 강도를 가져야 한다.
⑦ 수인량의 시험은 수인량이 링크에 의해서 조정될 수 있도록 되어야 하며 금형으로부터 위험한계 밖으로 당길 수 있는 구조

06

산업안전 보호장비 관리

CHAPTER 01

보호구 관리하기

1 보호구 선택시 유의사항

1) 보호구 선택시 유의사항

① 사용목적 또는 작업에 적합한 보호구 일 것

② 검정기관의 검정에 합격한 것으로 방호성능이 보장되는 것일 것

③ 작업에 방해되지 않을 것

④ 착용하기 쉽고 크기 등이 사용자에게 적합할 것

2) 보호구의 개념 및 구분

(1) 근로자가 직접 착용함으로 위험을 방지하거나 유해물질로부터의 신체보호를 목적으로 사용

(2) 구분

① 재해방지를 대상으로 하면 안전보호구(안전대, 안전모, 안전화, 안전장갑)

② 건강장해 방지를 목적으로 사용하면 위생보호구(각종 마스크, 보호복, 보안경, 방음보호구, 특수복 등)

3) 대상 보호구별 작업장 ★

안전모	물체가 떨어지거나 날아올 위험 또는 근로자가 추락할 위험이 있는 작업
안전대	높이 또는 깊이 2미터 이상의 추락할 위험이 있는 장소에서 하는 작업
안전화	물체의 낙하·충격, 물체에의 끼임, 감전 또는 정전기의 대전에 의한 위험이 있는 작업
보안경	물체가 흩날릴 위험이 있는 작업
보안면	용접시 불꽃이나 물체가 흩날릴 위험이 있는 작업
절연용 보호구	감전의 위험이 있는 작업
방열복	고열에 의한 화상 등의 위험이 있는 작업
방진마스크	선창 등에서 분진이 심하게 발생하는 하역작업
방한모·방한복·방한화·방한장갑	섭씨 영하 18도 이하인 급냉동어창에서 하는 하역작업
기준에 적합한 승차용 안전모	물건을 운반하거나 수거·배달하기 위하여 이륜자동차 또는 원동기장치 자전거를 운행하는 작업
기준에 적합한 안전모	물건을 운반하거나 수거·배달하기 위해 자전거 등을 운행하는 작업

4) 보호구 구비조건

① 착용시 작업이 용이할 것 (간편한 착용)

② 유해 위험물에 대한 방호성능이 충분할 것 (대상물에 대한 방호가 완전)

③ 작업에 방해요소가 되지 않도록 할 것

④ 재료의 품질이 우수할 것 (특히 피부접촉에 무해할 것)

⑤ 구조와 끝마무리가 양호할 것 (충분한 강도와 내구성 및 표면 가공이 우수)

⑥ 외관 및 전체적인 디자인이 양호할 것

2 방진마스크

1) 종류 ★

종류	분리식		안면부 여과식	사용 조건
	격리식	직결식		
형태	전면형	전면형	반면형	산소농도 18% 이상인 장소에서 사용
	반면형	반면형		

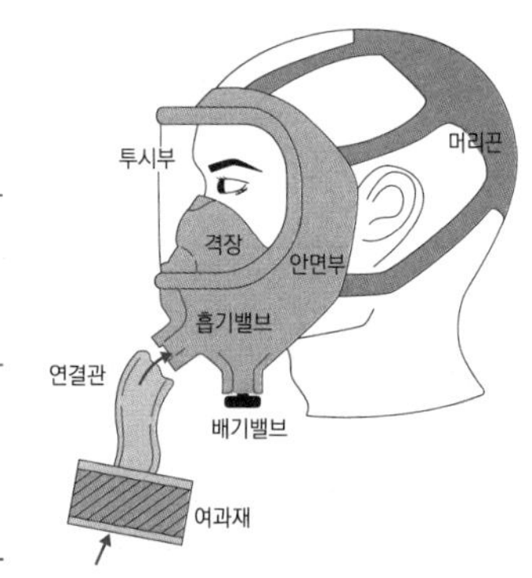

▲ 격리식 전면형

2) 등급 및 사용 장소 ★★★

등급	특급	1급	2급
사용 장소	• 베릴륨 등과 같이 독성이 강한 물질들을 함유한 분진 등 발생 장소 • 석면 취급 장소	• 특급 마스크 착용 장소를 제외한 분진 등 발생 장소 • 금속흄 등과 같이 열적으로 생기는 분진 등 발생 장소 • 기계적으로 생기는 분진 등 발생 장소(규소 등과 같이 2급 마스크를 착용하여도 무방한 경우는 제외)	특급 및 1급 마스크 착용장소를 제외한 분진등 발생 장소

* 단, 배기밸브가 없는 안면부 여과식 마스크는 특급 및 1급 장소에서 사용금지

3) 방진마스크의 구비조건 ★★

① 여과 효율이 좋을 것

② 흡배기 저항이 낮을 것

③ 사용적이 적을 것

④ 중량이 가벼울 것

⑤ 시야가 넓을 것

⑥ 안면 밀착성이 좋을 것

⑦ 피부 접촉 부위의 고무질이 좋을 것

Key point

여과재 분진등 포집효율 ★★

형태 및 등급		염화나트륨(NaCl) 및 파라핀오일(Paraffin oil)시험(%)
분리식	특급	99.95% 이상
	1급	94.0% 이상
	2급	80.0% 이상
안면부 여과식	특급	99.0% 이상
	1급	94.0% 이상
	2급	80.0% 이상

참고

분진포집효율 ★

$$P(\%)=\frac{C_1-C_2}{C_1}\times 100$$

P : 분진포집효율

C_1 : 여과재 통과 전의 염화나트륨 농도

C_2 : 여과재 통과 후의 염화나트륨 농도

PART 06

방진마스크(안면부 여과식)

방진마스크(2급)

방진마스크(1급)

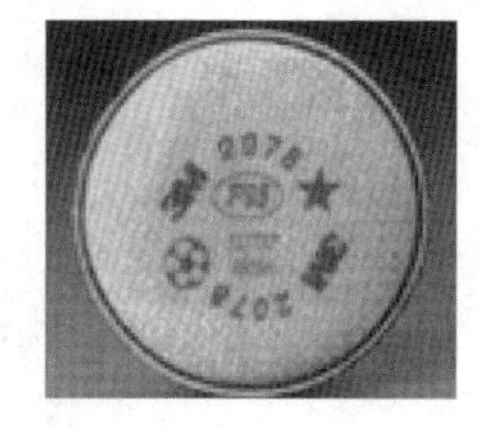
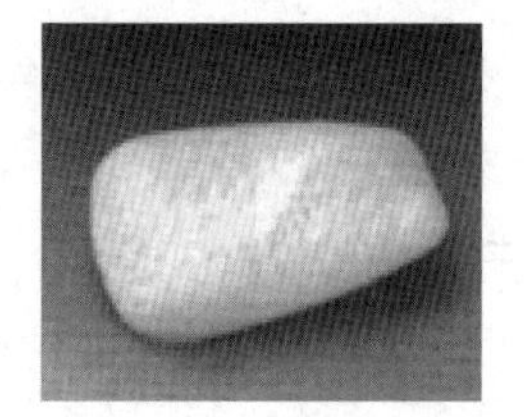

방진필터의 종류

3 방독마스크

1) 종류 ★★★

종류	시험 가스	정화통 외부측면 표시색
유기화합물용	시클로헥산(C_6H_{12})	갈색
	디메틸에테르(CH_3OCH_3)	
	이소부탄(C_4H_{10})	
할로겐용	염소가스 또는 증기(Cl_2)	회색
황화수소용	황화수소가스(H_2S)	회색
시안화수소용	시안화수소가스(HCN)	회색
아황산용	아황산가스(SO_2)	노란색
암모니아용	암모니아가스(NH_3)	녹색

* 복합용 및 겸용의 정화통 : ① 복합용〔해당가스 모두 표시(2층 분리)〕
② 겸용〔백색과 해당가스 모두 표시(2층 분리)〕

2) 등급 및 사용 장소 ★★

등급	사용 장소
고농도	가스 또는 증기의 농도가 100분의 2(암모니아에 있어서는 100분의 3) 이하의 대기 중에서 사용하는 것
중농도	가스 또는 증기의 농도가 100분의 1(암모니아에 있어서는 100분의 1.5) 이하의 대기 중에서 사용하는 것
저농도 및 최저농도	가스 또는 증기의 농도가 100분의 0.1 이하의 대기 중에서 사용하는 것으로서 긴급용이 아닌 것

비고 : 방독마스크는 산소농도가 18% 이상인 장소에서 사용하여야 하고, 고농도와 중농도에서 사용하는 방독마스크는 전면형(격리식, 직결식)을 사용해야 한다.

4 송기마스크의 종류 및 등급

종류	등급		구분
호스마스크	폐력흡인형		안면부
	송풍기형	전동	안면부, 페이스실드, 후드
		수동	안면부
에어라인마스크	일정유량형		안면부, 페이스실드, 후드
	디맨드형		안면부
	압력디맨드형		안면부
복합식 에어라인마스크	디맨드형		안면부
	압력디맨드형		안면부

안전인증의 표시외에 추가로 표시해야 할 사항 ★

① 파과곡선도
② 사용시간 기록카드
③ 정화통의 외부측면의 표시 색
④ 사용상의 주의사항

Key point

방독마스크 흡수제의 유효 사용시간(파과시간) ★

유효사용시간

$$= \frac{\text{표준유효시간} \times \text{시험가스농도}}{\text{공기중유해가스농도}}$$

PART 06

▲전동송풍기형

▲수동송풍기형

▲일정유량형

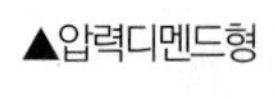

▲압력디멘드형

〈송기마스크의 종류〉

5 보안경의 종류 ★★

1) 자율안전확인

종류	사용 구분
유리보안경	비산물로부터 눈을 보호하기 위한 것으로 렌즈의 재질이 유리인 것
플라스틱보안경	비산물로부터 눈을 보호하기 위한 것으로 렌즈의 재질이 플라스틱인 것
도수렌즈보안경	비산물로부터 눈을 보호하기 위한 것으로 도수가 있는 것

2) 안전인증(차광보안경)

종류	사용 구분
자외선용	자외선이 발생하는 장소
적외선용	적외선이 발생하는 장소
복합용	자외선 및 적외선이 발생하는 장소
용접용	산소용접작업 등과 같이 자외선, 적외선 및 강렬한 가시광선이 발생하는 장소

▲일반보안경

▲차광보안경

▲고글보안경

〈보안경의 종류〉

CHAPTER 02

안전장구 관리하기

1 안전모 ★★★

1) 추락 및 감전 위험방지용 안전모의 종류

종류 (기호)	사용 구분	비고
AB	물체의 낙하 또는 비래 및 추락에 의한 위험을 방지 또는 경감시키기 위한 것	
AE	물체의 낙하 또는 비래에 의한 위험을 방지 또는 경감하고, 머리부위 감전에 의한 위험을 방지하기 위한 것	내전압성(주1)
ABE	물체의 낙하 또는 비래 및 추락에 의한 위험을 방지 또는 경감하고, 머리부위 감전에 의한 위험을 방지하기 위한 것	내전압성

(주1) 내전압성이란 7,000볼트 이하의 전압에 견디는 것을 말한다.

2) 안전모의 성능기준

구분	항목	시험 성능 기준
시험 성능 기준	내관통성	AE, ABE종 안전모는 관통거리가 9.5mm 이하이고, AB종 안전모는 관통거리가 11.1mm 이하이어야 한다.(자율안전확인에서는 관통거리가 11.1mm 이하)
	충격 흡수성	최고전달충격력이 4,450N을 초과해서는 안되며, 모체와 착장체의 기능이 상실되지 않아야 한다.
	내전압성	AE, ABE종 안전모는 교류 20kV에서 1분간 절연파괴 없이 견뎌야 하고, 이때 누설되는 충전전류는 10mA 이하이어야 한다.(자율안전확인에서는 제외)
	내수성	AE, ABE종 안전모는 질량증가율이 1% 미만이어야 한다.(자율안전확인에서는 제외)
	난연성	모체가 불꽃을 내며 5초 이상 연소되지 않아야 한다.
	턱끈풀림	150N 이상 250N 이하에서 턱끈이 풀려야 한다.
부가 성능 기준	측면 변형 방호	최대 측면변형은 40mm, 잔여변형은 15mm 이내이어야 한다.
	금속 용융물 분사 방호	• 용융물에 의해 10mm 이상의 변형이 없고 관통되지 않아야 한다. • 금속 용융물의 방출을 정지한 후 5초 이상 불꽃을 내며 연소되지 않을 것(자율안전확인에서는 제외)

〈안전모의 종류〉

2 안전화

1) 안전화의 종류 및 구분 ★

종류	성능 구분
가죽제 안전화	물체의 낙하, 충격 또는 바닥으로 날카로운 물체에 의한 찔림 위험으로부터 발을 보호하기 위한 것
고무제 안전화	물체의 낙하, 충격 또는 바닥으로 날카로운 물체에 의한 찔림 위험으로부터 발을 보호하고 내수성을 겸한 것
정전기 안전화	물체의 낙하, 충격 또는 바닥으로 날카로운 물체에 의한 찔림 위험으로부터 발을 보호하고 아울러 정전기의 인체 대전을 방지하기 위한 것
발등 안전화	물체의 낙하, 충격 또는 바닥으로 날카로운 물체에 의한 찔림 위험으로부터 발 및 발등을 보호하기 위한 것
절연화	물체의 낙하, 충격 또는 바닥으로 날카로운 물체에 의한 찔림 위험으로부터 발을 보호하고 아울러 저압의 전기에 의한 감전을 방지하기 위한 것
절연장화	고압에 의한 감전을 방지하고 아울러 방수를 겸한 것
화학물질용 안전화	물체의 낙하, 충격 또는 날카로운 물체에 의한 찔림 위험으로부터 발을 보호하고 화학물질로부터 유해위험을 방지하기 위한 것

▲ 안전화

▲ 정전화

▲ 절연화

〈안전화의 종류〉

2) 안전화의 등급

작업구분	내충격성 및 내압박성 시험방법	사용 장소
중작업용	1,000mm의 낙하높이, (15.0±0.1)kN의 압축 하중 시험	광업, 건설업 및 철광업에서 원료취급, 가공, 강재취급 및 강재 운반, 건설업 등에서 중량물 운반작업, 가공대상물의 중량이 큰 물체를 취급하는 작업장으로서 날카로운 물체에 의해 찔릴 우려가 있는 장소
보통 작업용	500mm의 낙하높이, (10.0±0.1)kN의 압축 하중 시험	기계공업, 금속가공업, 운반, 건축업 등 공구 가공품을 손으로 취급하는 작업 및 차량사업장, 기계 등을 운전조작하는 일반 작업장으로서 날카로운 물체에 의해 찔릴 우려가 있는 장소
경작업용	250mm의 낙하높이, (4.4±0.1)kN의 압축 하중 시험	금속선별, 전기제품 조립, 화학제품 선별, 반응장치 운전, 식품 가공업 등 비교적 경량의 물체를 취급하는 작업장으로서 날카로운 물체에 의해 찔릴 우려가 있는 장소

3) 시험방법 ★

가죽제 안전화	은면결렬시험, 인열강도시험, 내부식성시험, 인장강도시험, 내유성시험, 내압박성시험, 내충격성시험, 박리저항시험, 내답발성시험 등
고무제 안전화	인장강도시험, 내유성시험, 내화학성시험, 완성품의 내화학성시험, 파열강도시험, 선심 및 내답판의 내부식성시험, 누출방지시험 등

3 안전대

1) 안전대의 종류 및 등급 ★★

종류	사용 구분
벨트식 안전그네식	1개 걸이용
	U자 걸이용
	추락방지대(안전그네식에만 적용)
	안전블록(안전그네식에만 적용)

2) 최하 사점 ★

추락방지용 보호구인 안전대는 적정길이의 로프를 사용하여야 추락 시 근로자의 안전을 확보할 수 있다는 이론

$$H>h=\text{로프길이}(l)+\text{로프의 신장(율)길이}(l\times a)+\text{작업자의 키}\times\frac{1}{2}$$

h : 추락 시 로프지지 위치에서 신체 최하사점까지의 거리(최하사점)
H : 로프지지 위치에서 바닥면까지의 거리

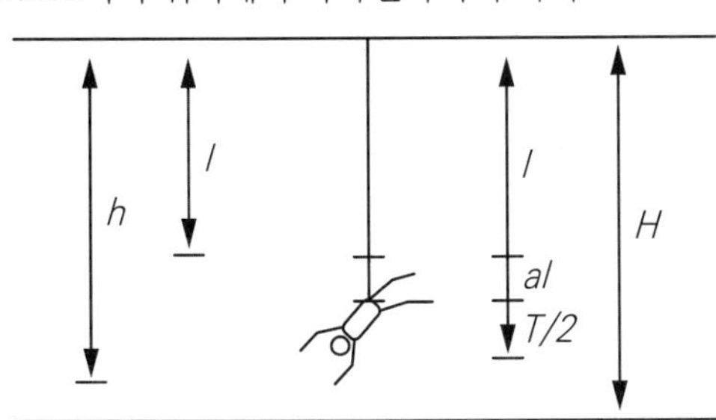

H 〉h : 안전
H = h : 위험
H 〈 h : 사망 또는 중상

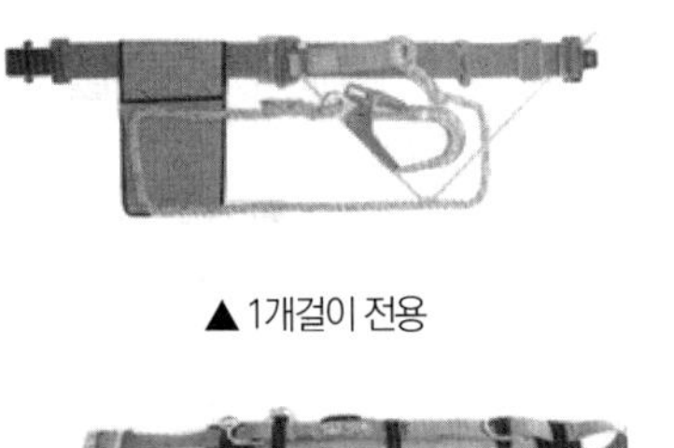

▲ 1개걸이 전용

▲ U자걸이 전용(주상용 안전벨트)

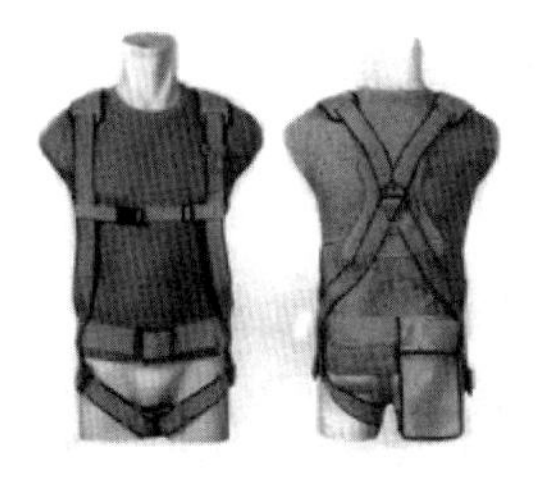

▲ 안전그네식

〈안전대의 종류〉

참고

안전대의 종류

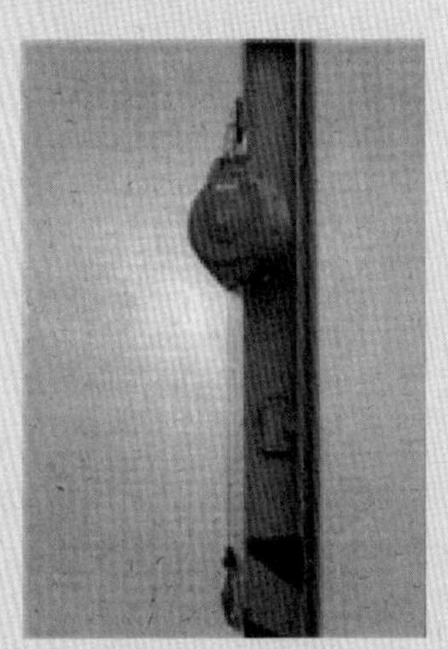

▲ 안전블록(4종)

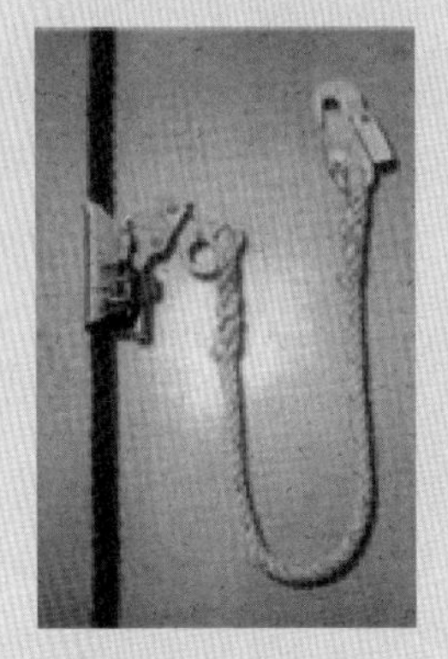

▲ 추락방지대(5종)

[보충강의]

기타 보호구의 종류

1 귀마개 및 귀덮개

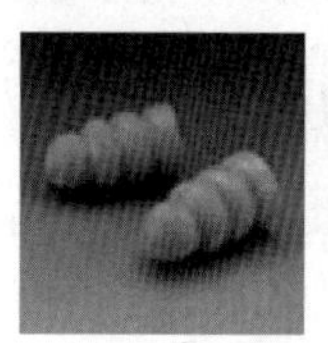
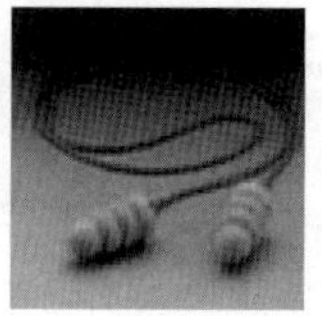
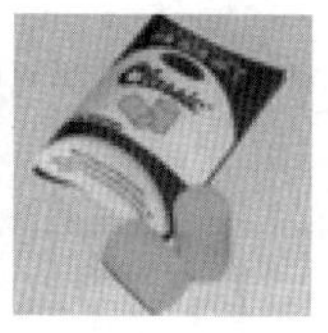

▲ 귀마개

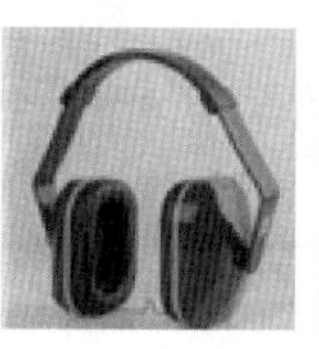

▲ 귀덮개

2 방열복(방열제품)

▲ 방열복 상의

▲ 방열복 하의

▲ 방열두건

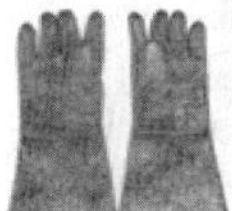
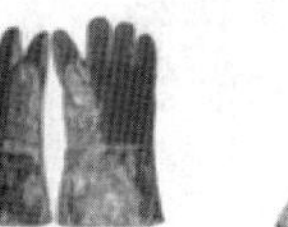

▲ 방열장갑

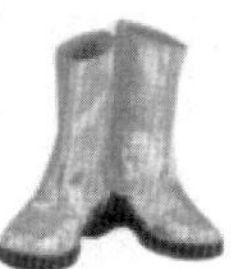

▲ 방열화

▲ 방열복

3 안전장갑

〈 안전장갑의 종류 〉

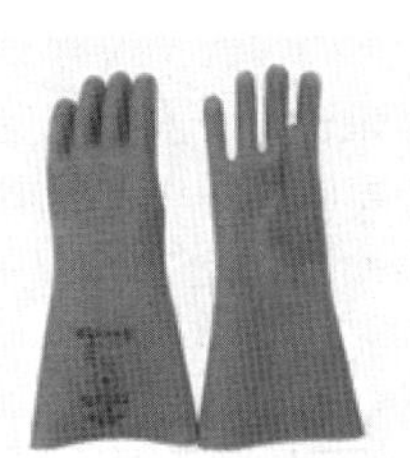

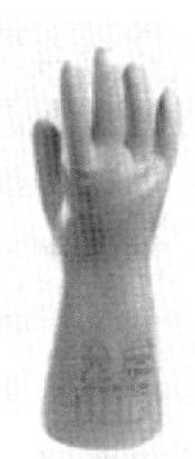

〈 절연장갑의 종류 〉

4 안전장화

▲ 일반안전장화

▲ 절연장화

▲ 내유안전장화

▲ 안전단화

5 용접면

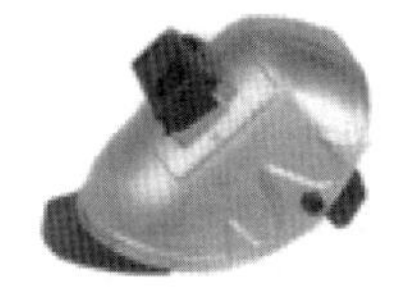

〈 용접면의 종류 〉

Part 6

단원별 출제예상문제

01

내전압용 절연장갑의 등급별 색상을 쓰시오.

해답

내전압용 절연장갑의 등급별 색상

등급	00	0	1	2	3	4
등급별 색상	갈색	빨강색	흰색	노랑색	녹색	등색

02

고열에 의한 화상위험이 있는 3m높이의 철골작업장에서 용접작업을 하는 근로자가 착용해야 할 보호구의 종류를 4가지 쓰시오.

해답

① 방열복 ② 안전대 ③ 안전모 ④ 보안면 ⑤ 안전화 등

03

보호구 선택시 유의해야 할 사항을 3가지 쓰시오.

해답

① 사용목적 또는 작업에 적합한 보호구 일 것
② 검정기관의 검정에 합격한 것으로 방호성능이 보장되는 것일 것
③ 작업에 방해되지 않을 것
④ 착용하기 쉽고 크기 등이 사용자에게 적합할 것

04

보호구의 선정조건을 5가지 쓰시오.

해답

① 종류 ② 형상 ③ 성능 ④ 수량 ⑤ 강도

05

보호구의 구비조건을 5가지 쓰시오.

해답

① 착용시 작업이 용이할 것 (간편한 착용)
② 유해 위험물에 대한 방호성능이 충분할 것 (대상물에 대한 방호가 완전)
③ 작업에 방해요소가 되지 않도록 할 것
④ 재료의 품질이 우수할 것 (특히 피부접촉에 무해할 것)
⑤ 구조와 끝마무리가 양호할 것(충분한 강도와 내구성 및 표면 가공이 우수)
⑥ 외관 및 전체적인 디자인이 양호할 것

06

방진마스크의 사용조건을 쓰시오.

해답

산소농도 18% 이상인 장소에서 사용

07

특급 방진마스크를 사용해야하는 장소를 쓰시오.

해답

① 베릴륨 등과 같이 독성이 강한 물질들을 함유한 분진등 발생 장소
② 석면 취급 장소

08

방진마스크의 구비조건을 5가지 쓰시오.

해답

① 여과 효율이 좋을 것
② 흡배기 저항이 낮을 것
③ 중량이 가벼울 것
④ 시야가 넓을 것
⑤ 사용적이 적을 것
⑥ 안면 밀착성이 좋을 것
⑦ 피부 접촉 부위의 고무질이 좋을 것

09

분리식 방진마스크의 염화나트륨 및 파라핀오일시험에 대한 여과재 분진등의 포집효율을 쓰시오.

해답

① 특급 : 99.95% 이상 ② 1급 : 94.0% 이상 ③ 2급 : 80.0% 이상

10

방진마스크 중 분리식 마스크에 대한 여과재의 분진 등 포집효율 시험에서 여과재 통과 전의 염화나트륨 농도는 20mg/m³이고, 여과재 통과 후의 염화나트륨 농도는 4mg/m³이었다. 분진 등 포집효율을 계산하시오.

해답

$$P(\%)=\frac{C_1-C_2}{C_1}\times 100$$

P : 분진 등 포집 효율 C_1 : 여과재 통과 전의 염화나트륨 농도
C_2 : 여과재 통과 후의 염화나트륨 농도

$$\therefore \text{포집효율}(P)=\frac{20-4}{20}\times 100=80(\%)$$

11

방독마스크의 등급에 따른 사용장소에 대하여 설명하시오.

해답

등급	사용 장소
고농도	가스 또는 증기의 농도가 100분의 2(암모니아에 있어서는 100분의 3) 이하의 대기 중에서 사용하는 것
중농도	가스 또는 증기의 농도가 100분의 1(암모니아에 있어서는 100분의 1.5) 이하의 대기 중에서 사용하는 것
저농도 및 최저농도	가스 또는 증기의 농도가 100분의 0.1 이하의 대기 중에서 사용하는 것으로서 긴급용이 아닌 것

비고 : 방독마스크는 산소농도가 18% 이상인 장소에서 사용하여야 하고, 고농도와 중농도에서 사용하는 방독마스크는 전면형(격리식, 직결식)을 사용해야 한다.

12

방독마스크의 등급별 유해물질의 종류에 해당되는 다음의 내용 중에서 ( )에 알맞은 내용을 쓰시오.

종류	정화통외부측면 표시색
(①)	갈색
할로겐용	(②)
황화수소용	(③)
(④)	회색
아황산용	(⑤)
암모니아용	(⑥)

해답

① 유기화합물용 ② 회색 ③ 회색 ④ 시안화수소용
⑤ 노랑색 ⑥ 녹색

13

사염화탄소 농도 0.2% 작업장에서, 사용하는 흡수관의 제품(흡수)능력이 사염화탄소 0.5%이며 표준유효시간이 100분일 때 방독마스크의 파과(유효)시간을 계산하시오.

해답

$$유효사용시간 = \frac{표준유효시간 \times 시험가스농도}{공기중유해가스농도}$$

$$\therefore 유효사용시간 = \frac{100 \times 0.5}{0.2} = 250(分)$$

14

송기마스크의 종류를 쓰시오.

해답

① 호스마스크 ② 에어라인마스크 ③ 복합식 에어라인마스크

15

송풍기형 호스마스크의 종류 2가지를 쓰고 분진포집효율을 각각 쓰시오.

해답

① 전동식 : 99.8(%) 이상 ② 수동식 : 95.0(%) 이상

16

보안경의 종류 및 사용구분에 대하여 안전인증과 자율안전확인으로 구분하여 쓰시오.

해답

① 자율안전확인

종류	사용 구분
유리보안경	비산물로부터 눈을 보호하기 위한 것으로 렌즈의 재질이 유리인 것
플라스틱보안경	비산물로부터 눈을 보호하기 위한 것으로 렌즈의 재질이 플라스틱인 것
도수렌즈보안경	비산물로부터 눈을 보호하기 위한 것으로 도수가 있는 것

② 안전인증(차광보안경)

종류	사용 구분
자외선용	자외선이 발생하는 장소
적외선용	적외선이 발생하는 장소
복합용	자외선 및 적외선이 발생하는 장소
용접용	산소용접작업 등과 같이 자외선, 적외선 및 강렬한 가시광선이 발생하는 장소

17

안전모의 종류별 사용구분을 간단히 쓰시오.

해답

종류(기호)	사용 구분
AB	물체의 낙하 또는 비래 및 추락에 의한 위험을 방지 또는 경감시키기 위한 것
AE	물체의 낙하 또는 비래에 의한 위험을 방지 또는 경감하고, 머리부위 감전에 의한 위험을 방지하기 위한 것
ABE	물체의 낙하 또는 비래 및 추락에 의한 위험을 방지 또는 경감하고, 머리부위 감전에 의한 위험을 방지하기 위한 것

18

안전모의 시험성능기준에 해당하는 항목을 5가지 쓰시오.

해답

① 내관통성 ② 충격흡수성 ③ 내전압성 ④ 내수성
⑤ 난연성 ⑥ 턱끈풀림

19

안전모의 내관통성 시험의 성능기준(안전인증)을 쓰시오.

해답

① AE, ABE종 안전모 : 관통거리가 9.5mm 이하
② AB종 안전모 : 관통거리가 11.1mm 이하

20

안전모의 모체를 수중에 담그기 전 무게가 440g, 모체를 20~25℃의 수중에 24시간 담근 후의 무게가 443.5g 이었다면 무게 증가율과 합격여부를 판단하시오.

해답

① 무게(질량)증가율 :

$$질량증가율(\%)=\frac{담근후의질량-담그기전의질량}{담그기전의질량}\times 100$$

$$\therefore\ 무게(질량)\ 증가율=\frac{443.5-440}{440}\times 100 ≒ 0.795=0.80(\%)$$

② 합격여부 : 1(%) 미만이므로 합격

21

차광보안경의 성능기준 항목을 3가지 쓰시오.

해답

① 시야범위 ② 표면 ③ 내노후성 ④ 내충격성 ⑤ 굴절력
⑥ 차광능력 ⑦ 시감투과율 차이 ⑧ 내식성

22

안전모의 내전압성시험의 성능기준을 쓰시오.

해답

AE, ABE종 안전모는 교류 20㎸에서 1분간 절연파괴없이 견뎌야 하고, 이때 누설되는 충전전류는 10mA 이내이어야 한다.

23

용접용 보안면의 형태 및 구조에 대하여 쓰시오.

해답

형태	구조
헬멧형	안전모나 착용자의 머리에 지지대나 헤드밴드 등을 이용하여 적정위치에 고정, 사용하는 형태(자동용접필터형, 일반용접필터형)
핸드실드형	손에 들고 이용하는 보안면으로 적절한 필터를 장착하여 눈 및 안면을 보호하는 형태

24

안전화의 종류를 쓰시오.

해답

① 가죽제 안전화 ② 고무제 안전화 ③ 정전기 안전화
④ 발등 안전화 ⑤ 절연화 ⑥ 절연장화

25

물체의 낙하, 충격 및 바닥으로부터의 날카로운 물체에 의한 찔림 위험으로부터 발을 보호하고 아울러 저압의 전기에 의한 감전을 방지하기 위해 착용하는 안전화의 종류는 무엇인가?

해답

절연화

26

물체의 낙하, 충격 및 바닥으로 날카로운 물체에 의한 찔림 위험으로부터 발을 보호하고 아울러 방수 또는 내화학성을 겸한 안전화의 종류를 쓰시오.

해답

고무제 안전화

27

일반적으로 기계공업, 금속가공업, 운반, 건축업 등 공구가공품을 손으로 취급하는 작업 및 차량사업장, 기계 등을 운전조작하는 일반작업장에서 착용하는 안전화의 종류는?

해답

보통 작업용

28

발등 안전화의 종류를 2가지로 구분하여 쓰시오.

해답

구분	형식
고정식	안전화에 방호대를 고정한 것
탈착식	안전화의 끈 등을 이용하여 안전화에 방호대를 결합한 것으로 그 탈착이 가능한 것

29

가죽제 안전화의 성능시험의 종류를 4가지 쓰시오.

해답

① 내압박성 시험 ② 내충격성 시험 ③ 박리저항 시험
④ 내답발성 시험 ⑤ 은면결렬 시험 ⑥ 인열강도 시험
⑦ 내부식성 시험 ⑧ 인장강도 시험 ⑨ 내유성시험 등

30

안전대의 구조에서 다음에 해당하는 사항을 간단히 설명하시오.

해답

① 신축조절기 : 죔줄의 길이를 조절하기 위해 죔줄에 부착된 금속 장치
② 안전블록 : 안전그네와 연결하여 추락발생시 추락을 억제할 수 있는 자동잠김 장치가 갖추어져 있고 죔줄이 자동적으로 수축되는 금속 장치
③ 수직구명줄 : 로프 또는 레일등과 같은 유연하거나 단단한 고정줄로서 추락 발생시 추락을 저지시키는 추락방지대를 지탱해 주는 줄모양의 부품
④ 보조죔줄 : 안전대를 U자걸이로 사용할 때 U자걸이를 위해 훅 또는 카라비나를 지탱벨트의 D링에 걸거나 떼어낼 때 잘못하여 추락하는 것을 방지하기 위하여 링과 걸이 설비연결에 사용하는 훅 또는 카라비나를 갖춘 줄모양의 부품

31

산업안전보건법상 안전대의 종류를 쓰시오.

해답

사용 구분	종류
벨트식 안전그네식	1개 걸이용
	U자 걸이용
	추락방지대(안전그네식에만 적용)
	안전블록(안전그네식에만 적용)

32

추락방지용 보호구인 안전대는 적정길이의 로프를 사용하여야 추락시 근로자의 안전을 확보할 수 있다는 최하사점을 구하는 공식을 쓰시오.

해답

$H > h =$ 로프길이(l) + 로프의 신장(율)길이$(l \times a)$ + 작업자의 키$\times \frac{1}{2}$

h : 추락시 로프지지 위치에서 신체 최하사점까지의 거리(최하사점)

H : 로프지지 위치에서 바닥면까지의 거리

33

방독마스크의 사용에 관한 다음 사항에서 (　　)안에 알맞은 말을 넣으시오.

> 방독마스크는 산소농도가 (①)인 장소에서 사용하여야 하고, 고농도와 중농도에서 사용하는 방독마스크는 (②)을 사용해야 한다.

해답

① 18% 이상

② 전면형(격리식, 직결식)

34

방열복의 종류를 쓰시오.

해답

① 방열상의　② 방열하의　③ 방열일체복　④ 방열장갑

⑤ 방열두건

35

다음 보기의 내용 중에서 안전인증 대상 기계 또는 설비, 방호장치 또는 보호구에 해당하는 것을 4가지 골라 번호를 쓰시오.

> [보기]
> ① 산업용 로봇　② 혼합기　③ 연삭기 덮개
> ④ 안전대　⑤ 교류아크용접기용 자동전격방지기
> ⑥ 인쇄기　⑦ 동력식 수동대패용 칼날 접촉방지장치
> ⑧ 용접용 보안면　⑨ 압력용기
> ⑩ 양중기용 과부하방지장치

해답

④ ⑧ ⑨ ⑩

36

방음 보호구의 종류 및 등급에 관하여 쓰시오.

해답

종류	등급	기호	성능
귀마개	1 종	EP-1	저음부터 고음까지 차음하는 것
	2 종	EP-2	주로 고음을 차음하고, 저음(회화음 영역)은 차음하지 않는 것
귀덮개	-	EM	

37

안전인증 방독마스크에 안전인증의 표시에 따른 표시 외에 추가로 표시해야 할 사항을 4가지 쓰시오.

해답

① 파과곡선도

② 사용시간 기록카드

③ 정화통의 외부측면의 표시 색

④ 사용상의 주의사항

PART 06

07

정전기 위험관리 및 전기 방폭관리

CHAPTER 01

정전기 발생방지 계획수립 및 위험요소 파악하기

01 정전기 발생방지 계획수립하기

1 정전기 발생 원리

1) 정의

정전기란 전하의 공간적 이동이 적고 전계의 영향은 크나 자계의 영향이 상대적으로 미미한 전기전하를 말한다.

2) 정전기의 성질

(1) 역학 현상

전기적인 작용에 의해 대전체 가까이에 있는 물체를 끌어당기거나 반발하게 하는 성질

(2) 정전유도현상

① 대전체 가까이에 절연된 도체가 있을 경우 전기력에 의한 자유전자의 이동으로 대전체 쪽의 도체 표면에는 대전체와 반대의 전하가, 반대쪽에는 같은 전하가 대전되는 현상

② 정전유도현상

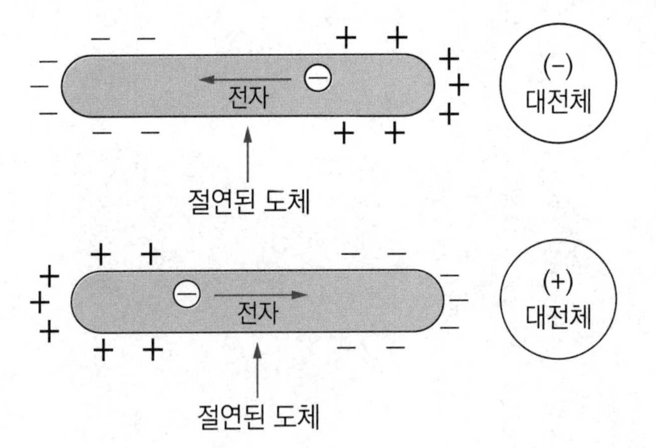

02 정전기 위험요소 파악하기

1 정전기 발생

1) 정전기 발생형태 ★

(1) 접촉 분리

① 2가지 물체의 접촉으로 물체의 경계면에서 전하의 이동이 생겨 정 또는 부의 전하가 나란하게 형성되었다가 분리되면서 전하분리가 일어나 극성이 서로 다른 정전기가 발생

② 마찰, 박리, 충돌 및 액체의 유동에 의한 정전기가 여기에 해당된다.

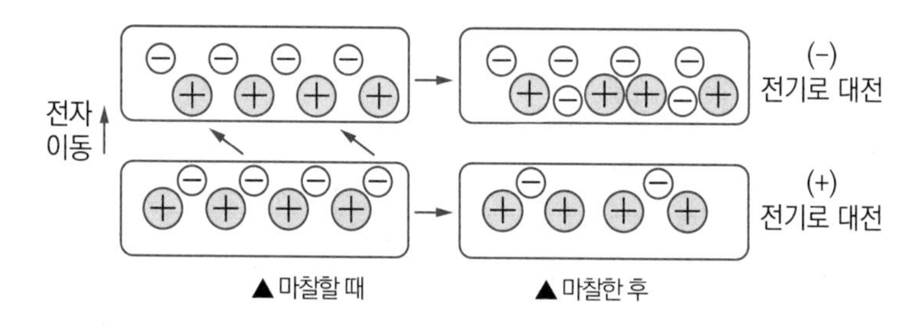

▲ 마찰할 때　▲ 마찰한 후

(2) 물체의 파괴

① 물체가 파괴되면 파괴후의 물체에서 정 및 부의 전하 불균형이 생기고 정전기가 발생한다.

② 고체의 분쇄, 액체의 분열 등에 의한 정전기가 여기가 해당된다.

(3) 정전유도에 의한 발생

대전하지 않은 절연도체 가까이 대전체를 접근시킬 때 나타나는 현상

2) 정전기 발생현상 ★

마찰 대전	① 두 물질이 접촉과 분리과정이 반복되면서 마찰을 일으킬 때 전하분리가 생기면서 정전기가 발생 ② 고체 액체류 및 분체류에서의 정전기 발생이 여기에 해당
박리 대전	① 상호 밀착해 있던 물체가 떨어지면서 전하 분리가 생겨 정전기가 발생 ② 접착면의 밀착정도, 박리속도 등에 의해 영향을 받으며 일반적으로 마찰대전보다 큰 정전기가 발생
유동 대전	① 액체류를 파이프 등으로 수송할 때 액체류가 파이프 등과 접촉하여 두 물질의 경계에 전기 2중층이 형성되어 정전기가 발생 ② 액체류의 유동속도가 정전기 발생에 큰 영향을 준다.
분출 대전	① 분체류, 액체류, 기체류가 단면적이 작은 개구부를 통해 분출할 때 분출물질과 개구부의 마찰로 인하여 정전기가 발생. ② 분출물과 개구부의 마찰 이외에도 분출물의 입자 상호간의 충돌로 인한 미립자의 생성으로 정전기가 발생하기도 한다.
충돌 대전	분체류에 의한 입자끼리 또는 입자와 고정된 고체의 충돌, 접촉, 분리 등에 의해 정전기가 발생
유도 대전	접지되지 않은 도체가 대전물체 가까이 있을 경우 전하의 분리가 일어나 가까운 쪽은 반대극성의 전하가 먼 쪽은 같은 극성의 전하로 대전되는 현상
비말 대전	액체류가 공간으로 분출할 경우 미세하게 비산하여 분리되면서 새로운 표면을 형성하게 되어 정전기가 발생 (액체의 분열)

2 정전기 발생의 영향 요인 ★★

물체의 특성	① 접촉 분리하는 두 가지 물체의 상호특성에 의해 결정 ② 대전열 : ㉠ 물체를 마찰시킬 때 전자를 잃기 쉬운 순서대로 나열한 것. ㉡ 대전열에서 멀리 있는 두 물체를 마찰할 수록 대전이 잘된다. (+) 털가죽-유리-명주-나무-고무-플라스틱-에보나이트 (−)
물체의 표면상태	① 표면이 매끄러운 것보다 거칠수록 정전기가 크게 발생한다. ② 표면이 수분, 기름 등에 오염되거나 산화(부식)되어 있으면 정전기가 크게 발생한다.
물체의 이력	물체가 이미 대전된 이력이 있을 경우 정전기 발생의 영향이 작아지는 경향이 있다(처음접촉, 분리 때가 최고이며 반복될수록 감소)
접촉면적 및 압력	접촉 면적과 압력이 클수록 정전기 발생량이 증가하는 경향이 있다.
분리 속도	분리속도가 클수록 주어지는 에너지가 크게 되므로 정전기 발생량도 증가하는 경향이 있다.
완화시간	완화시간이 길면 길수록 정전기 발생량은 증가한다.

CHAPTER 02

정전기 위험요소 제거하기

1 정전기 재해 방지대책 ★★★

접지, 도전성 재료 사용, 가습 및 점화원이 될 우려가 없는 제전 장치 사용 등 대상 설비	① 위험물을 탱크로리·탱크차 및 드럼 등에 주입하는 설비 ② 탱크로리·탱크차 및 드럼 등 위험물저장설비 ③ 인화성 액체를 함유하는 도료 및 접착제등을 제조·저장·취급 또는 도포하는 설비 ④ 위험물 건조설비 또는 그 부속설비 ⑤ 인화성 고체를 저장하거나 취급하는 설비 ⑥ 드라이클리닝설비, 염색가공설비 또는 모피류 등을 씻는 설비 등 인화성 유기용제를 사용하는 설비 ⑦ 유압, 압축공기 또는 고전위정전기 등을 이용하여 인화성 액체나 인화성 고체를 분무하거나 이송하는 설비 ⑧ 고압가스를 이송하거나 저장·취급하는 설비 ⑨ 화약류 제조설비 ⑩ 발파공에 장전된 화약류를 점화시키는 경우에 사용하는 발파기
인체에 대전된 정전기	인체에 대전된 정전기에 의한 화재 또는 폭발 위험이 있는 경우 : 정전기 대전방지용 안전화착용, 제전복 착용, 정전기 제전용구 사용, 작업장 바닥에 도전성을 갖추도록 하는 등의 조치
초기 배관 내 유속 제한	① 도전성 위험물로써 저항률이 $10^{10}(\Omega cm)$ 미만의 배관유속을 7(m/s) 이하 ② 이황화탄소, 에테르등과 같이 폭발위험성이 높고 유동대전이 심한 액체는 1(m/s) 이하 ③ 비수용성이면서 물기가 기체를 혼합한 위험물은 1(m/s)이하
보호구 착용	① 대전 방지 작업화 (정전화) : 작업화의 바닥 저항을 10^8~$10^5(\Omega)$정도로 하여 인체의 누설저항을 저하시켜 대전방지(보통작업화의 바닥저항은 $10^{12}(\Omega)$) ② 정전 작업복 착용 : 전도성 섬유를 첨가하여 코로나 방전을 유도, 대전된 전기에너지를 열에너지로 변화하여 정전기 제거 ③ 손목띠(wrist strap) 착용 등
대전방지제 사용	① 섬유등에 흡습성과 이온성을 부여하여 도전성을 증가하여 대전방지 ② 대전방지제로 많이 사용되는 계면 활성제는 친수성기 및 배수성기와 극성기 및 무극성기가 있어 친화성이 강하게 작용
가습	① 플라스틱 섬유 및 제품은 습도의 증가로 표면 저항이 감소하므로 대전방지 ② 공기중의 상대습도를 60~70%정도 유지하기 위해 가습 방법을 사용 ③ 가습방법 : 물의 분무법, 증발법, 습기분무법 등

2 제전기의 종류

전압 인가식 제전기	7000V 정도의 고전압으로 코로나 방전을 일으켜 발생하는 이온으로 대전체 전하를 중화시키는 방법 (고압 전원은 교류방식이 많이 사용)
자기 방전식 제전기	제전 대상물체의 정전 에너지를 이용하여 제전에 필요한 이온을 발생시키는 장치로 50kV 정도의 높은 대전을 제거할 수 있으나 2kV 정도의 대전이 남는 단점이 있다. 전원이 필요하지 않아 구조와 취급이 간단하며 점화원이 될 염려가 없어 안전성이 높은 장점이 있다.
방사선식 제전기	방사선 동위원소의 전리작용을 이용하여 제전에 필요한 이온을 만드는 장치로서 방사선 장해로 인한 사용상의 주의가 요구되며 제전능력이 작아 제전 시간이 오래 걸리는 단점과 움직이는 물체의 제전에는 적합하지 못하다.

3 본딩

개요	① 정전기 방전으로 인한 화재 및 폭발을 방지하는 방법으로 본딩과 접지는 좋은 수단이 될 수 있다. ② 정전기 전하의 축적이 우려되는 도전성장치와 물체를 본딩 및 접지하고 정기적으로 검사
목적	2개 이상의 도체를 서로 연결함으로 각 도체의 전위를 같게하여 정전기로 인한 점화의 위험을 제거
본딩과 접지	본딩은 도전성 물체사이의 전위차를 줄이기 위한 방법이며, 접지는 물체와 대지사이의 전위차를 같게하는 방법

사고 예방 계획수립 및 전기방폭 결함요소 파악하기

01 사고예방 계획 수립하기

1 방폭구조의 기호 ★★★

내압 방폭구조	압력 방폭구조	유입 방폭구조	안전증 방폭구조	특수 방폭구조	본질안전 방폭구조	몰드 방폭구조	충전 방폭구조	비점화 방폭구조
d	p	o	e	s	i	m	q	n

2 방폭구조의 정의 ★

명칭	기호	정의
내압 방폭 구조	d (Flameproof enclosure)	점화원에 의해 용기 내부에서 폭발이 발생할 경우, 용기가 폭발압력에 견딜 수 있고, 화염이 용기 외부의 폭발성 분위기로 전파되지 않도록 한 방폭구조
안전증 방폭 구조	e	전기기기의 과도한 온도 상승, 아크 또는 스파크 발생의 위험을 방지하기 위해 추가적인 안전조치를 통한 안전도를 증가시킨 방폭구조 (정상운전 중에 아크나 스파크를 발생시키는 전기기기는 안전증방폭구조의 전기기기 범위에서 제외)
유입 방폭 구조	o (Oil immersion)	유체 상부 또는 용기 외부에 존재할 수 있는 폭발성 분위기가 발화할 수 없도록 전기설비 또는 전기설비의 부품을 보호액에 함침시키는 방폭구조의 형식
본질 안전 회로	Intrinsically safe circuit	정상작동 및 고장상태에서 발생한 불꽃이나 고온부분이 해당 폭발성가스분위기에 점화를 발생시킬 수 없는 회로(본안 회로)
비점화 방폭 구조	Type of protection "n"	전기기기가 정상작동과 규정된 특정한 비정상상태에서 주위의 폭발성 가스 분위기를 점화시키지 못하도록 만든 방폭구조로서 nA(스파크를 발생하지 않는 장치), nC(장치와 부품), nL(에너지 제한기기) 등에 해당하는 것
몰드 방폭 구조	Encapsulation "m"	전기기기의 스파크 또는 열로 인해 폭발성 위험분위기에 점화되지 않도록 컴파운드를 충전해서 보호한 방폭구조를 말한다.)
충전 방폭구조	Powder filling "q"	폭발성 가스 분위기를 점화시킬 수 있는 부품을 고정하여 설치하고, 그 주위를 충전재로 완전히 둘러쌈으로서 외부의 폭발성 가스 분위기를 점화시키지 않도록 하는 방폭 구조

참고

내압방폭구조의 원리

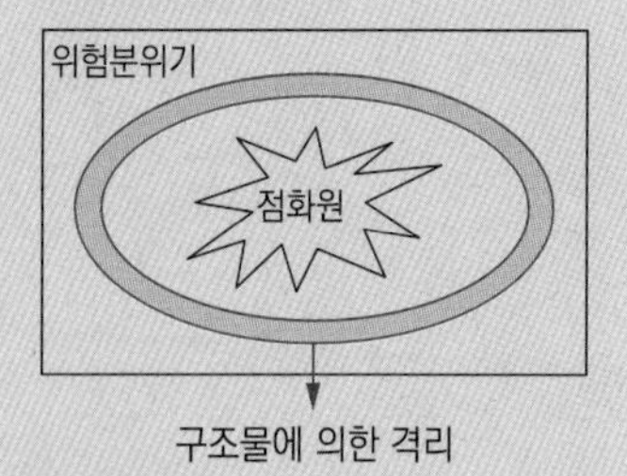

압력방폭구조의 원리

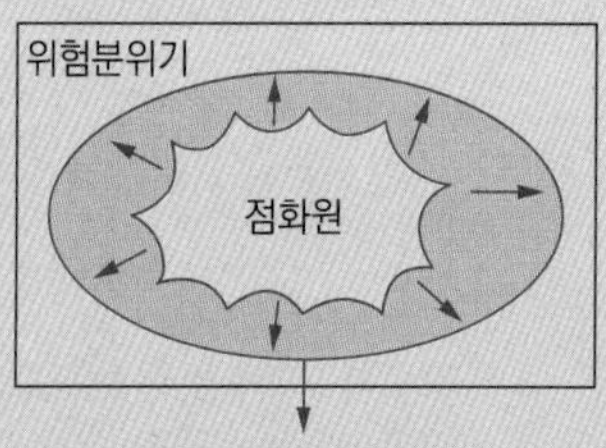

유입방폭구조의 원리

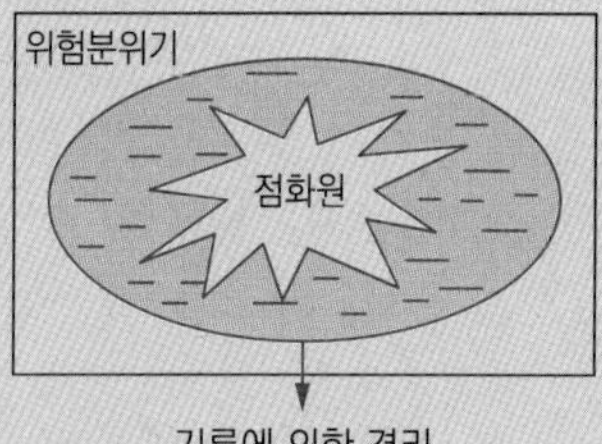

02 전기 방폭 결함요소 파악하기

1 방폭구조의 특징 ★★

1) 내압방폭구조(d)

① 용기내부에서 폭발성 가스 또는 증기가 폭발하였을 때 용기가 그 압력에 견디며 또한 접합면, 개구부 등을 통하여 외부의 폭발성 가스증기에 인화되지 않도록 한 구조

② 전폐형으로 내부에서의 가스등의 폭발압력에 견디고 그 주위의 폭발 분위기하의 가스등에 점화되지 않도록 하는 방폭구조

③ 폭발 후에는 크레아런스가 있어 고온의 가스를 서서히 방출시킴으로 냉각

④ 최대실험안전틈새(MESG) : 규정한 조건에 따라 시험을 10회 실시했을 때 화염이 전파되지 않고, 접합면의 길이가 25mm인 접합의 최대틈새

2) 압력방폭구조(p)

① 용기 내부에 보호가스를 압입하여 내부압력을 외부 환경보다 높게 유지함으로서 폭발성 가스 또는 증기가 용기내부로 유입되지 않도록 한 구조

② 보호가스는 신선한 공기 또는 질소, 탄산가스 등의 불연성 가스

3) 유입방폭구조(o)

① 전기불꽃, 아크 또는 고온이 발생하는 부분을 기름속에 넣고, 기름면 위에 존재하는 폭발성 가스 또는 증기에 인화되지 않도록 한 구조(보호액에 함침시키는 방폭구조)

② 보호 액체로는 광유 또는 특수요건에 적합한 기타 액체

4) 안전증 방폭구조(e)

① 정상 운전중에 폭발성 가스 또는 증기에 점화원이 될 전기불꽃, 아크 또는 고온부분 등의 발생을 방지하기 위하여 기계적, 전기적 구조상 또는 온도상승에 대해서 특히 안전도를 증가시킨 구조

② 코일의 절연성능 강화 및 표면온도상승을 더욱 낮게 설계하거나 공극 및 연면거리를 크게 하여 안전도 증가

5) 특수 방폭구조(s)

① 여기서 기술한 구조 이외의 방폭구조로서 폭발성 가스 또는 증기에 점화를 또는 위험분위기로 인화를 방지할 수 있는 것이 시험, 기타에 의하여 확인된 구조

② 예로서 단락불꽃이 폭발성 가스에 점화되지 않게 하는 기기로 이것은 계측제어, 통신관계 등의 미소한 전력회로의 기기에 많이 이용될 전망.

③ 용기내부에 모래 등의 입자를 채워서 안전을 유지하는 사입 방폭구조 등도 특수 방폭구조의 종류

6) 본질 안전 방폭구조(i)

① 정상시 및 사고시(단선, 단락, 지락 등)에 발생하는 전기불꽃, 아크 또는 고온에 의하여 폭발성 가스 또는 증기에 점화되지 않는 것이 점화시험, 기타에 의하여 확인된 구조

② 열전대의 지락, 단선 등으로 발생한 불꽃이나 과열로 인하여 생기는 열에너지가 충분히 작아 폭발성 가스에 착화하지 않는 것이 확인된 구조

2 전기설비의 방폭화 방법

점화원의 방폭적 격리	압력, 유입 방폭구조	점화원을 가연성 물질과 격리
	내압 방폭구조	설비 내부 폭발이 주변 가연성물질로 파급되지 않도록 격리
전기설비의 안전도 증강	안전증 방폭구조	안전도를 증가시켜 고장발생확률을 zero에 접근
점화능력의 본질적 억제	본질안전 방폭구조	본질적으로 점화능력이 없는 상태로써 사고가 발생하여도 착화위험이 없어야 한다

PART 07

CHAPTER 04

전기 방폭 결함요소 제거하기

Key point

「최대안전틈새」라 함은 대상으로 한 가스 또는 증기와 공기와의 혼합가스에 대하여 화염일주가 일어나지 않는 틈새의 최대치

1 최대안전 틈새의 한계(KSCIEC) ★

가스 및 증기 그룹 A	0.9mm 이상의 최대안전틈새
가스 및 증기 그룹 B	0.5mm 초과 0.9mm 미만의 최대안전틈새
가스 및 증기 그룹 C	0.5mm 이하의 최대안전틈새

2 발화도 및 최고표면온도

1) 발화도

발화도	G_1	G_2	G_3	G_4	G_5	G_6
발화점범위(℃)	450 초과	300~450	200~300	135~200	100~135	85~100

참고

최고표면온도

최고표현온도라 함은 방폭기기 사양 범위내의 최악의 조건에서 사용된 경우에 주위의 폭발성 분위기에 점화될 우려가 있는 해당 전기기기의 구성부품이 도달하는 표면온도 중 가장 높은 온도

2) 최고표면온도 ★

온도등급	T_1	T_2	T_3	T_4	T_5	T_6
최고표면온도(℃)	450	300	200	135	100	85

3 위험장소 ★

분류		적요	예
가스 폭발 위험 장소	0종 장소	인화성 액체의 증기 또는 가연성 가스에 의한 폭발위험이 지속적으로 또는 장기간 존재하는 장소	용기·장치·배관 등의 내부 등 (Zone 0)
	1종 장소	정상 작동상태에서 인화성 액체의 증기 또는 가연성 가스에 의한 폭발위험분위기가 존재하기 쉬운 장소	맨홀·벤트·피트 등의 주위 (Zone 1)
	2종 장소	정상작동상태에서 인화성 액체의 증기 또는 가연성 가스에 의한 폭발위험분위기가 존재할 우려가 없으나, 존재할 경우 그 빈도가 아주 적고 단기간만 존재할 수 있는 장소	개스킷·패킹 등의 주위 (Zone 2)

분류		적요	예
분진 폭발 위험 장소	20종 장소	분진운 형태의 가연성 분진이 폭발농도를 형성할 정도로 충분한 양이 정상작동 중에 연속적으로 또는 자주 존재하거나, 제어할 수 없을 정도의 양 및 두께의 분진층이 형성될 수 있는 장소	호퍼·분진저장소·집진장치·필터 등의 내부
	21종 장소	20종 장소 외의 장소로서, 분진운 형태의 가연성 분진이 폭발농도를 형성할 정도의 충분한 양이 정상작동 중에 존재할 수 있는 장소	집진장치·백필터·배기구 등의 주위, 이송밸트 샘플링 지역 등
	22종 장소	21종 장소 외의 장소로서, 가연성 분진운 형태가 드물게 발생 또는 단기간 존재할 우려가 있거나, 이상작동 상태하에서 가연성 분진층이 형성될 수 있는 장소	21종 장소에서 예방조치가 취하여진 지역, 환기설비 등과 같은 안전장치 배출구 주위 등

4 기기보호등급(Equipment Protection Level)

EPL Ga	폭발성 가스분위기에 설치되는 기기로 정상작동, 예상된 오작동 또는 드문오작동 중에 점화원이 될 수 없는 "매우 높은" 보호등급의 기기
EPL Gb	폭발성 가스 분위기에 설치되는 기기로 정상작동 또는 예상된 오작동 중에 점화원이 될 수 없는 "높은" 보호등급의 기기
EPL Gc	폭발성 가스 분위기에 설치되는 기기로 정상작동 중에 점화원이 될 수 없고 정기적인 고장발생 시 점화원으로서 비활성 상태의 유지를 보장하기 위하여 추가적인 보호장치가 있을수 있는 "강화된(enhanced)" 보호등급의 기기

Key point

EPL

점화원이 될 수 있는 가능성에 기초하여 기기에 부여된 보호등급

5 방폭구조의 표시방법 ★★★

Ex	d	IIA	T3
Explosion proof	방폭구조	가스그룹	최고표면온도(온도등급)

단원별 출제예상문제

01

정전기 발생현상(대전)의 종류를 5가지 쓰시오.

해답

① 마찰대전 ② 박리대전 ③ 유동대전 ④ 분출대전
⑤ 충돌대전 ⑥ 유도대전 ⑦ 비말대전

02

분출대전이 발생하는 원인을 쓰시오.

해답

① 분체류, 액체류, 기체류가 단면적이 작은 개구부를 통해 분출할 때 분출물질과 개구부의 마찰로 인하여 정전기가 발생.
② 분출물과 개구부의 마찰 이외에도 분출물의 입자 상호간의 충돌로 인한 미립자의 생성으로 정전기가 발생하기도 한다.

03

정전기 발생의 영향 요인을 5가지 쓰시오.

해답

① 물체의 특성 ② 물체의 표면상태 ③ 물체의 이력
④ 접촉면적 및 압력 ⑤ 분리속도 ⑥ 완화시간

04

방전의 형태에 해당하는 종류를 5가지 쓰시오.

해답

① 코로나(corona) 방전 ② 스트리머(streamer) 방전
③ 불꽃(spark) 방전 ④ 연면(surface) 방전 ⑤ 브러쉬(brush)방전

05

대전 물체와 접지도체의 형태가 비교적 평활하고 간격이 좁은 경우 강한 발광과 파괴음을 동반하여 발생하는 방전현상은 무엇인가?

해답

불꽃(spark) 방전

06

방전에너지(정전기 에너지)를 구하는 공식을 쓰시오.

해답

$$W=\frac{1}{2}QV=\frac{1}{2}CV^2=\frac{1}{2}\frac{Q^2}{C}(J)$$

W : 정전기 에너지(J), C : 도체의 정전용량 (F), V : 대전 전위(V),
Q : 대전전하량 (C)

07

정전기 재해를 방지하기 위한 대책을 4가지 쓰시오.

해답

① 접지 ② 초기 배관 내 유속 제한 ③ 보호구 착용
④ 대전방지제 사용 ⑤ 가습(60~70%) ⑥ 제전기 사용

08

정전기재해를 방지하는 배관 내 유속 제한에서 다음물질에 해당하는 유속을 쓰시오.

1. 도전성 위험물로써 저항률이 10^{10}(Ωcm) 미만의 배관유속
2. 이황화탄소, 에테르등과 같이 폭발위험성이 높고 유동대전이 심한 액체
3. 비수용성이면서 물기가 기체를 혼합한 위험물

해답

① 도전성 위험물로써 저항률이 10^{10}(Ωcm) 미만의 배관유속 : 7(m/s) 이하
② 이황화탄소, 에테르등과 같이 폭발위험성이 높고 유동대전이 심한 액체 : 1(m/s) 이하
③ 비수용성이면서 물기가 기체를 혼합한 위험물 : 1(m/s) 이하

09

제전기의 종류를 3가지 쓰시오.

해답

① 전압 인가식 제전기 ② 자기 방전식 제전기 ③ 방사선식 제전기

10

자기 방전식 제전기를 간단히 설명하시오.

해답

① 제전 대상물체의 정전 에너지를 이용하여 제전에 필요한 이온을 발생시키는 장치로 50kV정도의 높은 대전을 제거할 수 있으나 2kV 정도의 대전이 남는 단점
② 전원이 필요하지 않아 구조와 취급이 간단
③ 점화원이 될 염려가 없어 안전성이 높은 장점

11

가스폭발위험장소의 종류를 쓰고 정의 및 해당되는 장소의 예를 쓰시오.

해답

0종 장소	인화성 액체의 증기 또는 가연성 가스에 의한 폭발위험이 지속적으로 또는 장기간 존재하는 장소	용기·장치·배관 등의 내부 등 (Zone 0)
1종 장소	정상 작동상태에서 인화성 액체의 증기 또는 가연성 가스에 의한 폭발위험분위기가 존재하기 쉬운 장소	맨홀·벤트·피트 등의 주위 (Zone 1)
2종 장소	정상작동상태에서 인화성 액체의 증기 또는 가연성 가스에 의한 폭발위험분위기가 존재할 우려가 없으나, 존재할 경우 그 빈도가 아주 적고 단기간만 존재할 수 있는 장소	개스킷·패킹 등의 주위 (Zone 2)

12

방폭구조의 종류별 기호를 쓰시오.

해답

내압 방폭 구조	압력 방폭 구조	유입 방폭 구조	안전증 방폭 구조	특수 방폭 구조	본질 안전 방폭 구조	몰드 방폭 구조	충전 방폭 구조	비점화 방폭 구조
d	p	o	e	s	i	m	q	n

13

내압방폭구조(d)의 특징을 3가지 쓰시오.

해답

① 용기내부에서 폭발성 가스 또는 증기가 폭발하였을 때 용기가 그 압력에 견디며 또한 접합면, 개구부 등을 통하여 외부의 폭발성 가스증기에 인화되지 않도록 한 구조
② 전폐형으로 내부에서의 가스등의 폭발압력에 견디고 그 주위의 폭발 분위기하의 가스등에 점화되지 않도록 하는 방폭구조
③ 폭발 후에는 크레아런스가 있어 고온의 가스를 서서히 방출시킴으로 냉각

14

압력방폭구조(p)의 정의와 종류를 쓰시오.

해답

① 용기내부에 보호가스(신선한 공기 또는 질소, 탄산가스등의 불연성 가스)를 압입하여 내부 압력을 외부 환경보다 높게 유지함으로서 폭발성 가스 또는 증기가 용기내부로 유입되지 않도록 한 구조(전폐형의 구조)

② 종류 : 봉입식, 통풍식, 연속 희석식

15

폭발성 가스 또는 증기에 점화시킬 수 있는 전기불꽃이나 고온발생부분을 콤파운드로 밀폐시킨 방폭구조는 무엇인가?

해답

몰드방폭구조(m)

16

전기기기의 최고 표면온도의 분류에서 온도등급에 따른 최고표면온도의 범위를 쓰시오.

해답

그룹 II 전기기기에 대한 최고표면온도의 분류

온도등급	T_1	T_2	T_3	T_4	T_5	T_6
최고표면온도(℃)	450	300	200	135	100	85

17

분진폭발 위험장소의 종류를 쓰시오.

해답

① 20종 장소 ② 21종 장소 ③ 22종 장소

08

전기작업 안전관리

CHAPTER 01

전기작업 위험성 파악하기

1 감전재해 유해요소 ★★★

1) 1차적 감전요소(위험도 결정조건)

통전 전류의 크기	인체에 흐르는 전류의 양에 따라 위험성이 결정되므로 비록 저압의 전기라 하더라도 취급에 있어 주의하여야 한다.
통전 경로	사람의 심장은 왼쪽에 있으므로 왼손으로 전기 기구를 취급하면 전류가 심장을 통해 흐르게 되어 오른손으로 사용할 경우 보다 더욱 위험하다.
통전 시간	심실세동전류는 통전시간에 크게 관계되며, 시간이 길수록 위험하다. $\left(I=\frac{165}{\sqrt{T}}(\mathrm{mA})\right)$
전원의 종류	전압이 동일한 경우에도 교류는 직류보다 위험하다.

2) 2차적 감전요소

인체의 조건	땀에 젖어있거나 물에 젖어있는 경우 인체의 저항이 감소하므로 위험성이 높아진다.
전압	전압값도 인체의 저항값의 변화요인이므로 위험하다.
계절	여름에는 땀을 많이 흘리는 계절이므로 인체저항값이 감소하여 위험성이 높아진다.

2 통전 전류가 인체에 미치는 영향 ★★

분류	인체에 미치는 전류의 영향	통전 전류 (60Hz 교류에서 성인남자)
최소감지전류	전류의 흐름을 느낄 수 있는 최소전류	1mA
고통한계전류	고통을 참을 수 있는 한계전류	7~8mA
마비한계전류	신경이 마비되고 신체를 움직일 수 없으며 말을 할 수 없는 상태	10~15mA
심실세동전류	심장의 맥동에 영향을 주어 심장마비 상태를 유발	$I=\frac{165}{\sqrt{T}}\mathrm{mA}$

참고

옴(ohm)의 법칙 ★★

$I=\frac{E}{R}$ $E=IR$

I=전류(A), R=저항(Ω), E=전압(V)

Key point

인체가 물에 젖어있는 경우 인체의 전기저항은 1/25로 감소

3 감전사고 방지대책 ★★★

1) 직접접촉에 의한 방지대책(충전 부분에 대한 감전방지)

① 충전부가 노출되지 않도록 폐쇄형 외함이 있는 구조로 할 것

② 충전부에 충분한 절연효과가 있는 방호망이나 절연덮개를 설치할 것

③ 충전부는 내구성이 있는 절연물로 완전히 덮어 감쌀 것

④ 발전소·변전소 및 개폐소 등 구획되어 있는 장소로서 관계근로자가 아닌 사람의 출입이 금지되는 장소에 충전부를 설치하고, 위험표시 등의 방법으로 방호를 강화할 것

⑤ 전주 위 및 철탑 위 등 격리되어 있는 장소로서 관계근로자가 아닌 사람이 접근할 우려가 없는 장소에 충전부를 설치할 것

2) 간접 접촉에 의한 방지대책

보호절연	누전 발생기기에 접촉되더라도 인체 전류의 통전 경로를 절연시킴으로 전류를 안전한계 이하로 낮추는 방법
안전 전압 이하 기기 사용	안전기준의 적용에서 제외되는 30V 이하인 전기기계·기구의 사용
접지	누전이 발생한 기계 설비에 인체가 접촉하더라도 인체에 흐르는 감전전류를 억제하여 안전한계 이하로 낮추고 대부분의 누설 전류를 접지선을 통해 흐르게 하므로 감전사고를 예방하는 방법
누전차단기의 설치	전기기계 기구 중 대지전압이 150볼트를 초과하는 이동형 또는 휴대형 등에 설치하며 누전을 자동으로 감지하여 0.03초 이내에 전원을 차단하는 장치
비접지식 전로의 채용	전기기계·기구의 전원측의 전로에 설치한 절연변압기의 2차 전압이 300V 이하이고 정격용량이 3kVA 이하이며 절연 변압기의 부하측의 전로가 접지되어 있지 아니한 경우
이중절연구조	충전부를 2중으로 절연한 구조로서 기능절연과는 별도로 감전 방지를 위한 보호 절연을 한 경우 (누전차단기 없이 보통 콘센트사용가능)

4 누전차단기

1) 누전차단기의 종류 ★

구분	동작시간	구분	정격감도전류[mA]
고속형	정격감도전류에서 0.1초 이내 (감전보호용은 0.03초이내)	고감도형	5, 10, 15, 30
		중감도형	50, 100, 200, 500, 1000
		저감도형	3, 5, 10, 20 [A]
반한시형	정격감도전류에서 0.2~1초 정격감도전류의 1.4배에서 0.1~0.5초 정격감도전류의 4.4배에서 0.05초 이내	고감도형	5, 10, 15, 30
시연형	정격감도전류에서 0.1초~2초	고감도형	5, 10, 15, 30
		중감도형	50, 100, 200, 500, 1000
		저감도형	3, 5, 10, 20 [A]

2) 감전방지용 누전차단기의 적용범위 ★★★

① 대지전압이 150 볼트를 초과하는 이동형 또는 휴대형 전기기계·기구

② 물 등 도전성이 높은 액체가 있는 습윤장소에서 사용하는 저압(1.5천볼트 이하 직류전압이나 1천볼트 이하의 교류전압)용 전기기계·기구

③ 철판·철골위 등 도전성이 높은 장소에서 사용하는 이동형 또는 휴대형 전기기계·기구

④ 임시배선의 전로가 설치되는 장소에서 사용하는 이동형 또는 휴대형 전기기계·기구

3) 적용제외 ★★★

①「전기용품 및 생활용품 안전관리법」이 적용되는 이중절연 또는 이와 같은 수준 이상으로 보호되는 구조로 된 전기기계·기구

② 절연대 위 등과 같이 감전 위험이 없는 장소에서 사용하는 전기기계·기구

③ 비접지방식의 전로

〈누전차단기〉

참고

누전차단기 접속시 준수사항 ★★★

누전차단기는 정격감도전류가 30mA 이하 이고, 작동시간은 0.03초 이내일 것(다만, 정격전부하전류가 50A이상인 전기기계기구에 접속되는 경우 정격감도전류는 200mA이하로, 작동시간은 0.1초 이내로 할 수 있다)

5 피뢰설비

1) 피뢰기의 설치 장소 및 구비성능 ★

설치장소	① 발전소, 변전소 또는 이에 준하는 장소의 가공전선 인입구 및 인출구 ② 가공전선로에 접속하는 배전용 변압기의 고압측 및 특별고압측 ③ 고압 또는 특별고압의 가공전선로로부터 공급을 받는 수용장소의 인입구 ④ 가공전선로와 지중전선로가 접속되는 곳
구비성능	① 충격방전 개시전압과 제한전압이 낮을 것 ② 상용주파 방전 개시전압이 높을 것 ③ 뇌전류의 방전능력이 크고 속류차단을 확실히 할 수 있을 것 ④ 반복동작이 가능하고 점검, 보수가 간단할 것 ⑤ 구조가 견고하며 특성이 변화하지 않을 것

2) 피뢰기의 보호여유도 및 접지저항

(1) 피뢰기의 보호여유도

$$\text{여유도}(\%)=\frac{\text{충격절연강도}-\text{제한전압}}{\text{제한전압}}\times 100$$

(2) 고압 및 특고압의 전로에 시설하는 피뢰기 접지저항 값은 10Ω 이하로 하여야 한다.

6 접지 시스템

1) 접지 시스템의 구분 및 구성요소 ★★

(1) 구분 및 종류

구분	① 계통접지(TN, TT, IT 계통) ② 보호접지 ③ 피뢰시스템 접지
종류	① 단독접지 ② 공통접지 ③ 통합접지

(2) TN 계통의 분류

TN-S 계통	계통 전체에 대해 별도의 중성선 또는 PE 도체를 사용. 배전계통에서 PE 도체를 추가로 접지할 수 있다.
TN-C 계통	계통 전체에 대해 중성선과 보호도체의 기능을 동일도체로 겸용한 PEN 도체를 사용. 배전계통에서 PEN 도체를 추가로 접지할 수 있다.
TN-C-S 계통	계통의 일부분에서 PEN 도체를 사용하거나, 중성선과 별도의 PE 도체를 사용하는 방식. 배전계통에서 PEN 도체와 PE 도체를 추가로 접지할 수 있다.

Key point

수뢰부 시스템 ★★

① 돌침
② 수평도체
③ 메시(그물망)도체

참고

수뢰부 시스템 배치방법 ★

① 회전구체법
② 보호각법
③ 메시(그물망)법

PART 08

참고

주접지단자의 접속도체

① 등전위본딩 ② 접지도체
③ 보호도체 ④ 기능성 접지도체

(3) 구성요소 및 연결방법

구성요소	① 접지극 ② 접지도체 ③ 보호도체 및 기타 설비
연결방법	접지극은 접지도체를 사용하여 주 접지단자에 연결

2) 변압기 중성점 접지 저항값 ★★

(1) 일반적으로 변압기의 고압·특고압측 전로 1선 지락전류로 150을 나눈 값과 같은 저항값 이하

(2) 변압기의 고압·특고압측 전로 또는 사용전압이 35 kV 이하의 특고압전로가 저압측 전로와 혼촉하고 저압전로의 대지전압이 150 V를 초과하는 경우

① 1초 초과 2초 이내에 고압·특고압 전로를 자동으로 차단하는 장치를 설치할 때는 300을 나눈 값 이하

② 1초 이내에 고압·특고압 전로를 자동으로 차단하는 장치를 설치할 때는 600을 나눈 값 이하

7 전기화재의 원인

1) 단락 ★

원인	① 전기 기기 내부나 배선 회로상에서 절연체가 전기 또는 기계적 원인으로 노화 또는 파괴되어 합선에 의해 발화 ② 충전부 회로가 금속체 등에 의해 합선되면 단락전류가 순간적으로 흘러 매우 많은 열이 발생되어 화재로 이어짐 ③ 과전류에 의해 단락점이 용융되어 단선 되었을 경우 발생하는 불꽃으로 절연피복 또는 주위의 가연물에 착화의 가능성
대책	① 규격에 맞는 적당한 퓨즈 및 배선용 차단기 설치하여 단속예방 ② 고압 또는 특별 고압전로와 저압전로를 결합하는 변압기의 저압측 중성점에 접지공사를 하여 혼촉방지

2) 과전류

(1) 전선에 전류가 흐르면서 발생한 열이 전선에서의 방열보다 커져, 과부하가 발생하면 불량한 전선에 발화 (줄의 법칙 $Q=I^2RT$)

(2) 전선 피복의 변질 또는 탈락, 발연, 발화 등의 현상

(3) 과전류에 의한 전선의 발화단계 (전선의 연소 과정)

<table>
<tr><th rowspan="2">단계</th><th>인화단계</th><th>착화단계</th><th colspan="2">발화단계</th><th>순시용단단계</th></tr>
<tr><td>허용전류의 3배정도</td><td>큰 전류, 점화원 없이 착화연소</td><td colspan="2">심선이 용단</td><td>심선용단 및 도선폭발</td></tr>
<tr><td rowspan="2">전류밀도 (A/mm²)</td><td rowspan="2">40 ~ 43</td><td rowspan="2">43 ~ 60</td><td>발화 후 용단</td><td>용단과 동시발화</td><td rowspan="2">120 이상</td></tr>
<tr><td>60 ~ 70</td><td>75 ~ 120</td></tr>
</table>

8 교류아크 용접기 ★★★

1) 방호장치의 성능조건

(1) 자동전격방지기의 구조

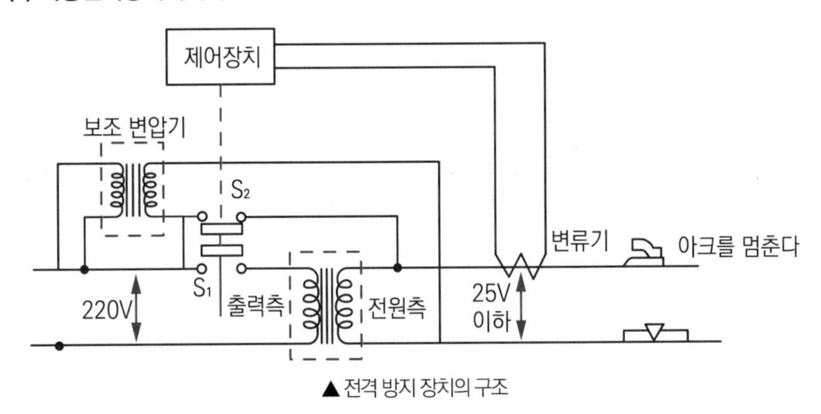

▲ 전격 방지 장치의 구조

(2) 방호장치의 성능조건

교류아크 용접기는 안정성있는 아크발생을 위해 구조상 65~90V의 2차 무부하 전압이 부과되어 충전부에 접촉함으로 인하여 감전사고가 일어나기 쉽다. 따라서 자동전격방지기는 아크발생을 중지하였을 때 지동시간이 1.0초 이내에 2차 무부하 전압을 25V 이하로 감압시켜 안전을 유지할 수 있어야 한다.

참고

지동시간 ★

용접봉 홀더에 용접기 출력측의 무부하 전압이 발생한 후 주접점이 개방될 때까지의 시간

2) 자동전격 방지기의 설치장소

① 선박의 이중 선체 내부, 밸러스트(Ballast) 탱크, 보일러 내부 등 도전체에 둘러싸인 장소

② 추락할 위험이 있는 높이 2미터 이상의 장소로 철골 등 도전성이 높은 물체에 근로자가 접촉할 우려가 있는 장소

③ 근로자가 물·땀 등으로 인하여 도전성이 높은 습윤 상태에서 작업하는 장소

9 저압전로의 절연성능 ★★★

전로의 사용전압 (V)	DC 시험전압 (V)	절연저항 (MΩ 이상)
SELV 및 PELV	250	0.5
FELV, 500V 이하	500	1.0
500V 초과	1,000	1.0

[주] 특별저압(Extra Low Voltage : 2차 전압이 AC 500V, DC 120 V 이하)으로 SELV(비접지회로구성) 및 PELV(접지회로 구서어)은 1차와 2차가 전기적으로 절연된 회로, FELV 1차와 2차가 전기적으로 절연되지 않은 회로

※ 측정시 영향을 주거나 손상을 받을 수 있는 SPD 또는 기타 기기 등은 측정 전에 분리시켜야 하고 부득이하게 분리가 어려운 경우에는 시험전압을 250V DC로 낮추어 측정할 수 있지만 절연저항 값은 1 MΩ 이상이어야 한다.

정전작업, 활선작업, 충전전로 근접작업 지원하기

01 정전작업 지원하기

1 정전 전로에서의 전기작업

1) 전로차단

근로자가 노출된 충전부 또는 그 부분에서 작업함으로써 감전될 우려가 있는 경우에는 작업에 들어가기 전에 해당 전로를 차단하여야 한다.

2) 차단절차 및 감전위험방지 ★★★

전로차단 절차	① 전기기기 등에 공급되는 모든 전원을 관련 도면, 배선도 등으로 확인할 것 ② 전원을 차단한 후 각 단로기 등을 개방하고 확인할 것 ③ 차단장치나 단로기 등에 잠금장치 및 꼬리표를 부착할 것 ④ 개로된 전로에서 유도전압 또는 전기에너지가 축적되어 근로자에게 전기위험을 끼칠 수 있는 전기기기 등은 접촉하기 전에 잔류전하를 완전히 방전시킬 것 ⑤ 검전기를 이용하여 작업 대상 기기가 충전되었는지를 확인할 것 ⑥ 전기기기 등이 다른 노출 충전부와의 접촉, 유도 또는 예비동력원의 역송전 등으로 전압이 발생할 우려가 있는 경우에는 충분한 용량을 가진 단락 접지기구를 이용하여 접지할 것
전로차단의 예외	① 생명유지장치, 비상경보설비, 폭발위험장소의 환기설비, 비상조명설비 등의 장치·설비의 가동이 중지되어 사고의 위험이 증가되는 경우 ② 기기의 설계상 또는 작동상 제한으로 전로차단이 불가능한 경우 ③ 감전, 아크 등으로 인한 화상, 화재·폭발의 위험이 없는 것으로 확인된 경우
감전위험 방지	전로차단 예외 규정의 각호 외의 부분 본문에 따른 작업 중 또는 작업을 마친 후 전원을 공급하는 경우에는 작업에 종사하는 근로자 또는 그 인근에서 작업하거나 정전된 전기기기 등(고정 설치된 것으로 한정)과 접촉할 우려가 있는 근로자에게 감전의 위험이 없도록 준수해야 할 사항 ① 작업기구, 단락 접지기구 등을 제거하고 전기기기 등이 안전하게 통전될 수 있는지를 확인할 것 ② 모든 작업자가 작업이 완료된 전기기기 등에서 떨어져 있는 지를 확인할 것 ③ 잠금장치와 꼬리표는 설치한 근로자가 직접 철거할 것 ④ 모든 이상 유무를 확인한 후 전기기기 등의 전원을 투입할 것

2 작업 중, 종료 후 조치사항 ★

작업 중	작업 종료 후
• 작업지휘는 작업지휘자가 담당한다. • 개폐기에 대한 관리를 철저히 한다. • 단락접지 상태를 수시로 확인한다. • 근접활선에 대한 방호상태를 유지한다.	• 작업기구, 단락 접지기구 등을 제거하고 전기기기 등이 안전하게 통전될 수 있는지를 확인할 것 • 모든 작업자가 작업이 완료된 전기기기 등에서 떨어져 있는지를 확인할 것 • 잠금장치와 꼬리표는 설치한 근로자가 직접 철거할 것 • 모든 이상 유무를 확인한 후 전기기기 등의 전원을 투입할 것

02 활선작업 지원하기

1 충전전로에서의 전기작업 ★★★

1) 안전조치 사항

① 충전전로를 정전시키는 경우에는 정전전로에서의 전기작업에 따른 조치를 할 것

② 충전전로를 방호, 차폐하거나 절연 등의 조치를 하는 경우에는 근로자의 신체가 전로와 직접 접촉하거나 도전재료, 공구 또는 기기를 통하여 간접 접촉되지 않도록 할 것

③ 충전전로를 취급하는 근로자에게 그 작업에 적합한 절연용 보호구를 착용시킬 것

④ 충전전로에 근접한 장소에서 전기작업을 하는 경우에는 해당 전압에 적합한 절연용 방호구를 설치할 것. 다만, 저압인 경우에는 해당 전기작업자가 절연용 보호구를 착용하되, 충전전로에 접촉할 우려가 없는 경우에는 절연용 방호구를 설치하지 아니할 수 있다.

⑤ 고압 및 특별고압의 전로에서 전기작업을 하는 근로자에게 활선작업용 기구 및 장치를 사용하도록 할 것

⑥ 근로자가 절연용 방호구의 설치·해체작업을 하는 경우에는 절연용 보호구를 착용하거나 활선작업용 기구 및 장치를 사용하도록 할 것

⑦ 유자격자가 아닌 근로자가 충전전로 인근의 높은 곳에서 작업할 때에 근로자의 몸 또는 긴 도전성 물체가 방호되지 않은 충전전로에서 대지전압이 50킬로볼트 이하인 경우에는 300센티미터 이내로, 대지전압이 50킬로볼트를 넘는 경우에는 10킬로볼트당 10센티미터씩 더한 거리 이내로 각각 접근할 수 없도록 할 것

⑧ 유자격자가 충전전로 인근에서 작업하는 경우에는 다음 각 목의 경우를 제외하고는 노출 충전부에 다음 표에 제시된 접근한계거리 이내로 접근하거나 절연 손잡이가 없는 도전체에 접근할 수 없도록 할 것

㉠ 근로자가 노출 충전부로부터 절연된 경우 또는 해당 전압에 적합한 절연장갑을 착용한 경우

㉡ 노출 충전부가 다른 전위를 갖는 도전체 또는 근로자와 절연된 경우

㉢ 근로자가 다른 전위를 갖는 모든 도전체로부터 절연된 경우

2) 접근 한계 거리 ★★

충전전로의 선간전압 (단위 : 킬로볼트)	충전전로에 대한 접근한계거리 (단위 : 센티미터)
0.3 이하	접촉금지
0.3 초과 0.75 이하	30
0.75 초과 2 이하	45
2 초과 15 이하	60
15 초과 37 이하	90
37 초과 88 이하	110
88 초과 121 이하	130
121 초과 145 이하	150
145 초과 169 이하	170
169 초과 242 이하	230
242 초과 362 이하	380
362 초과 550 이하	550
550 초과 800 이하	790

참고

1. 절연이 되지 않은 충전부나 그 인근에 근로자가 접근하는 것을 막거나 제한할 필요가 있는 경우에는 울타리(방책)를 설치하고 근로자가 쉽게 알아볼 수 있도록 하여야 한다. 다만, 전기와 접촉할 위험이 있는 경우에는 도전성이 있는 금속제 울타리(방책)를 사용하거나, 충전전로에서의 표에 정한 접근 한계거리 이내에 설치해서는 아니된다.
2. 1에서의 조치가 곤란한 경우에는 근로자를 감전위험에서 보호하기 위하여 사전에 위험을 경고하는 감시인을 배치하여야 한다.

03 충전전로 근접작업 안전 지원하기

1 충전전로 근접작업의 안전

1) 충전전로 인근에서의 차량·기계장치 작업 ★★

(1) 충전전로 인근에서 차량, 기계장치 등의 작업이 있는 경우

차량 등을 충전전로의 충전부로부터 300센티미터 이상 이격시켜 유지시키되, 대지전압이 50킬로볼트를 넘는 경우 이격시켜 유지하여야 하는 거리(이격거리)는 10킬로볼트 증가할 때마다 10센티미터씩 증가시켜야 한다. 다만, 차량 등의 높이를 낮춘 상태에서 이동하는 경우에는 이격거리를 120센티미터 이상(대지전압이 50킬로볼트를 넘는 경우에는 10킬로볼트 증가할 때마다 이격거리를 10센티미터씩 증가)으로 할 수 있다.

(2) 충전전로의 전압에 적합한 절연용 방호구 등을 설치한 경우

이격거리를 절연용 방호구 앞면까지로 할 수 있으며, 차량 등의 가공 붐대의 버킷이나 끝부분 등이 충전전로의 전압에 적합하게 절연되어 있고 유자격자가 작업을 수행하는 경우에는 붐대의 절연되지 않은 부분과 충전전로 간의 이격거리는 충전전로에서의 전기작업 표에 따른 접근 한계거리까지로 할 수 있다.

(3) 다음 각 호의 경우를 제외하고는 근로자가 차량 등의 그 어느 부분과도 접촉하지 않도록 울타리(방책)를 설치하거나 감시인 배치 등의 조치를 하여야 한다.

① 근로자가 해당 전압에 적합한 절연용 보호구 등을 착용하거나 사용하는 경우

② 차량 등의 절연되지 않은 부분이 접근 한계거리 이내로 접근하지 않도록 하는 경우

Part 8

단원별 출제예상문제

01

감전의 위험을 결정하는 1차적요인과 2차적요인을 쓰시오.

해답

(1) 1차적 요인 : ① 통전 전류의 크기 ② 통전 경로 ③ 통전 시간 ④ 전원의 종류

(2) 2차적 요인 : ① 인체의 조건 ② 전압 ③ 계절

02

통전전류가 인체에 미치는 영향과 그 전류값을 쓰시오.

해답

분류	인체에 미치는 전류의 영향	통전 전류 (60Hz 교류에서 성인남자)
최소 감지전류	전류의 흐름을 느낄 수 있는 최소전류	1mA
고통 한계전류	고통을 참을 수 있는 한계전류	7~8mA
마비 한계전류	신경이 마비되고 신체를 움직일 수 없으며 말을 할 수 없는 상태	10~15mA
심실 세동전류	심장의 맥동에 영향을 주어 심장마비 상태를 유발	$I=\dfrac{165\sim185}{\sqrt{T}}$ mA

03

인체의 전기저항이 500Ω 일 경우 위험한계 에너지 값을 구하시오.

해답

$$Q=I^2RT[\mathrm{J/S}]=\left(\frac{165\sim185}{\sqrt{T}}\times10^{-3}\right)^2\times500\times T=13.61\sim17.11[\mathrm{J}]$$

04

100V 단상 2선식 회로의 전류를 물에 젖은 손으로 조작하여 감전으로 인한 심실세동을 일으켰다. 이때 인체에 흐른 전류와 심실세동을 일으킨 시간을 구하시오.(단, 인체의 저항은 5,000Ω이며, 길버트의 이론에 의해 계산할 것)

해답

① 인체가 물에 젖은 경우 저항은 1/25로 감소하므로

$$\text{전류}\,(I)=\frac{V}{R}=\frac{100}{5{,}000\times\frac{1}{25}}\times1{,}000=500(\mathrm{mA})$$

② 시간 : $500(\mathrm{mA})=\dfrac{165}{\sqrt{T}}\quad\therefore\sqrt{T}=0.33$

따라서, $T=0.1089=0.11$(초)

05

직접접촉에 의한 감전사고 방지대책을 4가지 쓰시오.

해답

① 충전부가 노출되지 아니하도록 폐쇄형 외함이 있는 구조로 할 것
② 충전부에 충분한 절연효과가 있는 방호망 또는 절연덮개를 설치할 것
③ 충전부는 내구성이 있는 절연물로 완전히 덮어 감쌀 것
④ 발전소·변전소 및 개폐소등 구획되어 있는 장소로서 관계근로자 외의 자의 출입이 금지되는 장소에 충전부를 설치하고, 위험표시 등의 방법으로 방호를 강화할 것
⑤ 전주 위 및 철탑 위 등 격리되어 있는 장소로서 관계근로자외의 자가 접근할 우려가 없는 장소에 충전부를 설치할 것

06

간접접촉에 의한 감전사고 방지대책을 4가지 쓰시오.

해답

① 보호절연　② 안전 전압 이하의 기기 사용
③ 접지　④ 누전차단기의 설치
⑤ 비접지식 전로의 채용　⑥ 이중절연구조

07

근로자가 작업 또는 통행 등으로 인하여 전기기계기구 또는 전로의 충전부분에 접촉 또는 접근함으로 감전위험이 있는 충전부분에 대한 감전 방지조치를 4가지 쓰시오.

해답

① 충전부가 노출되지 아니하도록 폐쇄형 외함이 있는 구조로 할 것
② 충전부에 충분한 절연효과가 있는 방호망 또는 절연덮개를 설치할 것
③ 충전부는 내구성이 있는 절연물로 완전히 덮어 감쌀 것
④ 발전소·변전소 및 개폐소등 구획되어 있는 장소로서 관계근로자 외의 자의 출입이 금지되는 장소에 충전부를 설치하고, 위험표시 등의 방법으로 방호를 강화할 것
⑤ 전주 위 및 철탑 위 등 격리되어 있는 장소로서 관계근로자외의 자가 접근할 우려가없는 장소에 충전부를 설치할 것

08

고압 또는 특별고압 회로로부터 기기를 분리하거나 변경할 때 사용하는 개폐장치로써 단지 충전된 전로(무부하)를 개폐하기 위해 사용하며, 부하전류의 개폐는 원칙적으로 할 수 없는 개폐장치의 명칭과 사용방법을 쓰시오.

해답

(1) 명칭 : 단로기
(2) 단로기 사용방법
　① 난로기를 끊을 경우 : 차단기를 개로한 후에 끊는다
　② 단로기를 넣을 경우 : 차단기를 폐로하기 전에 넣는다.

09

저압기기의 누전에 의한 재해방지대책을 4가지 쓰시오.

해답

① 비접지식 전로의 채용　② 보호접지
③ 감전방지용 누전차단기 설치　④ 이중 절연기기의 사용

10

절연용 방호구의 설치방법을 3가지 쓰시오.

해답

① 필요한 장소에 덮을 경우에는 부속이 헐거워 이탈하지 않도록 견고하게 연결할 것
② 먼지, 습기 등이 있는 상태로 사용하지 말 것
③ 사용전에 손상유무를 점검할 것
④ 장시간 또는 작업시간 이외에 설치하지 말 것
⑤ 손상을 방지하기 위해 다른 재료나 공구등과 분리 보관할 것

11

퓨즈의 종류를 4가지 쓰시오.

해답

① 고리 퓨즈　② 방출 퓨즈　③ 비포장 퓨즈
④ 통형 퓨즈　⑤ 포장 퓨즈　⑥ 한류 퓨즈

12

누전차단기의 종류를 쓰고 각각의 동작시간을 쓰시오.

해답

구분	동작시간
고속형	정격감도전류에서 0.1초 이내 (감전보호용은 0.03초 이내)
반한시형	정격감도전류에서 0.2~1초 정격감도전류의 1.4배에서 0.1~0.5초 정격감도전류의 4.4배에서 0.05초 이내
시연형	정격감도전류에서 0.1초~2초

13

감전방지용 누전차단기의 적용범위(설치장소)를 쓰시오.

해답

① 대지전압이 150 볼트를 초과하는 이동형 또는 휴대형 전기기계·기구
② 물 등 도전성이 높은 액체가 있는 습윤장소에서 사용하는 저압(1.5천볼트 이하 직류전압이나 1천볼트 이하의 교류전압)용 전기기계·기구
③ 철판·철골위 등 도전성이 높은 장소에서 사용하는 이동형 또는 휴대형 전기기계·기구
④ 임시배선의 전로가 설치되는 장소에서 사용하는 이동형 또는 휴대형 전기기계·기구

14

감전방지용 누전차단기의 정격감도전류 및 작동시간을 쓰시오.

해답

① 정격감도전류 30mA 이하
② 작동시간 0.03초 이내

15

누전차단기의 적용이 제외되는 경우를 3가지 쓰시오.

해답

① 「전기용품 및 생활용품 안전관리법」이 적용되는 이중절연 또는 이와 같은 수준 이상으로 보호되는 구조로 된 전기기계·기구
② 절연대 위 등과 같이 감전 위험이 없는 장소에서 사용하는 전기기계·기구
③ 비접지방식의 전로

16

고압 및 특별고압의 전로 중에서 피뢰기를 설치해야하는 장소를 쓰시오.

해답

① 발전소, 변전소 또는 이에 준하는 장소의 가공전선 인입구 및 인출구
② 가공전선로에 접속하는 배전용 변압기의 고압측 및 특별고압측
③ 고압 또는 특별고압의 가공전선로로부터 공급을 받는 수용장소의 인입구
④ 가공전선로와 지중전선로가 접속되는 곳

17

피뢰기의 종류를 4가지 쓰시오.

해답

① 밸브형 피뢰기 ② 방출통형 피뢰기 ③ 저항형 피뢰기
④ 밸브저항형 피뢰기 ⑤ 종이 피뢰기

18

피뢰기가 구비해야 할 성능조건을 4가지 쓰시오.

해답

① 충격방전 개시전압과 제한전압이 낮을 것
② 반복동작이 가능할 것
③ 뇌 전류의 방전능력이 크고 속류의 차단을 확실히 할 수 있을 것
④ 점검, 보수가 간단할 것
⑤ 구조가 견고하며 특성이 변화하지 않을 것

19

피뢰시스템의 레벨별 회전구체 반경을 쓰시오.

해답

피뢰시스템의 레벨	Ⅰ	Ⅱ	Ⅲ	Ⅳ
회전구체 반경 r(m)	20	30	45	60

20

외부 피뢰시스템에 해당하는 수뢰부 시스템의 배치방법 3가지를 쓰시오.

해답

① 회전구체법 ② 보호각법 ③ 그물망법

21

피뢰기의 보호 여유도를 구하는 공식을 쓰시오.

해답

$$\text{여유도}(\%) = \frac{\text{충격절연강도} - \text{제한전압}}{\text{제한전압}} \times 100$$

22

외부 피뢰시스템에 해당하는 수뢰부 시스템의 배치방법 중 보호대상 구조물의 표면이 평평한 경우에 적합한 방법은?

해답

그물망법

23

수뢰부 시스템의 배치방법중 그물망법의 보호조건에 대하여 3가지 쓰시오.

해답

① 수뢰도체를 배치하는 위치
　㉠ 지붕 가장자리선
　㉡ 지붕 돌출부
　㉢ 지붕경사가 1/10을 넘는 경우 지붕 마루선
　㉣ 높이 60m이상인 구조물의 경우 구조물 높이의 80%를 넘는 부분의 측면
② 수뢰망의 메시치수는 정해진 값이하로 한다.
③ 수뢰부 시스템망은 뇌격전류가 항상 최소한 2개 이상의 금속루트를 통하여 대지에 접속되도록 구성해야하며, 수뢰부 시스템으로 보호되는 영역밖으로 금속체 설비가 돌출되지 않도록 한다.
④ 수뢰도체는 가능한 짧고 직선경로로 한다.

24

고압 및 측고압의 전로에 시설하는 피뢰기 접지저항 값은 얼마 이하로 하여야 하는가?

해답

10(Ω) 이하

25

피뢰시스템의 레벨별 인하도선 상호간 거리와 관련한 다음 사항의 ( )에 알맞은 내용을 쓰시오.

피뢰시스템의 레벨	Ⅰ	Ⅱ	Ⅲ	Ⅳ
간격(m)	(①)	10	(②)	20

해답

① 10 ② 15

26

근로자가 노출된 충전부 또는 그 부근에서 작업함으로써 감전될 우려가 있는 경우에는 작업에 들어가기 전에 해당 전로를 차단하여야 한다. 전로차단 절차에 대해 쓰시오.

해답

① 전기기기 등에 공급되는 모든 전원을 관련 도면, 배선도 등으로 확인할 것
② 전원을 차단한 후 각 단로기 등을 개방하고 확인할 것
③ 차단장치나 단로기 등에 잠금장치 및 꼬리표를 부착할 것
④ 개로된 전로에서 유도전압 또는 전기에너지가 축적되어 근로자에게 전기위험을 끼칠 수 있는 전기기기 등은 접촉하기 전에 잔류전하를 완전히 방전시킬 것
⑤ 검전기를 이용하여 작업 대상 기기가 충전되었는지를 확인할 것
⑥ 전기기기 등이 다른 노출 충전부와의 접촉, 유도 또는 예비동력원의 역송전 등으로 전압이 발생할 우려가 있는 경우에는 충분한 용량을 가진 단락 접지기구를 이용하여 접지할 것

27

작업 중 또는 작업을 마친 후 전원을 공급하는 경우에는 작업에 종사하는 근로자 또는 그 인근에서 작업하거나 정전된 전기기기등(고정 설치된 것으로 한정)과 접촉할 우려가 있는 근로자에게 감전의 위험이 없도록 준수해야 할 사항을 4가지 쓰시오.

해답

① 작업기구, 단락 접지기구 등을 제거하고 전기기기 등이 안전하게 통전될 수 있는지를 확인할 것
② 모든 작업자가 작업이 완료된 전기기기 등에서 떨어져 있는지를 확인할 것
③ 잠금장치와 꼬리표는 설치한 근로자가 직접 철거할 것
④ 모든 이상 유무를 확인한 후 전기기기 등의 전원을 투입할 것

28

정전 작업 시 5대 안전수칙을 쓰시오.

해답

① 작업 전 전원차단
② 전원투입방지
③ 작업장소의 무전압 여부확인
④ 단락접지
⑤ 작업장소의 보호

29

정전작업 시 작업 중 및 종료 후 조치사항을 각각 쓰시오.

해답

작업 중	작업 종료 후
• 작업지휘는 작업지휘자가 담당한다. • 개폐기에 대한 관리를 철저히 한다. • 단락접지 상태를 수시로 확인한다. • 근접활선에 대한 방호상태를 유지한다.	• 작업기구, 단락 접지기구 등을 제거하고 전기기기 등이 안전하게 통전될 수 있는지를 확인할 것 • 모든 작업자가 작업이 완료된 전기기기 등에서 떨어져 있는지를 확인할 것 • 잠금장치와 꼬리표는 설치한 근로자가 직접 철거할 것 • 모든 이상 유무를 확인한 후 전기기기 등의 전원을 투입할 것

30

단락접지기구의 사용목적을 3가지 쓰시오.

해답

① 오통전 방지　　② 다른 전로와의 혼촉방지
③ 다른 전로로부터의 유도 또는 예비동력원의 역송전에 의한 감전의 위험을 방지

31

충전전로 인근에서 차량, 기계장치 등의 작업이 있는 경우 안전조치사항을 쓰시오.

해답

차량 등을 충전전로의 충전부로부터 300센티미터 이상 이격시켜 유지시키되, 대지전압이 50킬로볼트를 넘는 경우 이격시켜 유지하여야 하는 거리는 10킬로볼트 증가할 때마다 10센티미터씩 증가시켜야 한다. 다만, 차량등의 높이를 낮춘 상태에서 이동하는 경우에는 이격거리를 120센티미터 이상(대지전압이 50킬로볼트를 넘는 경우에는 10킬로볼트 증가할 때마다 이격거리를 10센티미터씩 증가)으로 할 수 있다.

32

충전전로 인근에서의 차량·기계장치 작업에서 근로자가 차량등의 그 어느 부분과도 접촉하지 않도록 울타리(방책)를 설치하거나 감시인 배치 등의 조치를 하지 않아도 되는 경우를 2가지 쓰시오.

해답

① 근로자가 해당 전압에 적합한 절연용 보호구 등을 착용하거나 사용하는 경우
② 차량 등의 절연되지 않은 부분이 접근 한계거리 이내로 접근하지 않도록 하는 경우

33

유자격자가 충전전로 인근에서 작업하는 경우에는 노출 충전부에 접근한계거리 이내로 접근하거나 절연 손잡이가 없는 도전체에 접근할 수 없도록 해야 하는데 이규정에서 제외되는 경우를 3가지 쓰시오.

해답

① 근로자가 노출 충전부로부터 절연된 경우 또는 해당 전압에 적합한 절연장갑을 착용한 경우
② 노출 충전부가 다른 전위를 갖는 도전체 또는 근로자와 절연된 경우
③ 근로자가 다른 전위를 갖는 모든 도전체로부터 절연된 경우

34

충전전로에 대한 접근한계거리를 쓰시오.

해답

충전전로의 선간전압 (단위 : 킬로볼트)	충전전로에 대한 접근한계거리 (단위 : 센티미터)
0.3 이하	접촉금지
0.3 초과 0.75 이하	30
0.75 초과 2 이하	45
2 초과 15 이하	60
15 초과 37 이하	90
37 초과 88 이하	110
88 초과 121 이하	130
121 초과 145 이하	150
145 초과 169 이하	170
169 초과 242 이하	230
242 초과 362 이하	380
362 초과 550 이하	550
550 초과 800 이하	790

35

고압 및 특별고압의 전로에서 전기작업을 하는 근로자에게 해야하는 안전조치 사항을 쓰시오.

해답

활선작업용 기구 및 장치를 사용하도록 할 것

36

다음의 ( )에 알맞은 내용을 넣으시오.

1) 근로자가 절연용 방호구의 설치·해체작업을 하는 경우에는 (①)를 착용하거나 (②)를 사용하도록 할 것
2) 유자격자가 아닌 근로자가 충전전로 인근의 높은 곳에서 작업할 때에 근로자의 몸 또는 긴 도전성 물체가 방호되지 않은 충전전로에서 대지전압이 (③)인 경우에는 (④)로, 대지전압이 (⑤)를 넘는 경우에는 10킬로볼트당 (⑥)씩 더한 거리 이내로 각각 접근할 수 없도록 할 것

해답

① 절연용 보호구　② 활선작업용 기구 및 장치
③ 50킬로볼트 이하　④ 300센티미터 이내
⑤ 50킬로볼트　⑥ 10센티미터

37

접지계통 분류에서 TN 접지방식의 종류를 쓰시오.

해답

① TN-S 방식　② TN-C 방식　③ TN-C-S 방식

tip

TN 계통의 분류

TN-S 계통	계통 전체에 대해 별도의 중성선 또는 PE 도체를 사용. 배전계통에서 PE 도체를 추가로 접지할 수 있다.
TN-C 계통	계통 전체에 대해 중성선과 보호도체의 기능을 동일 도체로 겸용한 PEN 도체를 사용. 배전계통에서 PEN 도체를 추가로 접지할 수 있다.
TN-C-S계통	계통의 일부분에서 PEN 도체를 사용하거나, 중성선과 별도의 PE 도체를 사용하는 방식. 배전계통에서 PEN 도체와 PE 도체를 추가로 접지할 수 있다.

38

계통접지의 종류를 3가지 쓰시오.

해답

① TN ② TT ③ IT

tip

접지시스템의 구분 및 구성요소

구분	① 계통접지(TN, TT, IT계통) ② 보호접지 ③ 피뢰시스템 접지
종류	① 단독접지 ② 공통접지 ③ 통합접지
구성요소	① 접지극 ② 접지도체 ③ 보호도체 및 기타 설비
연결방법	접지극은 접지도체를 사용하여 주 접지단자에 연결

39

코드 및 플러그를 접속하여 사용하는 것으로 노출된 비충전 금속체에 접지를 해야하는 전기기계·기구를 4가지 쓰시오.

해답

① 사용전압이 대지전압 150볼트를 넘는 것
② 냉장고·세탁기·컴퓨터 및 주변기기 등과 같은 고정형 전기기계·기구
③ 고정형·이동형 또는 휴대형 전동기계·기구
④ 물 또는 도전성이 높은 곳에서 사용하는 전기기계·기구
⑤ 휴대형 손전등

40

접지를 하지 않아도 되는 안전한 부분에 해당하는 전기기계·기구를 3가지 쓰시오.

해답

① 「전기용품 및 생활용품 안전관리법」이 적용되는 이중절연 또는 이와 같은 수준 이상으로 보호되는 구조로 된 전기기계·기구
② 절연대 위 등과 같이 감전 위험이 없는 장소에서 사용하는 전기기계·기구
③ 비접지방식의 전로(그 전기기계·기구의 전원측의 전로에 설치한 절연변압기의 2차전압이 300볼트 이하, 정격용량이 3킬로볼트암페어 이하이고 그 절연변압기의 부하측의 전로가 접지되어 있지 아니한 것으로 한정)에 접속하여 사용되는 전기기계·기구

41

접지 시스템을 구성하는 요소를 3가지 쓰시오.

해답

① 접지극 ② 접지도체 ③ 보호도체 및 기타설비

42

접지도체의 단면적에 관한 내용이다. ( )에 알맞은 단면적을 쓰시오.

(1) 큰 고장전류가 접지도체를 통하여 흐르지 않을 경우 : 구리 (①) 이상 (2) 접지도체에 피뢰시스템이 접속되는 경우 : 구리 (②) 이상

해답

① $6mm^2$ ② $16mm^2$

43

교류아크 용접기의 방호장치명과 그 성능조건을 쓰시오.

해답

① 방호장치명 : 자동전격방지기
② 성능조건 : 아크발생을 중지하였을 때 지동시간이 1.0초 이내에 2차 무부하 전압을 25V 이내로 감압시켜 안전을 유지할 수 있어야 한다.

44

자동전격방지기의 종류 중 출력회로의 시동감도가 3Ω 미만인 것으로 저저항시동형 (L형)을 사용하는 장소를 쓰시오.

해답

① 선박 또는 탱크의 내부, 보일러 동체 등 대부분의 공간이 금속 등 도전성 물질로 둘러 쌓여 있어 용접작업시 신체의 일부분이 도전성 물질에 쉽게 접촉될 수 있는 장소
② 높이 2m 이상 철골 고소작업 장소
③ 물 등 도전성이 높은 액체에 의한 습윤 장소

45

전기화재의 원인에 해당하는 단락의 원인을 3가지 쓰시오.

해답

① 전기 기기 내부나 배선 회로상에서 절연체가 전기 또는 기계적 원인으로 노화 또는 파괴되어 합선에 의해 발화
② 충전부 회로가 금속체 등에 의해 합선되면 단락전류가 순간적으로 흘러 매우 많은 열이 발생되어 화재로 이어짐
③ 과전류에 의해 단락점이 용융되어 단선 되었을 경우 발생하는 불꽃으로 절연피복 또는 주위의 가연물에 착화의 가능성

46

전기누전으로 인한 화재의 조사사항을 3가지 쓰고, 발화단계에 이르는 누전전류의 최소한계를 쓰시오.

해답

(1) 조사사항 : ① 누전점 ② 발화점 ③ 접지점
(2) 발화단계에 이르는 누전전류의 최소한계 : 300~500mA

47

과전류에 의한 전선의 발화단계(연소 과정)를 쓰시오.

해답

① 제1단계 : 인화단계 ② 제2단계 : 착화단계
③ 제3단계 : 발화단계 ④ 제4단계 : 순시용단단계

48

전로의 사용전압에 따른 절연저항을 쓰시오.

해답

전로의 사용전압 (V)	DC 시험전압 (V)	절연저항 (MΩ 이상)
SELV 및 PELV	250	0.5
FELV, 500V 이하	500	1.0
500V 초과	1,000	1.0

[주] 특별저압(Extra Low Voltage : 2차 전압이 AC 500V, DC 120 V 이하)으로 SELV(비접지회로구성) 및 PELV(접지회로 구서어)은 1차와 2차가 전기적으로 절연된 회로, FELV 1차와 2차가 전기적으로 절연되지 않은 회로

tip
2021년 시행되는 개정된 법령을 적용하였습니다.

09

화재·폭발·누출사고 예방

CHAPTER 01

화재·폭발·누출요소 파악하기

1 연소의 정의

1) 정의

① 물질이 산소와 반응하면서 빛과 열을 발생하는 현상.

② 가연성 물질 + 조연성 물질 + 점화원 = 연소 (빛과 열 수반)

③ 산화반응으로 그 반응이 급격하여 열과 빛을 동반하는 발열반응

2) 연소의 3요소 ★★

가연물	① 산소와 친화력이 좋고 표면적이 넓을 것 ② 반응열(발열량)이 클 것 ③ 열전도율이 작을 것 ④ 활성화 에너지가 작을 것 * 가연물이 될 수 없는 조건 : ① 주기율표의 0족 원소 ② 이미 산화반응이 완결된 산화물 ③ 질소 또는 질소산화물(흡열반응)
산소 공급원	① 공기중의 산소(약 21%) ② 자기연소성 물질(5류 위험물) ③ 할로겐 원소 및 KNO_3등의 산화제
점화원	① 연소반응을 일으킬 수 있는 최소의 에너지(활성화 에너지) ② 불꽃, 단열압축, 산화열의 축적, 정전기 불꽃, 아크불꽃 등 ③ 전기 불꽃 에너지 식 $E=\frac{1}{2}CV^2=\frac{1}{2}QV$ 여기서) E : 전기불꽃에너지 C : 전기용량 Q : 전기량 V : 방전전압

2 연소 형태 ★★★

기체 연소	확산 (발염)연소	연소버너 주변에서 일어나는 연소로 가연성가스를 확산시켜 연소범위에 도달했을 때 연소하는 현상으로 기체의 일반적인 연소 형태(아세틸렌-산소, LPG-공기, LNG-공기 등)
	예혼합 연소	연소되기 전에 미리 연소 가능한 연소범위의 혼합가스를 만들어 연소시키는 형태
액체 연소	증발 연소	액체의 가장 일반적인 연소형태로 점화원에 의해 액체에서 가연성 증기가 발생하여 공기와 혼합, 연소범위를 형성하게 되어 연소하는 형태로 액체가 연소하는 것이 아니라 가연성 증기가 연소하는 현상(석유류, 에테르, 알콜류, 아세톤 등)
	분무 연소	중유와 같이 점도가 높고 비휘발성인 액체의 경우 분무기를 사용하여 액체입자를 안개상으로 분무하여 연소하게 되는데 이것은 액체의 표면적을 넓혀 공기와의 접촉면을 넓게 하기 위함이다[중유, 벙커C유 등]. 액적 연소
	분해연소	액체가 비휘발성인 경우에 열 분해해서 그 분해가스가 공기와 혼합하여 연소
고체 연소	표면 연소	연소물 표면에서 산소와 급격한 산화반응으로 열과 빛을 발생하는 현상으로 가연성가스 발생이나 열분해 반응이 없어 불꽃이 없는 것이 특징(코크스, 금속분, 목탄 등)
	분해 연소	고체 가연물이 점화원에 의해 복잡한 경로의 열분해 반응으로 가연성 증기가 발생하여 공기와 연소범위를 형성하게 되어 연소하는 형태(목재, 종이, 플라스틱, 석탄 등)
	증발 연소	고체 가연물이 점화원에 의해 상태변화(융해)를 일으켜 액체가 되고 일정 온도에서 가연성 증기가 발생, 공기와 혼합하여 연소하는 형태(나프탈렌, 황, 파라핀 등)
	자기 연소	분자내에 산소를 함유하고 있는 고체 가연물이 외부의 산소 공급원 없이 점화원에 의해 연소하는 형태(제5류 위험물, 니트로 글리세린, 니트로 셀룰로우스, 트리 니트로 톨루엔, 질산 에틸 등)

3 인화점 및 발화점

1) 인화점 ★★

정의	① 점화원에 의하여 인화될 수 있는 최저온도 ② 연소가능한 가연성 증기를 발생시킬 수 있는 최저온도
가연성 액체의 인화점	① 가연성 액체의 인화에 대한 위험성을 결정하는 요소로 인화점을 사용 ② 가연성 액체의 경우 인화점 이상에서 점화원의 접촉에 의해 인화 ③ 인화점이 낮을수록 위험한 물질

2) 발화점 ★★

(1) 정의

외부에서의 직접적인 점화원 없이 열의 축적에 의하여 발화되는 최저의 온도

(2) 자연발화

자연발화의 형태	① 산화열에 의한 발열(석탄, 건성유) ② 분해열에 의한 발열(셀룰로이드, 니트로셀룰로오스) ③ 흡착열에 의한 발열(활성탄, 목탄분말) ④ 미생물에 의한 발열(퇴비, 먼지)
자연발화의 조건	① 표면적이 넓을 것 ② 열전도율이 작을 것 ③ 발열량이 클 것 ④ 주위의 온도가 높을 것(분자운동 활발)
자연발화 방지법	① 통풍이 잘되게 할 것 ② 저장실 온도를 낮출 것 ③ 열이 축적되지 않는 퇴적방법을 선택할 것 ④ 습도가 높지 않도록 할 것

Key point

폭발의 성립조건

① 가연성가스, 증기, 분진 등이 공기 또는 산소와 접촉 또는 혼합되어 있는 경우(폭발범위내 존재)
② 혼합되어 있는 가스 및 분진이 어떤 구획된 공간이나 용기 등의 공간에 존재하고 있는 경우(밀폐된 공간)
③ 혼합된 물질의 일부에 점화원이 존재하고 그것이 매개체가 되어 최소 착화 에너지 이상의 에너지를 줄 경우

화재·폭발·누출 예방 계획수립하기

1 분진폭발

1) 분진 폭발의 과정 ★

(분진의 퇴적 → 비산하여 분진운 생성 → 분산 → 점화원 → 폭발)

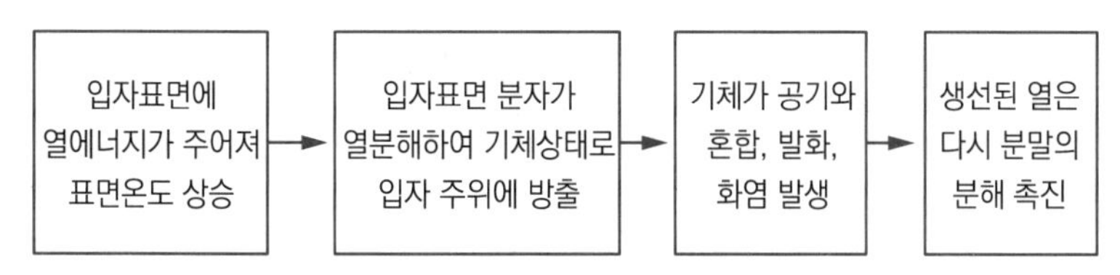

2) 분진폭발의 영향인자 ★★

분진의 화학적 성질과 조성	예를 들어 발열량이 클수록 폭발성이 크다.
입도와 입도분포	① 평균 입자의 직경이 작고 밀도가 작은 것일수록 비표면적은 크게 되고 표면에너지도 크게 된다. ② 보다 작은 입경의 입자를 함유하는 분진이 폭발성이 높다.
입자의 형상과 표면의 상태	산소에 의한 신선한 표면을 갖고 폭로시간이 짧은 경우 폭발성은 높게 된다.
수분	① 수분은 분진의 부유성을 억제 ② 마그네슘, 알루미늄등은 물과 반응하여 수소기체 발생

2 폭발 범위

1) 폭발 범위의 정의

(1) 가연성의 기체 또는 액체의 증기와 공기와의 혼합물에 점화를 했을 때 화염이 전파하여 폭발로 이어지는 가스의 농도한계

(2) 가연성가스의 농도가 너무 높거나 낮을 경우 화염의 전파가 일어나지 않는 농도 한계가 존재하게 되며 이때 농도의 낮은 쪽을 폭발 하한계, 높은 쪽을 폭발 상한계 그리고 그 사이를 폭발범위라고 부른다.

2) 폭발범위와 관련된 계산식 ★★

(1) 르샤틀리에의 법칙(혼합가스의 폭발범위 계산)

$$\frac{100}{L} = \frac{V_1}{L_1} + \frac{V_2}{L_2} + \frac{V_3}{L_3} \cdots\cdots$$

여기서, L_1, L_2, L_3 : 각 성분 단일의 연소한계 (상한 또는 하한)

V_1, V_2, V_3 : 각 성분 기체의 체적%

L : 혼합 기체의 연소 범위(상한 또는 하한)

(2) 최소산소농도(MOC)

① 연소 하한값(LFL)은 공기중 연료를 기준으로 하지만 연소에 있어 화염의 전파를 위해서는 최소한의 산소농도가 필요하다.(MOC는 공기와 연료중 산소의 %단위)

② MOC구하는 공식(대부분의 탄화수소)

LFL × 산소의 화학양론계수(연소반응식)

(3) 위험도 ★★★

폭발 범위를 이용한 가연성가스 및 증기의 위험성 판단 방법으로 위험도 값이 클수록 위험성이 높은 물질이다.

$$H = \frac{UFL - LFL}{LFL}$$

여기서, UFL : 연소 상한값, LFL : 연소 하한값, H : 위험도

(4) 완전연소 조성농도

$$Cst = \frac{100}{1 + 4.773(n + \frac{m - f - 2\lambda}{4})}$$

여기서, n : 탄소, m : 수소
f : 할로겐 원소의 원자 수, λ : 산소의 원자 수

3 화재의 종류

1) 화재의 종류 ★★

화재 급수	정의
A급 화재	일반화재, 물을 사용하는 냉각효과가 제일 우선하는 것으로, 목재, 섬유류, 나무, 종이, 플라스틱처럼 타고난 후 재를 남기는 보통화재
B급 화재	유류화재, 가연성액체인 에테르, 가솔린, 등유, 경유 등(고체 유지류 포함)과 프로판가스와 같은 가연성가스 등에서 발생하는 것으로 연소 후 아무것도 남기지 않는 유류. 가스화재
C급 화재	전기화재, 소화시 전기절연성을 갖는 소화제를 사용하여야 하는 변압기, 전기다리미 등 전기기구에 전기가 통하고 있는 기계. 기구 등에서 발생하는 화재
D급 화재	금속화재, 금속의 열전도에 따른 화재나 금속 분에 의한 분진의 폭발 등 철분, 마그네슘, 금속분류에 의한 화재로 일반적으로 건조사에 의한 소화방법 사용

4 폭굉 유도거리(Detonation Inducement Distance)

(1) 최초의 완만한 연소에서 폭굉까지 발달하는데 유도되는 거리

(2) DID가 짧아지는 요건 ★★

① 정상의 연소속도가 큰 혼합가스일 경우

② 관속에 방해물이 있거나 관경이 가늘수록

③ 압력이 높을수록

④ 점화원의 에너지가 강할수록

CHAPTER 03

화재·폭발·누출 사고 예방활동 하기

1 화재 예방대책 및 화재 감시자

1) 화재 예방대책

예방대책	가장 근본적인 방화대책		① 화재 예방에 관한 안전교육의 주기적인 실시 ② 점화원의 적정한 관리 ③ 가연성 가스의 연소범위 조성 방지 ④ 페일세이프의 원칙 적용 ⑤ 스파크발생 작업장의 방폭 설비화 ⑥ 정전기 발생 작업장의 정전기발생 방지 대책
국소대책	연소 확대 방지	국한대책	① 방화벽, 방화문 등 방화시설 설치 ② 불연성 재료의 사용 ③ 초기 화재 진압이 효율적으로 이루어질 수 있도록 조치 ④ 가연성 물질의 집적 방지 및 공지의 확보 ⑤ 위험물 시설의 지하매설 등
		경보설비	① 비상벨설비 ② 누전경보기 ③ 자동화재탐지설비 ④ 비상방송설비 등

2) 화재 감시자 ★★

배치해야 할 용접·용단 작업 장소	① 작업반경 11미터 이내에 건물구조 자체나 내부(개구부 등으로 개방된 부분을 포함한다)에 가연성물질이 있는 장소 ② 작업반경 11미터 이내의 바닥 하부에 가연성물질이 11미터 이상 떨어져 있지만 불꽃에 의해 쉽게 발화될 우려가 있는 장소 ③ 가연성물질이 금속으로 된 칸막이·벽·천장 또는 지붕의 반대쪽 면에 인접해 있어 열전도나 열복사에 의해 발화될 우려가 있는 장소
업무내용	① 화재감시자 배치 장소에 가연성물질이 있는지 여부의 확인 ② 폭발 또는 화재등의 예방에 따른 가스 검지, 경보 성능을 갖춘 가스 검지 및 경보장치의 작동 여부의 확인 ③ 화재 발생 시 사업장 내 근로자의 대피 유도
방연장비	지급해야 할 대피용 방연장비 ① 확성기 ② 휴대용 조명기구 및 화재 대피용 마스크(한국산업표준 제품이거나 「소방산업의 진흥에 관한 법률」에 따른 한국소방산업 기술원이 정하는 기준을 충족하는 것) 등

Key point

화재 감지기

열 감지기	① 차동식 ② 정온식 ③ 보상식
연기 감지기	① 광전식 ② 이온화식

2 소화의 정의 및 소화기의 종류

1) 소화의 정의 및 방법 ★

정의	소화란 연소의 3요소(가연물, 산소공급원, 점화원) 또는 4요소(연쇄반응 포함)중에서 한가지 이상을 제거하여 연소를 중단
방법	가연물을 제거하거나 산소공급의 차단 또는 연소온도를 낮추거나 연쇄반응을 억제하는 등의 방법으로 연소를 중단

2) 소화기의 종류별 특징 ★★

포 소화기	구조상 분류	① 보통 전도식 ② 내통 밀폐식 ③ 내통 밀봉식
	화학 반응식	$6NaHCO_3 + Al_2(SO_4)_3 \cdot 18H_2O$ $\rightarrow 3Na_2SO_4 + 2Al(OH)_3 + 6CO_2 + 18H_2O$
	특징	화학 반응 중 생긴 CO_2가스의 압력에 의해 거품이 방출
	포말의 조건	① 부착성 ② 응집성 ③ 유동성
분말 소화기	구조상 분류	① 축압식 ② 가스가압식
	특징	① 인산 암모늄은 ABC소화제라 하며 부착성이 좋은 메타인산을 만들어 다른 소화 분말 보다 30% 이상 소화능력이 향상 ② 전기에 대한 절연성이 우수
탄산 가스 소화기	성질	① 더 이상 산소와 반응하지 않는 안전한 가스이며 공기보다 무겁다. (분자량 44) ② 전기에 대한 절연성이 우수하다.
	특징	① 이음매 없는 고압가스 용기 사용 ② 용기 내의 액화탄산가스를 줄 톰슨 효과에 의해 드라이아이스로 방출 ③ 질식 및 냉각 효과이며 전기화재에 가장 적당. 유류 화재에도 사용 ④ 소화 후 증거 보존이 용이하나 방사거리가 짧은 단점 ⑤ 반도체 및 컴퓨터 설비 등에 사용가능

참고

소화의 종류

① 제거소화
② 질식소화
③ 냉각소화
④ 억제소화

증발성 액체 소화기 (할로겐 화합물 소화기)	소화 원리	① 증발성이 강한 액체가 연소물에 뿌려지면 화재의 열을 흡수하여 액체가 증발 → 증발된 증기는 불연성이고 공기보다 무거워서 공기침투 못하고 질식소화 ② 증기는 화재의 불꽃에 의해 할로겐 원소가 유리되어 가연물이 산소와 결합 하기전가연성 유리기와 결합 → 부촉매 효과
	반응식	① 건조 공기 : $2CCl_4+O_2 \rightarrow 2COCl_2+2Cl_2$ ② 습한 상태 : $CCl_4+H_2O \rightarrow COCl_2+2HCl$ ③ 탄산 가스 : $CCl_4+CO_2 \rightarrow 2COCl_2$ ④ 철제와 반응 : $3CCl_4+Fe_2O_3 \rightarrow 3COCl_2+2FeCl_3$
	사용금지 장소	① 지하층 ② 무창층 ③ 거실 또는 사무실로서 바닥면적이 $20m^2$ 미만
강화액 소화기	방출 방식	① 반응식(파병식) ② 가스가압식 ③ 축압식
	특징	① 물에 탄산칼륨을 보강시킨 소화기 ② 탄산칼륨으로 빙점을 -30~-25℃까지 낮춘 한냉지 또는 겨울철 사용 소화기

3) 소화기의 종류별 소화효과 ★★

소화기명	적응화재	소화효과	형식
분말 소화기	B, C급 (단, 인산염 ABC)	질식(냉각)	축압식, 가스가압식
할로겐화물 (증발성액체) 소화기	B, C급	부촉매(억제)효과, 질식효과, 냉각효과	축압식 자기증기압식
CO_2 소화기	B, C급	질식(냉각)	고압가스용기
포말소화기	A, B급	질식(냉각)	전도식 파병식(반응식)
강화액 소화기	A급 (분무상 : A, C)	냉각	가스가압식 축압식, 반응식
산·알칼리 소화기	A급	냉각	파병식, 전도식(반응식)

3 폭발의 방호방법

1) 불활성화 ★

(1) 가연성 혼합가스에 불활성 가스를 주입, 산소의 농도를 최소산소농도 이하로 하여 연소를 방지하는 공정

(2) 불활성 가스

① 질소 ② 이산화탄소 ③ 수증기

Key point

퍼지의 종류 ★

① 진공퍼지
② 압력퍼지
③ 스위프퍼지
④ 사이폰퍼지

2) 가스 또는 분진폭발 위험장소에 설치되는 건축물 등

(1) 내화구조로 해야 하는 부분 ★★★

건축물의 기둥 및 보	지상 1층(지상 1층의 높이가 6미터를 초과하는 경우에는 6미터)까지
위험물 저장·취급용기의 지지대 (높이가 30센티미터 이하인 것 제외)	지상으로부터 지지대의 끝부분까지
배관·전선관 등의 지지대	지상으로부터 1단(1단의 높이가 6미터를 초과하는 경우에는 6미터)까지

(2) 건축물 등의 주변에 화재에 대비하여 물 분무시설 또는 폼 헤드(foam head)설비 등의 자동소화설비를 설치하여 건축물 등이 화재시에 2시간 이상 그 안전성을 유지할 수 있도록 한 경우에는 내화구조로 하지 아니할 수 있다.

3) BLEVE와 UVCE ★★★

① BLEVE(Boiling Liquid Expanding Vapor Explosion)

비등점이 낮은 인화성액체 저장탱크가 화재로 인한 화염에 장시간 노출되어 탱크 내 액체가 급격히 증발하여 비등하고 증기가 팽창하면서 탱크내 압력이 설계압력을 초과하여 폭발을 일으키는 현상으로 BLEVE를 방지하기 위해서는 용기의 압력상승을 방지하여 용기내 압력이 대기압 근처에서 유지되도록 하고, 살수설비 등으로 용기를 냉각하여 온도상승을 방지하는 조치를 하여야 한다.

② UVCE(증기운폭발, Unconfined Vapor Cloud Explosion)

가연성 가스 또는 기화하기 쉬운 가연성 액체 등이 저장된 고압가스 용기(저장탱크)의 파괴로 인하여 대기중으로 유출된 가연성 증기가 구름을 형성(증기운)한 상태에서 점화원이 증기운에 접촉하여 폭발(가스폭발)하는 현상으로, 이를 예방하기 위해서는 물질의 방출을 방지해야 하며, 누설을 감지할 수 있는 검지기 등을 설치하여야 한다.

단원별 출제예상문제

01
연소의 3요소에 해당하는 내용을 쓰시오.

해답

① 가연물　② 산소 공급원　③ 점화원

02
연소의 조건에서 가연물이 되기위한 조건을 4가지 쓰시오.

해답

① 산소와 친화력이 좋고 표면적이 넓을 것
② 반응열(발열량)이 클 것
③ 열전도율이 작을 것
④ 활성화 에너지가 작을 것.

03
연소의 조건에서 가연물이 될 수 없는 조건을 3가지 쓰시오.

해답

① 주기율표의 0족 원소
② 이미 산화반응이 완결된 산화물
③ 질소 또는 질소산화물(흡열반응)

04
연소의 형태중에서 고체연소에 해당하는 종류를 4가지 쓰시오.

해답

① 표면 연소　② 분해 연소　③ 증발 연소　④ 자기 연소

05
석유류, 에테르, 알콜류, 아세톤등의 연소형태는 어디에 해당되는가?

해답

액체연소 중에서 증발연소에 해당된다.

06
인화점과 발화점의 정의를 쓰시오.

해답

① 인화점 : 점화원에 의하여 인화될 수 있는 최저온도 또는 연소가능한 가연성 증기를 발생시킬 수 있는 최저온도
② 발화점 : 외부에서의 직접적인 점화원 없이 열의 축적에 의하여 발화되는 최저의 온도

07
발화점이 낮아지는 조건을 3가지 쓰시오.

해답

① 분자의 구조가 복잡할수록　② 발열량이 높을수록
③ 반응 활성도가 클수록　④ 열전도율이 낮을수록
⑤ 산소와의 친화력이 좋을수록　⑥ 압력이 클수록

08
자연발화의 형태에 해당하는 종류를 4가지 쓰시오.

해답

① 산화열에 의한 발열(석탄, 건성유)
② 분해열에 의한 발열(셀룰로이드, 니트로셀룰로오스)
③ 흡착열에 의한 발열(활성탄, 목탄분말)
④ 미생물에 의한 발열(퇴비, 먼지)

09

자연발화가 일어나기 위한 조건을 3가지 쓰시오.

해답

① 표면적이 넓을 것 ② 열전도율이 작을 것
③ 발열량이 클 것 ④ 주위의 온도가 높을 것(분자운동 활발)

10

자연발화를 방지하기 위한 방법을 4가지 쓰시오.

해답

① 통풍이 잘되게 할 것
② 저장실 온도를 낮출 것
③ 열이 축적되지 않는 퇴적방법을 선택할 것
④ 습도가 높지 않도록 할 것

11

폭발의 성립조건을 3가지 쓰시오.

해답

① 가연성가스, 증기, 분진 등이 공기 또는 산소와 접촉 또는 혼합되어 있는 경우(폭발범위내 존재)
② 혼합되어 있는 가스 및 분진이 어떤 구획된 공간이나 용기 등의 공간에 존재하고 있는 경우(밀폐된 공간)
③ 혼합된 물질의 일부에 점화원이 존재하고 그것이 매개체가 되어 최소 착화 에너지 이상의 에너지를 줄 경우

12

안전간격의 정의를 쓰시오.

해답

화염이 틈새를 통하여 바깥쪽의 폭발성 가스에 전달되지 않는 한계의 틈새

13

폭발의 종류를 4가지 쓰시오.

해답

① 화학적 폭발 ② 압력 폭발 ③ 분해 폭발
④ 중합 폭발 ⑤ 촉매 폭발

14

아세틸렌 가스의 위험도를 계산식에 의해 구하시오.

해답

$$위험도(H)=\frac{폭발상한(U)-폭발하한(L)}{폭발하한(L)}=\frac{81-2.5}{2.5}=31.4$$

15

LPG가스가 공기중에서 누출되어 공기와 혼합된 상태이다. 기체의 조성은 공기 55%, 프로판 40%, 부탄 5% 라면, 혼합기체의 폭발하한계를 계산하시오.(단, 프로판 및 부탄의 공기중 폭발하한계는 각각 2.1%, 1.8%이다.)

해답

르샤틀리에의 법칙(혼합가스의 폭발범위 계산)

$$\frac{100}{L}=\frac{V_1}{L_1}+\frac{V_2}{L_2}+\frac{V_3}{L_3}\cdots$$

여기서) L_1, L_2, L_3 : 각 성분 단일의 연소한계 (상한 또는 하한)
V_1, V_2, V_3 : 각 성분 기체의 체적%
L : 혼합 기체의 연소 범위(상한 또는 하한)

(1) 공기중 가스의 조성

① 프로판가스 : $\frac{40}{45}\times 100 ≒ 88.89$

② 부탄가스 : $\frac{5}{45}\times 100 ≒ 11.11$

(2) 혼합가스의 폭발하한계 : $\dfrac{100}{\frac{88.89}{2.1}+\frac{11.11}{1.8}} ≒ 2.06(\%)$

16

화재의 종류를 4가지 쓰시오.

해답

① A급 화재(일반화재)
② B급 화재(유류화재)
③ C급 화재(전기화재)
④ D급 화재(금속화재)

17

폭발의 방지를 위한 퍼지의 종류를 3가지 쓰시오.

해답

① 진공퍼지(Vacuum purging)
② 압력퍼지(Pressure purging)
③ 스위프 퍼지(Sweep-Through Purging)
④ 사이폰치환(Siphon purging)

18

인화성물질의 증기, 가연성가스 또는 가연성분진이 존재하여 폭발 또는 화재가 발생할 우려가 있을 경우의 예방대책을 3가지 쓰시오.

해답

① 통풍·환기 및 제진 등의 조치를 할 것
② 폭발 또는 화재를 미리 감지할 수 있는 가스검지 및 경보장치를 설치하고 그 성능이 발휘될 수 있도록 할 것
③ 불꽃 또는 아크를 발생하거나 고온으로 될 우려가 있는 화기 또는 기계·기구 및 공구 등을 사용하지 말 것

19

다음에 해당하는 고압가스의 도색구분에 해당하는 색을 쓰시오.

가스의 종류	도색 구분	가스의 종류	도색 구분
액화 석유가스	회색	액화암모니아	(④)
수소	(①)	액화염소	갈색
아세틸렌	(②)	산소	(⑤)
액화탄산가스	(③)	질소	회색

해답

① 주황색 ② 황색 ③ 청색 ④ 백색 ⑤ 녹색

20

소화이론에 해당하는 소화의 종류를 쓰시오.

해답

① 제거소화 ② 질식소화 ③ 냉각소화 ④ 억제소화

21

질식소화의 정의와 해당하는 대상 소화기의 종류를 3가지 쓰시오.

해답

(1) 정의 : 공기중의 산소농도(21%)를 15%이하로 낮추어 연소를 중단시키는 방법(B급 화재인 4류 위험물의 소화에 가장 적당)

(2) 대상 소화기 종류

① 포말소화기(A급, B급)
② 분말소화기(BC급, ABC급)
③ 탄산가스 소화기(B급, C급)
④ 간이 소화제

22

촛불, 유전의 화재, 가스의 화재, 산불화재 등을 소화하는 가장 적당한 소화방법을 쓰시오.

해답

제거소화

23

소화기의 종류를 5가지 쓰시오.

해답

① 포 소화기　② 분말 소화기
③ 탄산가스 소화기　④ 증발성 액체 소화기(할로겐 화합물 소화기)
⑤ 강화액 소화기

24

분말소화기의 인산암모늄에 대하여 간단히 설명하시오.

해답

인산 암모늄은 ABC소화제라 하며 부착성이 좋은 메타인산을 만들어 다른 소화 분말 보다 30% 이상 소화능력이 향상

25

증발성 액체 소화기를 사용할 수 없는 장소를 쓰시오.

해답

① 지하층　② 무창층
③ 거실 또는 사무실로서 바닥면적이 20m² 미만

26

탄산가스 소화기에 해당하는 적응화재와 소화효과를 쓰시오.

해답

① 적응화재 : B, C급　② 소화효과 : 질식(냉각)

27

가스폭발 위험장소 또는 분진폭발 위험장소에 설치되는 건축물 등에 대해서는 산업안전보건법에서 정하고 있는 해당하는 부분을 내화구조로 하여야 하며, 그 성능이 항상 유지될 수 있도록 점검·보수 등 적절한 조치를 하여야 한다. 여기에 해당하는 부분을 2가지 쓰시오.

해답

① 건축물의 기둥 및 보 : 지상 1층(지상 1층의 높이가 6미터를 초과하는 경우에는 6미터)까지
② 위험물 저장·취급용기의 지지대(높이가 30센티미터 이하인 것은 제외) : 지상으로부터 지지대의 끝부분까지
③ 배관·전선관 등의 지지대 : 지상으로부터 1단(1단의 높이가 6미터를 초과하는 경우에는 6미터)까지

28

폭발의 정의에서 UVCE와 BLEVE에 대하여 간단히 설명하시오.

해답

① BLEVE(Boiling Liquid Expanding Vapor Explosion)

비등점이 낮은 인화성액체 저장탱크가 화재로 인한 화염에 장시간 노출되어 탱크내 액체가 급격히 증발하여 비등하고 증기가 팽창하면서 탱크 내 압력이 설계압력을 초과하여 폭발을 일으키는 현상으로, BLEVE를 방지하기 위해서는 용기의 압력상승을 방지하여 용기내 압력이 대기압 근처에서 유지되도록 하고, 살수설비 등으로 용기를 냉각하여 온도상승을 방지하는 조치를 하여야 한다.

② UVCE(증기운폭발. Unconfined Vapor Cloud Explosion)

가연성 가스 또는 기화하기 쉬운 가연성 액체등이 저장된 고압가스 용기(저장탱크)의 파괴로 인하여 대기중으로 유출된 가연성 증기가 구름을 형성(증기운)한 상태에서 점화원이 증기운에 접촉하여 폭발(가스폭발)하는 현상으로, 이를 예방하기 위해서는 물질의 방출을 방지해야하며, 누설을 감지할 수 있는 검지기 등을 설치하여야한다.

10

화학물질 안전관리 실행 및 화공안전점검

CHAPTER 01

유해·위험성 확인하기

1 인화성과 발화성 ★

인화성	① 가연성 액체의 인화에 대한 위험성은 인화점으로 결정 ② 인화점이란 액체가 공기중에서 인화하는데 충분한 농도의 증기를 발생하는 최저온도
발화성	① 발화에 관한 기준도 발화점 또는 발화온도를 기준으로 그 위험성을 규정 ② 발화온도란 외부에서 화염. 전기불꽃 등의 착화원 없이 물질을 공기중 또는 산소중에서 가열한 경우 발화·폭발하는 최저온도

2 산업안전보건법상의 위험물의 종류 ★★★

구분	종류 및 기준량
폭발성 물질 및 유기과산화물	가. 질산에스테르류 나. 니트로화합물 다. 니트로소화합물 라. 아조화합물 마. 디아조화합물 바. 하이드라진 유도체 사. 유기과산화물 아. 그 밖에 가목부터 사목의 물질과 같은 정도의 폭발 위험이 있는 물질 자. 가목부터 아목까지의 물질을 함유한 물질
물반응성 물질 및 인화성 고체	가. 리튬 나. 칼륨·나트륨 다. 황 라. 황린 마. 황화인·적린 바. 셀룰로이드류 사. 알킬알루미늄·알킬리튬 아. 마그네슘 분말 자. 금속 분말(마그네슘 분말은 제외한다) 차. 알칼리금속(리튬칼륨 및 나트륨은 제외한다) 카. 유기금속화합물(알킬알루미늄 및 알킬리튬은 제외) 타. 금속의 수소화물 파. 금속의 인화물 하. 칼슘탄화물, 알루미늄탄화물 거. 그 밖에 가목부터 하목까지의 물질과 같은 정도의 발화성 또는 인화성이 있는 물질 너. 가목부터 거목까지의 물질을 함유한 물질

구분	종류 및 기준량
산화성 액체 및 산화성 고체	가. 차아염소산 및 그 염류 나. 아염소산 및 그 염류 다. 염소산 및 그 염류 라. 과염소산 및 그 염류 마. 브롬산 및 그 염류 바. 요오드산 및 그 염류 사. 과산화수소 및 무기 과산화물 아. 질산 및 그 염류 자. 과망간산 및 그 염류 차. 중크롬산 및 그 염류 카. 그 밖에 가목부터 차목까지의 물질과 같은 정도의 산화성이 있는 물질 타. 가목부터 카목까지의 물질을 함유한 물질
인화성 액체	가. 에틸에테르, 가솔린, 아세트알데히드, 산화프로필렌, 그 밖에 인화점이 23℃ 미만이고 초기 끓는 점이 35℃ 이하인 물질 나. 노르말헥산, 아세톤, 메틸에틸케톤, 메틸알코올, 에틸알코올, 이황화탄소, 그 밖에 인화점이 23℃ 미만이고 초기 끓는점이 35℃를 초과하는 물질 다. 크렌실, 아세트산아밀, 등유, 경유, 테레핀유, 이소아밀알코올, 아세트산, 하이드라진, 그 밖에 인화점이 23℃ 이상 60℃ 이하인 물질
인화성 가스	가. 수소 나. 아세틸렌 다. 에틸렌 라. 메탄 마. 에탄 바. 프로판 사. 부탄 아. 유해·위험물질 규정량에 따른 인화성 가스
부식성 물질	가. 부식성 산류 (1) 농도가 20% 이상인 염산, 황산, 질산, 그 밖에 이와 같은 정도 이상의 부식성을 가지는 물질 (2) 농도가 60% 이상인 인산, 아세트산, 불산, 그 밖에 이와 같은 정도 이상의 부식성을 가지는 물질 나. 부식성 염기류 : 농도가 40% 이상인 수산화나트륨, 수산화칼륨, 그 밖에 이와 같은 정도 이상의 부식성을 가지는 염기류
급성 독성 물질	가. 쥐에 대한 경구투입실험에 의하여 실험동물의 50%를 사망시킬 수 있는 물질의 양, 즉 LD50(경구, 쥐)이 kg당 300mg(체중) 이하인 화학물질 나. 쥐 또는 토끼에 대한 경피흡수실험에 의하여 실험동물의 50%를 사망시킬 수 있는 물질의 양, 즉 LD50(경피, 토끼 또는 쥐)이 kg당 1000mg(체중) 이하인 화학물질 다. 쥐에 대한 4시간 동안의 흡입실험에 의하여 실험동물의 50%를 사망시킬 수 있는 물질의 농도, 즉 가스 LC50(쥐, 4시간 흡입)이 2,500ppm 이하인 화학물질, 증기 LC50(쥐, 4시간 흡입)이 10mg/L 이하인 화학물질, 분진 또는 미스트 1mg/L 이하인 화학물질

Oxford 지수(습건지수) ★★

습구온도(W)와 건구온도(D)의 가중 평균치로 정의
WD = 0.85W + 0.15D

3 노출기준의 표시단위 ★★

가스 및 증기	피피엠(ppm)
분진 및 미스트 등 에어로졸	세제곱미터당 밀리그램(mg/m^3) 다만, 석면 및 내화성세라믹섬유는 세제곱센티미터당 개수(개/cm^3)
고온	습구 흑구 온도지수(WBGT) 옥외(태양광선이 내리쬐는 장소) : =WBGT(℃)=0.7×자연습구온도+0.2×흑구온도+0.1×건구온도 옥내 또는 옥외 (태양광선이 내리쬐지 않는 장소) : WBGT(℃)=0.7×자연습구온도+0.3×흑구온도

CHAPTER

02 MSDS 활용하기

1 물질안전보건자료(MSDS)

1) 작성내용 ★★

① 제품명

② 물질안전보건자료대상물질을 구성하는 화학물질 중 유해인자의 분류기준에 해당하는 화학물질의 명칭 및 함유량

③ 안전 및 보건상의 취급주의 사항

④ 건강 및 환경에 대한 유해성, 물리적 위험성

⑤ 물리·화학적 특성 등 고용노동부령으로 정하는 사항

㉠ 물리·화학적 특성

㉡ 독성에 관한 정보

㉢ 폭발·화재 시의 대처 방법

㉣ 응급조치 요령

㉤ 그 밖에 고용노동부장관이 정하는 사항

2) 작성요령 및 방법

① 작성 시 인용된 자료 출처 기재 : 신뢰성 확보 방안

② 경고표지 부착

㉠ 물질을 담은 용기 또는 포장에 부착하거나 인쇄

㉡ 경고표지에 포함해야 할 사항

명칭	제품명
그림문자	화학물질의 분류에 따라 유해위험의 내용을 나타내는 그림
신호어	유해위험의 심각성 정도에 따라 표시하는 "위험" 또는 "경고" 문구
유해위험 문구	화학물질의 분류에 따라 유해위험을 알리는 문구
예방조치 문구	화학물질에 노출되거나 부적절한 저장취급 등으로 발생하는 유해위험을 방지하기 위하여 알리는 주요 유의사항
공급자 정보	물질안전보건자료대상물질의 제조자 또는 공급자의 이름 및 전화번호 등

Key point

MSDS의 작성·제출 제외 대상 화학물질 등 ★★

① 「농약관리법」에 따른 농약
② 「비료관리법」에 따른 비료
③ 「사료관리법」에 따른 사료
④ 「식품위생법」에 따른 식품 및 식품첨가물
⑤ 「약사법」에 따른 의약품 및 의약외품
⑥ 「원자력안전법」에 따른 방사성물질
⑦ 「위생용품 관리법」에 따른 위생용품
⑧ 「의료기기법」에 따른 의료기기
⑨ 「폐기물관리법」에 따른 폐기물
⑩ 「화장품법」에 따른 화장품 등

③ 물질안전보건자료에 관한 교육의 시기·내용

시기	㉠ 물질안전보건자료대상물질을 제조·사용·운반 또는 저장하는 작업에 근로자를 배치하게 된 경우 ㉡ 새로운 물질안전보건자료대상물질이 도입된 경우 ㉢ 유해성·위험성 정보가 변경된 경우
내용 ★★	㉠ 대상화학물질의 명칭(또는 제품명) ㉡ 물리적 위험성 및 건강 유해성 ㉢ 취급상의 주의사항 ㉣ 적절한 보호구 ㉤ 응급조치 요령 및 사고시 대처방법 ㉥ 물질안전보건자료 및 경고표지를 이해하는 방법

④ 작업공정별 관리요령 게시

㉠ 제품명

㉡ 건강 및 환경에 대한 유해성, 물리적 위험성

㉢ 안전 및 보건상의 취급주의 사항

㉣ 적절한 보호구

㉤ 응급조치 요령 및 사고 시 대처방법

⑤ 물질안전보건자료의 제공

㉠ 대상물질을 양도하거나 제공하는 자는 이를 양도받거나 제공받는 자에게 물질안전보건자료를 제공하여야 한다.(제조하거나 수입한 자는 변경이 필요한 경우 변경된 자료 제공)

㉡ 대상물질을 양도하거나 제공한 자는 변경된 물질안전보건자료를 제공받은 경우 이를 물질안전보건자료대상물질을 양도받거나 제공받은 자에게 제공하여야 한다.

㉢ 동일한 상대방에게 같은 대상물질을 2회 이상 계속하여 양도 또는 제공하는 경우에는 해당 대상물질에 대한 물질안전보건자료의 변경이 없는 한 추가로 물질안전보건자료를 제공하지 않을 수 있다. 다만, 상대방이 물질안전보건자료의 제공을 요청한 경우에는 그렇지 않다.

Key point

MSDS 작성 시 포함되어야 할 항목

★★★

① 화학제품과 회사에 관한 정보
② 유해성·위험성
③ 구성성분의 명칭 및 함유량
④ 응급조치요령
⑤ 폭발·화재시 대처방법
⑥ 누출사고시 대처방법
⑦ 취급 및 저장방법
⑧ 노출방지 및 개인보호구
⑨ 물리화학적 특성
⑩ 안정성 및 반응성
⑪ 독성에 관한 정보
⑫ 환경에 미치는 영향
⑬ 폐기 시 주의사항
⑭ 운송에 필요한 정보
⑮ 법적규제 현황
⑯ 그 밖의 참고사항(자료의 출처, 작성일자 등)

안전점검계획 수립하기

1 화학설비의 안전설계

1) 안전밸브, 파열판 설치대상 설비(최고사용압력 이전에 작동되도록 설정) ★

① 압력용기(안지름이 150밀리미터 이하인 압력용기는 제외, 관형 열교환기는 관의 파열로 인하여 상승한 압력이 압력용기의 최고사용압력을 초과할 우려가 있는 경우)

② 정변위 압축기

③ 정변위 펌프(토출측에 차단밸브가 설치된 것)

④ 배관(2개 이상의 밸브에 의하여 차단되어 대기온도에서 액체의 열팽창에 의하여 구조적으로 파열이 우려되는 것)

⑤ 그 밖의 화학설비 및 그 부속설비로서 해당 설비의 최고사용압력을 초과할 우려가 있는 것

2) 설치대상 설비 중 파열판을 설치해야 하는 경우 ★★★

① 반응폭주등 급격한 압력상승의 우려가 있는 경우

② 급성 독성물질의 누출로 인하여 주위의 작업환경을 오염시킬 우려가 있는 경우

③ 운전중 안전밸브에 이상물질이 누적되어 안전밸브가 작동되지 아니할 우려가 있는 경우

3) 파열판 설치방법

① 압력용기, 배관, 덕트 등의 밀폐장치가 압력의 과다 또는 진공에 의해 파손될 위험 발생 시 이를 예방하기 위한 안전장치

② 설치방법

㉠ 운전압력, 압력의 변화, 운전온도 등에 의해 크리프 및 피로가 발생하며, 장기간 운전 시 파열 가능성이 있으므로 정기적 교체 필요

㉡ 신뢰성 확보가 곤란할 경우 안전밸브와 병행하거나 두 개의 파열판 장착 ★★

파열판 및 안전밸브의 직렬 설치	급성 독성물질이 지속적으로 외부에 유출될 수 있는 화학설비 및 그 부속설비에 직렬로 설치하고 그 사이에는 압력지시계 또는 자동경보장치 설치
파열판과 안전밸브를 병렬로 반응기 상부에 설치	반응폭주 현상이 발생했을 때 반응기내부 과압을 분출하고자 할 경우

참고

안전밸브의 종류

① 스프링식
② 파열판식
③ 중추식
④ 가용전식

2 특수화학설비의 안전조치 ★★

계측장치의 설치	내부의 이상상태 조기파악 : ① 온도계 ② 유량계 ③ 압력계
자동경보장치 설치	내부의 이상상태 조기파악
긴급차단장치	이상 상태의 발생에 따른 폭발, 화재 또는 위험물 누출 방지 ① 원재료 공급의 긴급차단 ② 제품 등의 방출 ③ 불활성 가스의 주입이나 냉각 용수 등의 공급 등의 장치 설치
예비동력원의 준수사항	① 동력원의 이상에 의한 폭발이나 화재를 방지하기 위하여 즉시 사용할 수 있는 예비동력원을 갖추어 둘 것 ② 밸브·콕·스위치 등에 대해서는 오조작을 방지하기 위하여 잠금장치를 하고 색채표시 등으로 구분할 것

3 작업환경 개선의 기본원칙 ★

대치	① 물질의 변경 ② 공정의 변경 ③ 시설의 변경
격리	① 원격조정 ② 교대작업 ③ 근로시간 단축 등
환기	① 국소환기 방식 ② 전체 환기방식
교육	① 경영자 ② 감독자 ③ 작업자 ④ 공정 및 시설 설계자 등

CHAPTER 04

안전점검 실행 및 평가하기

01 안전점검 실행하기

1 위험물 저장 취급설비의 안전거리 ★★★

구분	안전거리
1. 단위공정시설 및 설비로부터 다른 단위공정시설 및 설비의 사이	설비의 바깥면으로부터 10m 이상
2. 플레어스택으로부터 단위공정시설 및 설비, 위험물질 저장탱크 또는 위험물질 하역설비의 사이	플레어스택으로부터 반경 20m 이상
3. 위험물질 저장탱크로부터 단위공정시설 및 설비, 보일러 또는 가열로의 사이	저장탱크의 바깥면으로부터 20m 이상
4. 사무실·연구실·실험실·정비실 또는 식당으로부터 단위공정시설 및 설비, 위험물질 저장탱크, 위험물질 하역설비, 보일러 또는가열로의 사이	사무실 등의 바깥면으로부터 20m 이상

2 국소배기장치의 후드 및 덕트 설치요령 ★★

후드	① 유해물질이 발생하는 곳마다 설치할 것 ② 유해인자의 발생형태와 비중, 작업방법 등을 고려하여 당해 분진 등의 발산원을 제어할 수 있는 구조로 설치할 것 ③ 후드형식은 가능하면 포위식 또는 부스식 후드를 설치할 것 ④ 외부식 또는 리시버식 후드는 해당 분진 등의 발산원에 가장 가까운 위치에 설치할 것
덕트	① 가능하면 길이는 짧게 하고 굴곡부의 수는 적게 할 것 ② 접속부의 안쪽은 돌출된 부분이 없도록 할 것 ③ 청소구를 설치하는 등 청소하기 쉬운 구조로 할 것 ④ 덕트내부에 오염물질이 쌓이지 않도록 이송속도를 유지할 것 ⑤ 연결부위 등은 외부공기가 들어오지 않도록 할 것

3 위험물 건조설비를 설치하는 건축물의 구조

다음에 해당하는 위험물 건조설비 중 건조실을 설치하는 건축물의 구조는 독립된 단층 건물로 하여야 한다.(다만, 건조실을 건축물의 최상층에 설치하거나 건축물이 내화구조인 경우에는 그러하지 아니하다.)

① 위험물 또는 위험물이 발생하는 물질을 가열·건조하는 경우 내용적이 $1m^3$ 이상인 건조설비

② 위험물이 아닌 물질을 가열·건조하는 경우로서 다음에 해당하는 건조설비

㉠ 고체 또는 액체연료의 최대사용량이 시간당 10kg 이상

㉡ 기체연료의 최대사용량이 시간당 $1m^3$ 이상

㉢ 전기사용 정격용량이 10kW 이상

02 안전점검 평가하기

1 계측장치의 설치 ★★

목적	화학설비의 안전한 작업을 위해 온도, 압력, 유량 등의 화학설비 내부에 관한 자료 또는 정보를 정확히 파악하는 것
설치대상 특수화학설비	① 발열반응이 일어나는 반응장치 ② 증류·정류·증발·추출 등 분리를 하는 장치 ③ 가열시켜 주는 물질의 온도가 가열되는 위험물질의 분해온도 또는 발화점보다 높은 상태에서 운전되는 설비 ④ 반응폭주 등 이상 화학반응에 의하여 위험물질이 발생할 우려가 있는 설비 ⑤ 온도가 350℃ 이상이거나 게이지압력이 980kPa 이상인 상태에서 운전되는 설비 ⑥ 가열로 또는 가열기

2 공정안전의 평가

1) 공정안전보고서 ★★

(1) 제출대상 사업장(보유설비)

① 원유정제 처리업

② 기타 석유정제물 재처리업

③ 석유화학계 기초화학물 질제조업 또는 합성수지 및 기타 플라스틱물질 제조업

④ 질소 화합물, 질소 인산 및 칼리질 화학비료 제조업 중 질소질 비료 제조

⑤ 복합비료 및 기타 화학비료 제조업 중 복합비료 제조(단순혼합 또는 배합에 의한 경우는 제외)

⑥ 화학살균 살충제 및 농업용 약제 제조업(농약 원제 제조만 해당)

⑦ 화약 및 불꽃제품 제조업

(2) 유해위험설비 제외대상

① 원자력 설비

② 군사시설

③ 사업주가 해당 사업장 내에서 직접 사용하기 위한 난방용 연료의 저장 설비 및 사용설비

④ 도매·소매 시설

⑤ 차량 등의 운송설비

⑥ 「액화석유가스의 안전관리 및 사업법」에 따른 액화석유가스의 충전·저장시설

⑦ 「도시가스사업법」에 따른 가스 공급시설

⑧ 그 밖에 고용노동부장관이 누출·화재·폭발 등으로 인한 피해의 정도가 크지 않다고 인정하여 고시하는 설비

Key point

공정안전보고서 포함사항 ★★★

① 공정안전자료
② 공정위험성 평가서
③ 안전운전계획
④ 비상조치계획

2) 화학설비의 안전성 평가 ★★★

단계		평가항목	
1	관계자료의 작성준비	① 입지조건 ② 화학설비 배치도 ③ 건조물의 평면도와 단면도 및 입면도 ④ 원재료, 중간체, 제품등의 물리적, 화학적 성질 및 인체에 미치는 영향 ⑤ 제조공정 개요 ⑥ 공정 계통도 등	
2	정성적평가	① 설계관계 : 입지조건, 공장내의 배치, 건조물, 소방용 설비 등 ② 운전관계 : 원재료, 중간제품 등의 위험성, 프로세스의 운전조건 수송, 저장 등에 대한 안전대책, 프로세스기기의 선정요건	
3	정량적평가	항목	① 각 구성요소의 물질 ② 화학설비의 용량 ③ 온도 ④ 압력 ⑤ 조작
		평점	A(10점), B(5점), C(2점), D(0점)
		등급 구분	위험등급 / I등급 / II등급 / III등급 점수 / 16점 이상 / 11~15점 / 0~10점
4	안전대책	① 평가의 결과에 따라 I등급에서 III등급으로 구분 ② 설비에 대한 대책 : 필요 최소한의 것이 법규에서 규제되고 있으므로 이것을 종합적으로 취합해서 대책으로 하고 있으나 플랜트의 특성 등을 감안하여 필요한 대책 강구 ③ 관리적인 대책 ㉮ 적정한 인원배치와 교육훈련이 중요한 과제 ㉯ 교육의 효과 : 즉흥성이 있는 반면 연속성이 결여(새로운 교육방법 채택, 반복 교육)	
5	재해정보로부터의 재평가	안전대책강구 후 그 설계에 동종 플랜트 또는 동종장치에서 파악한 재해정보를 적용시켜 재평가(재해사례의 상호교환)	
6	FTA에 의한 재평가	① 위험도의 등급이 I에 해당하는 플랜트에 대해 FTA에 의한 재평가 실시 ② 개선할 부분 발견시 설계내용에다 필요한 수정	

단원별 출제예상문제

01

물질안전보건자료의 작성내용을 3가지 쓰시오.

해답

① 제품명
② 물질안전보건자료대상물질을 구성하는 화학물질 중 유해인자의 분류기준에 해당하는 화학물질의 명칭 및 함유량
③ 안전 및 보건상의 취급주의 사항
④ 건강 및 환경에 대한 유해성, 물리적 위험성
⑤ 물리·화학적 특성 등 고용노동부령으로 정하는 사항
　㉠ 물리·화학적 특성
　㉡ 독성에 관한 정보
　㉢ 폭발·화재시의 대처 방법
　㉣ 응급조치 요령
　㉤ 그 밖에 고용노동부장관이 정하는 사항

02

물질안전보건자료의 경고표지에 포함해야할 사항을 4가지 쓰시오.

해답

① 명칭　② 그림문자　③ 신호어
④ 유해위험 문구　⑤ 예방조치 문구　⑥ 공급자 정보

03

인화성가스와 인화성 액체의 정의를 쓰시오.

해답

① 인화성가스 : 인화한계 농도의 최저 한도가 13퍼센트 이하 또는 최고 한도와 최저 한도의 차가 12퍼센트 이상인 것으로서 표준압력(101.3kPa)하의 20℃에서 가스상태인 물질을 말한다.
② 인화성액체 : 표준압력(101.3kPa)하에서 인화점이 60℃ 이하이거나 고온·고압의 공정운전조건으로 인하여 화재·폭발위험이 있는 상태에서 취급되는 가연성물질을 말한다.

04

인화성과 발화성에 대해 간단히 설명하시오.

해답

인화성	① 가연성 액체의 인화에 대한 위험성은 인화점으로 결정 ② 인화점이란 액체가 공기중에서 인화하는데 충분한 농도의 증기를 발생하는 최저온도
발화성	① 발화에 관한 기준도 발화점 또는 발화온도를 기준으로 그 위험성을 규정 ② 발화온도란 외부에서 화염, 전기불꽃 등의 착화원 없이 물질을 공기중 또는 산소 중에서 가열한 경우 발화·폭발하는 최저온도

05

산업안전보건법상 위험물의 종류 중 폭발성 물질 및 유기과산화물의 종류를 5가지 쓰시오.

해답

① 질산에스테르류　② 니트로화합물　③ 니트로소화합물
④ 아조화합물　⑤ 디아조화합물　⑥ 하이드라진 유도체
⑦ 유기과산화물

06

보기에서 산업안전보건법상 위험물의 종류 중 물반응성 물질과 인화성 고체에 해당하는 물질을 골라 번호를 쓰시오.

[보기]
① 아조화합물　② 리튬　③ 황린　④ 과염소산
⑤ 칼륨·나트륨　⑥ 염산　⑦ 에틸에테르
⑧ 마그네슘분말

해답

② ③ ⑤ ⑧

07

산업안전보건법상 위험물의 종류에 해당하는 인화성액체에 관한 다음사항에서 괄호에 알맞은 내용을 쓰시오.

> 가. 에틸에테르, 가솔린, 아세트알데히드, 산화프로필렌, 그 밖에 인화점이 (①)℃ 미만이고 초기 끓는점이 (②)℃ 이하인 물질
> 나. 노르말헥산, 아세톤, 메틸에틸케톤, 메틸알코올, 에틸알코올, 이황화탄소, 그 밖에 인화점이 (③)℃ 미만이고 초기 끓는점이 (④)℃를 초과하는 물질
> 다. 크렌실, 아세트산아밀, 등유, 경유, 테레핀유, 이소아밀알코올, 아세트산, 하이드라진, 그 밖에 인화점이 (⑤)℃ 이상 (⑥)℃ 이하인 물질

해답

① 23 ② 35 ③ 23 ④ 35 ⑤ 23 ⑥ 60

08

산업안전보건법상 위험물의 종류에 해당하는 부식성 물질을 산류와 염기류로 구분하여 쓰시오.

해답

부식성 산류	농도가 20% 이상인 염산, 황산, 질산, 그 밖에 이와 같은 정도 이상의 부식성을 가지는 물질
	농도가 60% 이상인 인산, 아세트산, 불산, 그 밖에 이와 같은 정도 이상의 부식성을 가지는 물질
부식성 염기류	농도가 40% 이상인 수산화나트륨, 수산화칼륨, 그 밖에 이와 같은 정도 이상의 부식성을 가지는 염기류

09

LD50과 LC50을 간단히 설명하시오.

해답

① LD50 : 실험동물의 50%를 사망시킬 수 있는 물질의 양
② LC50 : 실험동물의 50%를 사망시킬 수 있는 물질의 농도

10

산업안전보건법상 위험물의 종류에 해당하는 급성독성물질 중 경구투입실험과 경피흡수실험에 대한 기준을 쓰시오.

해답

① 쥐에 대한 경구투입실험에 의하여 실험동물의 50%를 사망시킬 수 있는 물질의 양, 즉 LD50(경구, 쥐)이 kg당 300mg(체중) 이하인 화학물질
② 쥐 또는 토끼에 대한 경피흡수실험에 의하여 실험동물의 50%를 사망시킬 수 있는 물질의 양, 즉 LD50(경피, 토끼 또는 쥐)이 kg당 1000mg(체중) 이하인 화학물질

11

다음에 해당하는 노출기준의 표시단위를 쓰시오.

> 1) 가스 및 증기
> 2) 분진 및 미스트등 에어로졸

해답

1) 가스 및 증기 : 피피엠(ppm)
2) 분진 및 미스트등 에어로졸 : 세제곱미터당 밀리그램(mg/m^3) 다만, 석면 및 내화성세라믹섬유는 세제곱센티미터당 개수(개/cm^3)

12

습구흑구 온도지수에 관하여 옥내와 옥외로 구분하여 쓰시오.

해답

① 옥외(태양광선이 내리쬐는 장소) :
= WBGT(℃) = 0.7 × 자연습구온도 + 0.2 × 흑구온도 + 0.1 × 건구온도
② 옥내 또는 옥외 (태양광선이 내리쬐지 않는 장소) :
WBGT(℃)=0.7 × 자연습구온도+0.3 × 흑구온도

13

건구온도 30도, 습구온도 20도 일 경우 옥스퍼드(Oxford) 지수를 구하시오.

해답

WD = 0.85W + 0.15D

옥스퍼드(Oxford)지수 = (0.85 ×20) + (0.15×30) = 21.5

tip

습건(WD)지수라고도 부르며, 습구온도(W)와 건구온도(D)의 가중 평균치로 정의

14

물질안전보건자료(MSDS) 작성 시 포함되어야 할 항목을 5가지 쓰시오.

해답

① 화학제품과 회사에 관한 정보 ② 유해성·위험성
③ 구성성분의 명칭 및 함유량 ④ 응급조치요령
⑤ 폭발·화재시 대처방법 ⑥ 누출사고시 대처방법
⑦ 취급 및 저장방법 ⑧ 노출방지 및 개인보호구
⑨ 물리화학적 특성 ⑩ 안정성 및 반응성
⑪ 독성에 관한 정보 ⑫ 환경에 미치는 영향
⑬ 폐기 시 주의사항 ⑭ 운송에 필요한 정보
⑮ 법적규제 현황
⑯ 그 밖의 참고사항(자료의 출처, 작성일자 등)

15

물질안전보건자료(MSDS)의 작성·제출 제외 대상 화학물질을 5가지 쓰시오.

해답

①「농약관리법」에 따른 농약
②「비료관리법」에 따른 비료
③「사료관리법」에 따른 사료
④「식품위생법」에 따른 식품 및 식품첨가물
⑤「약사법」에 따른 의약품 및 의약외품
⑥「원자력안전법」에 따른 방사성물질
⑦「위생용품 관리법」에 따른 위생용품
⑧「의료기기법」에 따른 의료기기
⑨「폐기물관리법」에 따른 폐기물
⑩「화장품법」에 따른 화장품 등

16

안전성 평가의 6단계를 쓰시오.

해답

① 1단계 : 관계자료의 정비검토 ② 2단계 : 정성적 평가
③ 3단계 : 정량적 평가 ④ 4단계 : 안전대책
⑤ 5단계 : 재해정보에 의한 재평가 ⑥ 6단계 : F.T.A에 의한 재평가

17

화학설비의 정량적 평가항목 5가지를 쓰시오.

해답

① 각 구성요소의 물질 ② 화학설비의 용량
③ 온도 ④ 압력 ⑤ 조작

18

화학설비의 정성적 평가항목을 쓰시오.

해답

① 설계관계 : 입지조건, 공장 내의 배치, 건조물, 소방용 설비 등
② 운전관계 : 원재료, 중간제품 등의 위험성, 프로세스의 운전조건 수송, 저장 등에 대한 안전대책, 프로세스기기의 선정요건

19

다음은 화학설비의 안전성에 대항 정량적 평가이다. 위험등급에 따른 점수를 계산하고 해당되는 항목을 쓰시오.

① 위험등급 I : ( )
② 위험등급 II : ( )
③ 위험등급 III : ( )

항목분류	A급(10점)	B급(5점)	C급(2점)	D급(0점)
취급물질	○		○	
화학설비의 용량	○	○	○	
온도		○	○	○
압력	○	○		
조작			○	○

해답

① 합산점수 16점 이상 : 화학설비의 용량(17점)
② 합산점수 11~15점 : 압력(15점), 취급물질(12점)
③ 합산점수 0~10점 : 온도(7점), 조작(2점)

20

화학설비의 안전장치에서 안전밸브의 정의 및 구분하는 방법과 각각의 특징을 쓰시오.

해답

① 정의 : 화학변화에 의한 에너지 증가 및 물리적 상태 변화에 의한 압력증가를 제어하기 위해 사용하는 안전장치
② 구분

safety valve	스팀, 공기	순간적으로 개방
relief valve	액체	압력증가에 의해 천천히 개방
safety-relief valve	가스, 증기 및 액체	중간정도의 속도로 개방

21

설치대상 설비 중 파열판을 설치해야 하는 경우를 3가지 쓰시오.

해답

① 반응폭주등 급격한 압력상승의 우려가 있는 경우
② 독성물질의 누출로 인하여 주위의 작업환경을 오염시킬 우려가 있는 경우
③ 운전중 안전밸브에 이상물질이 누적되어 안전밸브가 작동되지 아니힐 우려가 있는 경우

22

안전밸브 및 파열판 설치 대상 설비를 4가지 쓰시오.

해답

① 압력용기(안지름이 150밀리미터 이하인 압력용기는 제외, 관형 열교환기는 관의 파열로 인하여 상승한 압력이 압력용기의 최고사용압력을 초과할 우려가 있는 경우)
② 정변위 압축기
③ 정변위 펌프(토출측에 차단밸브가 설치된 것)
④ 배관(2개 이상의 밸브에 의하여 차단되어 대기온도에서 액체의 열팽창에 의하여 파열될것이 우려되는 것)
⑤ 그밖의 화학설비 및 그 부속설비로서 해당 설비의 최고사용압력을 초과할 우려가 있는것

23

Ventstack의 역할과 설치방법을 쓰시오.

해답

① 탱크내의 압력을 정상적인 상태로 유지하기 위한 안전장치
② 상압탱크에서 직사광선으로 온도 상승시 탱크 내 공기를 대기로 방출하여 내압상승 방지
③ 가연성가스나 증기 등을 직접방출 할 경우 그 선단은 지상보다 높고 안전한 장소에 설치

24

화학설비에 설치하는 안전밸브의 작동요건을 쓰시오.

해답

① 화학설비 등의 최고사용압력 이하에서 작동 되도록 설치
② 안전밸브가 2개 이상 설치된 경우 1개는 최고사용압력의 1.05배 (외부 화재를 대비한 경우 1.1배) 이하에서 작동 되도록 설치

25

특수화학설비의 안전조치 사항을 쓰시오.

해답

(1) 계측장치의 설치(내부이상상태의 조기파악)
　① 온도계　② 유량계　③ 압력계 등
(2) 자동경보장치의 설치 : 내부이상상태의 조기파악
(3) 긴급차단장치의 설치 : 폭발, 화재 또는 위험물 누출 방지
(4) 예비동력원의 준수사항 :
　① 동력원의 이상에 의한 폭발 또는 화재를 방지하기 위하여 즉시 사용할 수 있는 예비동력원을 비치할 것
　② 밸브·콕·스위치등에 대하여는 오조작을 방지하기 위하여 잠금장치를 하고 색체표시 등으로 구분할 것

26

작업환경 개선의 기본원칙을 4가지 쓰시오.

해답

① 대치　② 격리　③ 환기　④ 교육

27

후드 및 닥트의 설치기준을 4가지씩 쓰시오.

해답

후드	① 유해물질이 발생하는 곳마다 설치할 것 ② 유해인자의 발생형태 및 비중, 작업방법등을 고려하여 당해 분진등의 발산원을 제어할 수 있는 구조로 설치할 것 ③ 후드형식은 가능한 포위식 또는 부스식 후드를 설치할 것 ④ 외부식 또는 레시버식 후드를 설치하는 때에는 당해 분진 등의 발산원에 가장 가까운 위치에 설치할 것
닥트	① 가능한 한 길이는 짧게하고 굴곡부의 수는 적게 할 것 ② 접속부의 내면은 돌출된 부분이 없도록 할 것 ③ 청소구를 설치하는 등 청소하기 쉬운 구조로 할 것 ④ 닥트내 오염물질이 쌓이지 아니하도록 이송속도를 유지 할 것 ⑤ 연결부위 등은 외부공기가 들어오지 아니하도록 할 것

28

공정안전보고서에 포함되어야 할 사항을 3가지 쓰시오.

해답

① 공정 안전 자료　② 공정 위험성 평가서
③ 안전 운전 계획　④ 비상 조치 계획

메모

건설공사 특성분석

CHAPTER 01

건설공사 특수성 분석 및 안전관리 고려사항 확인하기

01 건설공사 특수성 확인하기

1 건설공사의 특수성

재해형태의 다양성	1~2가지의 재해 형태를 가지는 제조업과 비교해 건설공사는 추락, 낙하, 비래 등 다양한 재해형태가 발생한다.
작업자체의 위험성	굴착작업, 고소작업 등 다양한 공사종류가 동시복합적으로 진행되는 경우가 많고, 작업도구나 위치가 이동성을 갖고 있어 다양한 유해위험요인과 재해 위험성이 복합적으로 발생되며, 중대재해 발생 가능성이 높다.
작업환경의 특수성	대부분 옥외에서 진행되어 기후와 지질, 지형 등의 영향과 다양한 작업환경 및 종류가 수시로 바뀌기 때문에 위험에 대한 예측과 대응이 어렵다.
고용의 불안정과 유동성	건설공사의 특성상 여러 분야에 종사하는 일용직, 계약직 근로자에 대한 교육 및 관리가 힘들어 안전의식이 결여되기 쉽다.
공사계약의 일방성	무리한 수주 또는 공사비용 및 공사기간 등의 계약조건 등에 발주자의 무리한 요구로 인한 수급업체의 불안전성과, 안전의식 부족으로 인한 안전관리비의 사용이나 보호구, 안전시설 등의 조치가 불량하여 재해 발생률을 증가시킬 수 있다.
신기술·신공법에 따른 불안전성	신공법, 신기술에 따른 새로운 안전에 관한 기술의 부족으로 사고예방을 위한 대책이 미흡할수 있다.
규제와 처벌위주 정책의 한계	재해율 감소를 위한 각종 규제와 처벌위주의 정부 정책이 자율적인 안전관리 체제와 근로자의 안전에 관한 인식변화로 바뀌고 있으며, 위험성평가와 같은 제도가 활성화되면 재해율 감소뿐만 아니라 효율적인 안전관리가 정착되는 계기가 될 것이다.
도급업체와 수급업체의 관계	대규모 건설공사일수록 도급과 하도급으로 이어지는 복잡한 관계로 인해 안전관리체제의 어려움과 미흡한 부분이 발생하게 되고, 재해 발생시 책임한계가 명확하지 못하게 되는 경우가 발생한다.
안전의식 부족	건설업의 특수성으로 인한 일용직 근로자와 계약직 근로자의 근무시간의 다양화와 근로자의 피로누적, 안전교육 및 관리감독 등의 미흡한 부분으로 인하여 안전의식이 부족해지는 위험이 증가된다.

02 안전관리 고려사항 확인하기

1 토질 시험 및 지반의 이상현상 ★

1) Sounding

표준관입 시험 (S.P.T)	① 질량 63.5 ± 0.5kg의 드라이브 해머를 760 ± 10mm 높이에서 자유낙하 시키고 보링로드 머리부에 부착한 노킹블록을 타격하여 보링로드 앞 끝에 부착한 표준관입 시험용 샘플러를 지반에 300mm 박아 넣는데 필요한 타격횟수 N값을 측정 (타격횟수/누계관입량으로 표시) ② 흙의 지내력 판단, 사질토 적용	63.5[kg] 76[cm] rod smapler 30[cm]
Vane test	① 연약점토 지반에 십자형날개 달린 rod를 흙속에 관입 ② rod에 회전 Moment 측정	vane tester

2) 연약지반 개량공법

사질토	① 진동다짐공법 ② 다짐모래말뚝공법 ③ 폭파다짐공법 ④ 전기충격공법 ⑤ 약액주입공법 ⑥ 동다짐공법	
점성토	치환공법	① 굴착치환 ② 미끄럼치환 ③ 폭파치환
	압밀(재하)공법	① Preloading 공법 ② 사면선단재하 공법 ③ 압성토 공법
	탈수공법	① sand drain 공법 ② paper drain공법 ③ pack drain 공법
	배수공법	① Deep well 공법 ② Well point 공법
	기타공법	① 고결공법(생석회말뚝, 동결, 소결) ② 동치환공법 ③ 전기침투 공법 등

Key point

안전관리비 대상액 = (공사원가계산서 구성항목 중) 직접재료비, 간접재료비와 직접노무비를 합한 금액

2 산업안전보건관리비 ★

1) 공사종류별 안전보건관리비의 계상기준표

구분 / 공사종류	대상액 5억원 미만 적용 비율(%)	대상액 5억원 이상 50억원 미만		대상액 50억원 이상 적용 비율(%)	보건관리자 선임 대상 건설공사 적용비율(%)
		적용 비율(%)	기초액		
건축 공사	3.11%	2.28%	4,325,000원	2.37%	2.64%
토목 공사	3.15%	2.53%	3,300,000원	2.60%	2.73%
중건설 공사	3.64%	3.05%	2,975,000원	3.11%	3.39%
특수건설 공사	2.07%	1.59%	2,450,000원	1.64%	1.78%

2) 산업안전보건관리비의 사용기준

① 안전관리자·보건관리자의 임금 등

② 안전시설비 등

③ 보호구 등

④ 안전보건진단비 등

⑤ 안전보건교육비 등

⑥ 근로자 건강장해예방비 등

⑦ 건설재해예방전문지도기관의 지도에 대한 대가로 지급하는 비용

⑧ 「중대재해 처벌 등에 관한 법률」에 해당하는 건설사업자가 아닌 자가 운영하는 사업에서 안전보건 업무를 총괄·관리하는 3명 이상으로 구성된 본사 전담조직에 소속된 근로자의 임금 및 업무수행 출장비 전액. 다만, 계상된 안전보건관리비 총액의 20분의 1을 초과할 수 없다.

⑨ 위험성평가 또는 「중대재해 처벌 등에 관한 법률 시행령」에 따라 유해·위험요인 개선을 위해 필요하다고 판단하여 산업안전보건위원회 또는 노사협의체에서 사용하기로 결정한 사항을 이행하기 위한 비용. 다만, 계상된 안전보건관리비 총액의 10분의 1을 초과할 수 없다.

3 차량계하역 운반기계의 안전기준 ★★

종류	지게차·구내운반차·화물자동차 및 고소작업대
작업계획서 내용	① 해당 작업에 따른 추락, 낙하, 전도, 협착 및 붕괴 등의 위험 예방대책 ② 차량계 하역운반기계 등의 운행경로 및 작업방법
제한속도의 지정	최대제한속도가 시속 10킬로미터 이하인 것을 제외한다
전도 등의 방지 ★	① 유도자 배치 ② 부동침하 방지조치 ③ 갓길의 붕괴방지조치
화물적재시의 조치 ★	① 하중이 한쪽으로 치우치지 않도록 적재할 것 ② 구내운반차 또는 화물자동차의 경우 화물의 붕괴 또는 낙하에 의한 위험을 방지하기 위하여 화물에 로프를 거는 등 필요한 조치를 할 것 ③ 운전자의 시야를 가리지 않도록 화물을 적재할 것
운전위치 이탈시의 조치 ★★★	① 포크, 버킷, 디퍼 등의 장치를 가장 낮은 위치 또는 지면에 내려 둘 것 ② 원동기를 정지시키고 브레이크를 확실히 거는 등 차량계 하역운반기계 등, 차량계 건설기계의 갑작스러운 이동을 방지하기 위한 조치를 할 것 ③ 운전석을 이탈하는 경우에는 시동키를 운전대에서 분리시킬 것. 다만, 운전석에 잠금장치를 하는 등 운전자가 아닌 사람이 운전하지 못하도록 조치한 경우는 그러하지 아니하다.
차량계 하역운반 기계의 이송 ★	① 싣거나 내리는 작업은 평탄하고 견고한 장소에서 할 것 ② 발판을 사용하는 경우에는 충분한 길이·폭 및 강도를 가진 것을 사용하고 적당한 경사를 유지하기 위하여 견고하게 설치할 것 ③ 가설대 등을 사용하는 경우에는 충분한 폭 및 강도와 적당한 경사를 확보할 것 ④ 지정운전자의 성명·연락처 등을 보기 쉬운 곳에 표시하고 지정운전자 외에는 운전하지 않도록 할 것
단위화물의 무게 100kg 이상 화물취급시 작업지휘자 준수사항	① 작업순서 및 그 순서마다의 작업방법을 정하고 작업을 지휘할 것 ② 기구와 공구를 점검하고 불량품을 제거할 것 ③ 해당 작업을 하는 장소에 관계근로자가 아닌 사람이 출입하는 것을 금지할 것 ④ 로프 풀기 작업 또는 덮개 벗기기 작업은 적재함의 화물이 떨어질 위험이 없음을 확인한 후에 하도록 할 것

4 차량계건설기계의 사용에 의한 위험방지 ★★

낙하물 보호구조	토사 등이 떨어질 우려가 있는 등 위험한 장소에서 차량계 건설기계를 사용하는 경우 견고한 낙하물 보호구조를 갖춰야할 대상 ① 불도저 ② 트랙터 ③ 굴착기 ④ 로더(loader : 흙 따위를 퍼올리는 데 쓰는 기계) ⑤ 스크레이퍼(scraper : 흙을 절삭·운반하거나 펴 고르는 등의 작업을 하는 토공기계) ⑥ 덤프트럭 ⑦ 모터그레이더(motor grader : 땅 고르는 기계) ⑧ 롤러(roller : 지반 다짐용 건설기계) ⑨ 천공기 ⑩ 항타기 및 항발기
차량계 건설기계 이송시 준수사항	자주 또는 견인에 의해 화물자동차 등에 싣거나 내리는 작업을 할 때에 발판·성토 등을 사용하는 경우 전도 또는 굴러 떨어짐에 의한 위험을 방지하기 위한 준수사항 ① 싣거나 내리는 작업은 평탄하고 견고한 장소에 할 것 ② 발판을 사용하는 경우에는 충분한 길이·폭 및 강도를 가진 것을 사용하고 적당한 경사를 유지하기 위하여 견고하게 설치할 것 ③ 자루·가설대 등을 사용하는 경우에는 충분한 폭 및 강도와 적당한 경사를 확보할 것
작업 계획서 내용	① 사용하는 차량계 건설기계의 종류 및 성능 ② 차량계 건설기계의 운행경로 ③ 차량계 건설기계에 의한 작업방법
전도 등의 방지 조치	① 유도하는 사람 배치 ② 지반의 부동침하방지 ③ 갓길의 붕괴방지 ④ 도로 폭의 유지
운전위치이탈시 조치사항	① 포크, 버킷, 디퍼 등의 장치를 가장 낮은 위치 또는 지면에 내려 둘 것 ② 원동기를 정지시키고 브레이크를 확실히 거는 등 차량계 하역운반기계 등, 차량계 건설기계의 갑작스러운 이동을 방지하기 위한 조치를 할 것 ③ 운전석을 이탈하는 경우에는 시동키를 운전대에서 분리시킬 것. 다만, 운전석에 잠금장치를 하는 등 운전자가 아닌 사람이 운전하지 못하도록 조치한 경우는 그러하지 아니하다.

5 항타기 및 항발기 ★★

무너짐 방지 준수사항 ★	① 연약한 지반에 설치하는 경우에는 아웃트리거·받침 등 지지구조물의 침하를 방지하기 위하여 깔판·받침목 등을 사용할 것 ② 시설 또는 가설물 등에 설치하는 경우에는 그 내력을 확인하고 내력이 부족하면 그 내력을 보강할 것 ③ 아웃트리거·받침 등 지지구조물이 미끄러질 우려가 있는 경우에는 말뚝 또는 쐐기 등을 사용하여 해당 지지구조물을 고정시킬 것 ④ 궤도 또는 차로 이동하는 항타기 또는 항발기에 대해서는 불시에 이동하는 것을 방지하기 위하여 레일 클램프(rail clamp) 및 쐐기 등으로 고정시킬 것 ⑤ 상단 부분은 버팀대·버팀줄로 고정하여 안정시키고, 그 하단 부분은 견고한 버팀·말뚝 또는 철골 등으로 고정시킬 것

권상용 와이어로프	사용 제한 조건 ★★	① 이음매가 있는 것 ② 와이어로프의 한 꼬임(스트랜드)에서 끊어진 소선(필러선 제외)의 수가 10% 이상 (비자전로프의 경우에는 끊어진 소선의 수가 와이어로프 호칭지름의 6배 길이 이내에서 4개 이상이거나 호칭지름 30배 길이 이내에서 8개 이상)인 것 ③ 지름의 감소가 공칭지름의 7%를 초과하는 것 ④ 꼬인 것 ⑤ 심하게 변형되거나 부식된 것 ⑥ 열과 전기충격에 의해 손상된 것
	안전 계수 ★	항타기 또는 항발기의 권상용 와이어로프의 안전계수는 5 이상
	사용시 준수 사항	① 권상용 와이어로프는 추 또는 해머가 최저의 위치에 있을 때 또는 널말뚝을 빼내기 시작할 때를 기준으로 권상장치의 드럼에 적어도 2회 감기고 남을 수 있는 충분한 길이일 것 ② 권상용 와이어로프는 권상장치의 드럼에 클램프·클립 등을 사용하여 견고하게 고정할 것 ③ 권상용 와이어로프에서 추·해머 등과의 연결은 클램프·클립 등을 사용하여 견고하게 할 것 ④ 제②호 및 제③호의 클램프·클립 등은 한국산업표준 제품이거나 한국산업표준이 없는 제품의 경우에는 이에 준하는 규격을 갖춘 제품을 사용할 것
조립·해체 시 점검 사항	준수 사항	① 항타기 또는 항발기에 사용하는 권상기에 쐐기장치 또는 역회전방지용 브레이크를 부착할 것 ② 항타기 또는 항발기의 권상기가 들리거나 미끄러지거나 흔들리지 않도록 설치할 것 ③ 그 밖에 조립·해체에 필요한 사항은 제조사에서 정한 설치·해체 작업 설명서에 따를 것
	점검 사항 ★	① 본체 연결부의 풀림 또는 손상의 유무 ② 권상용 와이어로프·드럼 및 도르래의 부착상태의 이상유무 ③ 권상장치의 브레이크 및 쐐기장치 기능의 이상유무 ④ 권상기의 설치상태의 이상유무 ⑤ 리더(leader)의 버팀 방법 및 고정상태의 이상 유무 ⑥ 본체·부속장치 및 부속품의 강도가 적합한지 여부 ⑦ 본체·부속장치 및 부속품에 심한 손상·마모·변형 또는 부식이 있는지 여부

항타기

항발기

Key point

양중기의 종류 ★★

① 크레인(호이스트 포함)
② 이동식 크레인
③ 리프트(이삿짐운반용 리프트의 경우 적재하중 0.1톤 이상인 것)
④ 곤돌라
⑤ 승강기

6 양중기 ★★★

1) 양중기의 방호장치

방호장치의 조정 대상	① 크레인 ② 이동식 크레인 ③ 리프트 ④ 곤돌라 ⑤ 승강기
방호장치의 종류	① 과부하방지장치 ② 권과방지장치 ③ 비상정지장치 및 제동장치 ④ 그 밖의 방호장치(승강기의 파이널 리미트 스위치, 속도조절기, 출입문 인터록 등)

2) 타워 크레인의 안전작업

강풍시 작업 제한	순간풍속이 매초당 10미터 초과	타워크레인의 설치·수리·점검 또는 해체작업 중지
	순간풍속이 매초당 15미터 초과	타워크레인의 운전작업 중지
작업 계획서의 작성	설치·조립·해체작업	① 타워크레인의 종류 및 형식 ② 설치·조립 및 해체순서 ③ 작업도구·장비·가설설비 및 방호 설비 ④ 작업인원의 구성 및 작업근로자의 역할 범위 ⑤ 타워크레인의 지지 규정에 의한 지지방법

CHAPTER
02 관련 공사자료 활용하기

1 굴착공사

1) 굴착작업 위험방지 ★★★

<table>
<tr><td rowspan="3">굴착면 붕괴
위험방지</td><td>① 굴착면의 기울기 기준
<table><tr><td>지반의 종류</td><td>모래</td><td>연암 및 풍화암</td><td>경암</td><td>그 밖의 흙</td></tr><tr><td>굴착면의 기울기</td><td>1 : 1.8</td><td>1 : 1.0</td><td>1 : 0.5</td><td>1 : 1.2</td></tr></table></td></tr>
<tr><td>② 비가 올 경우를 대비하여 측구를 설치하거나 굴착경사면에 비닐을 덮는 등 빗물 등의 침투에 의한 붕괴재해를 예방하기 위하여 필요한 조치</td></tr>
<tr><td>굴착작업시
위험방지</td><td>토사등의 붕괴 또는 낙하에 의하여 근로자에게 위험을 미칠 우려가 있는 경우에는 미리 흙막이 지보공의 설치, 방호망의 설치 및 근로자의 출입 금지 등 그 위험을 방지하기 위하여 필요한 조치</td></tr>
</table>

2) 굴착면의 높이가 2미터 이상되는 지반의 굴착작업 ★

사전조사 내용	작업계획서 내용
① 형상·지질 및 지층의 상태 ② 균열·함수(含水)·용수 및 동결의 유무 또는 상태 ③ 매설물 등의 유무 또는 상태 ④ 지반의 지하수위 상태	① 굴착방법 및 순서, 토사 반출 방법 ② 필요한 인원 및 장비 사용계획 ③ 매설물 등에 대한 이설·보호대책 ④ 사업장 내 연락방법 및 신호방법 ⑤ 흙막이 지보공 설치방법 및 계측계획 ⑥ 작업지휘자의 배치계획 ⑦ 그 밖에 안전·보건에 관련된 사항

흙막이 지보공 붕괴등의 방지를 위한 점검사항 ★★

① 부재의 손상·변형·부식·변위 및 탈락의 유무와 상태
② 버팀대의 긴압의 정도
③ 부재의 접속부·부착부 및 교차부의 상태
④ 침하의 정도

3) 흙막이 굴착시 주의사항 ★★

구분	정의	방지대책
히빙 (Heaving) 현상	연약성 점토지반 굴착시 굴착외측 흙의 중량에 의해 굴착저면의 흙이 활동 전단 파괴되어 굴착내측으로 부풀어 오르는 현상	① 흙막이 근입깊이를 깊게 ② 표토제거 하중감소 ③ 지반개량 ④ 굴착면 하중증가 ⑤ 어스앵커설치 등
보일링 (Boiling) 현상	투수성이 좋은 사질지반의 흙막이 저면에서 수두차로 인한 상향의 침투압이 발생 유효응력이 감소하여 전단강도가 상실되는 현상으로 지하수가 모래와 같이 솟아오르는 현상	① Filter 및 차수벽설치 ② 흙막이 근입깊이를 깊게 (불투수층까지) ③ 약액주입 등의 굴착면 고결 ④ 지하수위저하 ⑤ 압성토 공법 등
파이핑 (Piping) 현상	사질 지반의 지하수위 이하 굴착시 수위차로 인해 상향의 침투류가 발생하여 전단강도 상실, 흙이 물과 함께 분출하는 Quick sand의 진전된 현상	
액화 또는 액상화 (Liguefaction) 현상	느슨하고 포화된 사질토가 진동에 의해 간극수압이 발생하여 유효응력이 감소하고 전단강도가 상실되는 현상	① 간극수압제거 ② well point등의 배수공법 ③ 치환 및 다짐공법 ④ 지중연속벽 설치 등

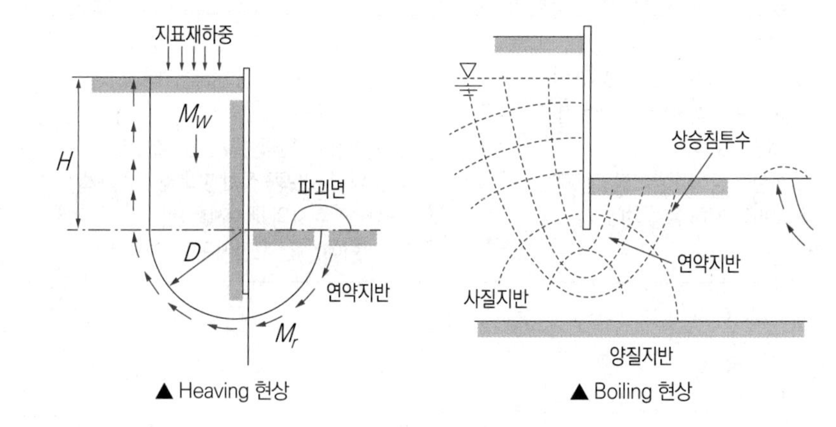

▲ Heaving 현상 ▲ Boiling 현상

4) 잠함내 굴착작업 ★★

<table>
<tr><td colspan="2">급격한 침하로 인한 위험방지
(잠함 또는 우물통 내부 굴착작업)</td><td>① 침하 관계도에 따라 굴착방법 및 재하량 등을 정할 것
② 바닥으로부터 천장 또는 보까지의 높이는 1.8m 이상으로 할 것</td></tr>
<tr><td rowspan="2">잠함 등
내부굴착
작업의 안전</td><td>준수사항</td><td>① 산소결핍의 우려가 있는 때에는 산소의 농도를 측정하는 자를 지명하여 측정하도록 할 것
② 근로자가 안전하게 승강하기 위한 설비를 설치할 것
③ 굴착깊이가 20m를 초과하는 때에는 당해 작업장소와 외부와의 연락을 위한 통신설비 등을 설치할 것</td></tr>
<tr><td>송기 설비
설치</td><td>산소결핍이 인정되거나 굴착깊이가 20m를 초과하는 경우 송기설비 설치(공기 송급)</td></tr>
<tr><td colspan="2">잠함내 굴착작업을
금지해야 하는 경우</td><td>① 승강설비, 통신설비, 송기설비에 고장이 있는 경우
② 잠함 등의 내부에 다량의 물 등이 침투할 우려가 있는 경우</td></tr>
</table>

5) 토사붕괴 원인

외적 원인 ★	① 사면, 법면의 경사 및 기울기의 증가 ② 절토 및 성토 높이의 증가 ③ 공사에 의한 진동 및 반복 하중의 증가 ④ 지표수 및 지하수의 침투에 의한 토사 중량의 증가 ⑤ 지진, 차량, 구조물의 하중작용 ⑥ 토사 및 암석의 혼합층두께
내적 원인	① 절토 사면의 토질·암질 ② 성토 사면의 토질구성 및 분포 ③ 토석의 강도 저하

2 중량물 취급작업 ★

중량물의 구름 위험방지 (드럼통 등)	① 구름멈춤대·쐐기 등을 이용하여 중량물의 동요나 이동을 조절할 것 ② 중량물이 구를 위험이 있는 방향 앞의 일정거리 이내로는 근로자의 출입을 제한할 것. 다만, 중량물을 보관하거나 작업 중인 장소가 경사면인 경우에는 경사면 아래로는 근로자의 출입을 제한해야 한다.
작업계획서 내용	① 추락위험을 예방할 수 있는 안전대책 ② 낙하위험을 예방할 수 있는 안전대책 ③ 전도위험을 예방할 수 있는 안전대책 ④ 협착위험을 예방할 수 있는 안전대책 ⑤ 붕괴위험을 예방할 수 있는 안전대책

참고

철골작업의 제한(중지) ★★★

① 풍속이 초당 10미터 이상인 경우
② 강우량이 시간당 1밀리미터 이상인 경우
③ 강설량이 시간당 1센티미터 이상인 경우

3 철골 공사

1) 외압에 대한 내력설계 확인 구조물 ★

① 높이 20m 이상 구조물

② 구조물 폭과 높이의 비가 1 : 4 이상인 구조물

③ 연면적당 철골량이 50kg/m² 이하인 구조물

④ 단면 구조에 현저한 차이가 있는 구조물

⑤ 기둥이 타이 플래이트 형인 구조물

⑥ 이음부가 현장 용접인 구조물

단원별 출제예상문제

01

토사 등이 떨어질 우려가 있는 위험한 장소에서 견고한 낙하물 보호구조를 갖춰야 할 차량계건설기계의 종류를 5가지 쓰시오.

해답

① 불도저
② 트랙터
③ 굴착기
④ 로더(loader : 흙 따위를 퍼올리는 데 쓰는 기계)
⑤ 스크레이퍼(scraper : 흙을 절삭·운반하거나 펴 고르는 등의 작업을 하는 토공기계)
⑥ 덤프트럭
⑦ 모터그레이더(motor grader : 땅 고르는 기계)
⑧ 롤러(roller : 지반 다짐용 건설기계)
⑨ 천공기
⑩ 항타기 및 항발기

02

Sounding에 해당하는 표준관입시험(S. P. T)과 Vane test에 관하여 간단히 설명하시오.

해답

(1) 표준관입시험(S. P. T) :
  ① 질량 63.5±0.5kg의 드라이브 해머를 760±10mm 자유낙하 시키고 보링로드 머리부에 부착한 노킹블록을 타격하여 보링로드 앞끝에 부착한 표준관입 시험용 샘플러를 지반에 300mm 박아 넣는데 필요한 타격횟수 N값을 측정
  ② 흙의 지내력 판단, 사질토 적용

(2) Vane test : 연약점토 지반에 십자형날개가 달린 rod를 흙 속에 관입한 후 rod를 회전시켜 회전Moment를 측정하여 판단하는 방법

03

사질토에 해당하는 연약지반 개량공법의 종류를 5가지 쓰시오.

해답

① 진동 다짐 공법(vibro floatation)
② 다짐 모래 말뚝 공법(vibro composer,sand compaction pile)
③ 폭파 다짐 공법
④ 전기 충격 공법
⑤ 약액 주입 공법
⑥ 동다짐 공법

04

점성토지반에서 주로 사용하는 연약지반 개량공법의 종류를 쓰시오.

해답

① 치환 공법(굴착 치환, 미끄럼 치환, 폭파 치환)
② 압밀(재하)공법(Preloading 공법, 압성토 공법)
③ 탈수공법(sand drain공법, paper drain공법, pack drain공법)
④ 배수공법(Deep well 공법, Well point 공법)
⑤ 고결공법(생석회말뚝, 동결, 소결)
⑥ 동치환공법
⑦ 전기침투 공법 등

05

안전보건관리비의 안전시설비 등에 관한 사용기준을 2가지 쓰시오.

해답

안전시설비 등

① 산업재해 예방을 위한 안전난간, 추락방호망, 안전대 부착설비, 방호장치(기계·기구와 방호장치가 일체로 제작된 경우, 방호장치 부분의 가액에 한함) 등 안전시설의 구입·임대 및 설치를 위해 소요되는 비용

② 「건설기술진흥법」에 따른 스마트 안전장비 구입·임대 비용. 다만, 계상된 안전보건관리비 총액의 10분의 1을 초과할 수 없다.

③ 용접작업 등 화재 위험작업 시 사용하는 소화기의 구입·임대비용

06

산업안전보건관리비의 사용기준에 대하여 쓰시오.

해답

① 안전관리자·보건관리자의 임금 등

② 안전시설비 등 ③ 보호구 등 ④ 안전보건진단비 등

⑤ 안전보건교육비 등 ⑥ 근로자 건강장해예방비 등

⑦ 건설재해예방전문지도기관의 지도에 대한 대가로 지급하는 비용

⑧ 「중대재해 처벌 등에 관한 법률」에 해당하는 건설사업자가 아닌 자가 운영하는 사업에서 안전보건 업무를 총괄·관리하는 3명 이상으로 구성된 본사 전담조직에 소속된 근로자의 임금 및 업무수행 출장비 전액

⑨ 위험성평가 또는 「중대재해 처벌 등에 관한 법률 시행령」에 따라 유해·위험요인 개선을 위해 필요하다고 판단하여 산업안전보건위원회 또는 노사협의체에서 사용하기로 결정한 사항을 이행하기 위한 비용

07

굴착공사(굳은토질의 굴착에도 용이)와 싣기에 많이 사용하며 기계가 위치한 지반보다 높은 굴착에 유리한 셔블계 굴착기계는 무엇인가?

해답

파워셔블(Power shovel)

08

Scraper(스크레이퍼)의 특징을 간단히 쓰시오.

해답

① 굴착, 운반, 하역, 적재, 사토, 흙깍기 작업을 연속적으로 할 수 있는 중거리 토공기계

② 불도저보다 중량이 크고 고속운전이 가능

09

차량계하역 운반기계 등의 전도 등의 방지를 위해 취해야 할 조치사항을 3가지 쓰시오.

해답

① 유도자 배치 ② 부동침하 방지조치 ③ 갓길의 붕괴방지조치

10

차량계하역 운반기계 등의 화물적재시의 조치사항을 3가지 쓰시오.

해답

① 하중이 한쪽으로 치우치지 않도록 적재할 것

② 구내운반차 또는 화물자동차의 경우 화물의 붕괴 또는 낙하에 의한 위험을 방지하기 위하여 화물에 로프를 거는 등 필요한 조치를 할 것

③ 운전자의 시야를 가리지 않도록 화물을 적재할 것

11

차량계 하역운반기계의 이송시 전도 또는 전락에 의한 위험을 방지하기 위하여 준수해야 할 사항을 3가지 쓰시오.

해답

① 싣거나 내리는 작업은 평탄하고 견고한 장소에서 할 것
② 발판을 사용하는 경우에는 충분한 길이·폭 및 강도를 가진 것을 사용하고 적당한 경사를 유지하기 위하여 견고하게 설치할 것
③ 가설대 등을 사용하는 경우에는 충분한 폭 및 강도와 적당한 경사를 확보할 것
④ 지정운전자의 성명·연락처 등을 보기 쉬운 곳에 표시하고 지정운전자 외에는 운전하지 않도록 할 것

12

차량계 하역운반기계 등의 운전자가 운전위치 이탈시 조치해야 할 사항을 2가지 쓰시오.

해답

① 포크, 버킷, 디퍼 등의 장치를 가장 낮은 위치 또는 지면에 내려 둘 것
② 원동기를 정지시키고 브레이크를 확실히 거는 등 차량계 하역운반기계등, 차량계 건설기계의 갑작스러운 이동을 방지하기 위한 조치를 할 것
③ 운전석을 이탈하는 경우에는 시동키를 운전대에서 분리시킬 것. 다만, 운전석에 잠금장치를 하는 등 운전자가 아닌 사람이 운전하지 못하도록 조치한 경우는 그렇지 않다.

tip
2024년 개정된 법령 적용

13

차량계 하역운반기계 작업시 작업지휘자의 준수사항을 4가지 쓰시오.

해답

① 작업순서 및 그 순서마다의 작업방법을 정하고 작업을 지휘할 것
② 기구 및 공구를 점검하고 불량품을 제거할 것
③ 당해 작업을 행하는 장소에 관계근로자외의 자의 출입을 금지시킬 것
④ 로프를 풀거나 덮개를 벗기는 작업을 행하는 때에는 적재함의 화물이 낙하할 위험이 없음을 확인한 후에 당해 작업을 하도록 할 것

14

구내운반차를 사용하는 경우 사업주가 준수해야 할 사항을 4가지 쓰시오.

해답

① 주행을 제동하고, 정지상태를 유지하기 위하여 유효한 제동장치를 갖출 것
② 경음기를 갖출 것
③ 운전자석이 차실내에 있는 것은 좌우에 한개씩 방향지시기를 갖출 것
④ 전조등 및 후미등을 갖출 것

15

고소작업대 설치시 준수해야 할 사항을 2가지 쓰시오.

해답

① 바닥과 고소작업대는 가능한 한 수평을 유지하도록 할 것
② 갑작스러운 이동을 방지하기 위하여 아웃트리거(outrigger) 또는 브레이크 등을 확실히 사용할 것

16

고소작업대를 이동할 때에 준수해야 할 사항을 3가지 쓰시오.

해답

① 작업대를 가장 낮게 하강시킬 것
② 작업자를 태우고 이동하지 말 것(다만, 이동중 전도 등의 위험 예방을 위하여 유도하는 사람을 배치하고 짧은 구간을 이동하는 경우에는 작업대를 가장 낮게 내린 상태에서 작업자를 태우고 이동할 수 있다.)
③ 이동통로의 요철상태 또는 장애물의 유무 등을 확인할 것

17

고소작업대를 사용할 때에 준수해야 할 사항을 3가지 쓰시오.

해답

① 작업자가 안전모·안전대 등의 보호구를 착용하도록 할 것
② 관계자가 아닌 사람이 작업구역에 들어오는 것을 방지하기 위하여 필요한 조치를 할 것
③ 안전한 작업을 위하여 적정수준의 조도를 유지할 것
④ 전로(電路)에 근접하여 작업을 하는 경우에는 작업감시자를 배치하는 등 감전사고를 방지하기 위하여 필요한 조치를 할 것
⑤ 작업대를 정기적으로 점검하고 붐·작업대 등 각 부위의 이상 유무를 확인할 것
⑥ 전환스위치는 다른 물체를 이용하여 고정하지 말 것
⑦ 작업대는 정격하중을 초과하여 물건을 싣거나 탑승하지 말 것
⑧ 작업대의 붐대를 상승시킨 상태에서 탑승자는 작업대를 벗어나지 말 것. 다만, 작업대에 안전대 부착설비를 설치하고 안전대를 연결하였을 때에는 그렇지 않다.

18

산업안전보건법상 양중기의 종류를 4가지 쓰시오.

해답

① 크레인(호이스트 포함)
② 이동식 크레인
③ 리프트(이삿짐운반용 리프트의 경우 적재하중 0.1톤 이상인 것)
④ 곤돌라
⑤ 승강기

19

건설용 리프트의 정의를 쓰시오.

해답

동력을 사용하여 가이드레일을 따라 상하로 움직이는 운반구를 매달아 화물을 운반할 수 있는 설비 또는 이와 유사한 구조 및 성능을 가진 것으로서 건설현장에서 사용하는 것

20

크레인의 방호장치의 종류를 쓰시오.

해답

① 권과방지 장치 ② 과부하 방지 장치 ③ 비상 정지장치
④ 브레이크 장치

21

승강기의 방호장치를 4가지 쓰시오.

해답

① 파이널 리미트 스위치 ② 완충기
③ 속도조절기(governor) ④ 출입문 인터록 장치

22

동력을 사용하는 항타기 또는 항발기에 대하여 무너짐 방지를 위하여 준수하여야 할 사항을 4가지 쓰시오.

해답

① 연약한 지반에 설치하는 경우에는 아웃트리거·받침 등 지지구조물의 침하를 방지하기 위하여 깔판·받침목 등을 사용할 것
② 시설 또는 가설물 등에 설치하는 경우에는 그 내력을 확인하고 내력이 부족하면 그 내력을 보강할 것
③ 아웃트리거·받침 등 지지구조물이 미끄러질 우려가 있는 경우에는 말뚝 또는 쐐기 등을 사용하여 해당 지지구조물을 고정시킬 것
④ 궤도 또는 차로 이동하는 항타기 또는 항발기에 대해서는 불시에 이동하는 것을 방지하기 위하여 레일 클램프(rail clamp) 및 쐐기 등으로 고정시킬 것
⑤ 상단 부분은 버팀대·버팀줄로 고정하여 안정시키고, 그 하단 부분은 견고한 버팀·말뚝 또는 철골 등으로 고정시킬 것

23

항타기 항발기의 권상용 와이어로프의 안전계수는 얼마 이상인가?

해답

5 이상

24

항타기 또는 항발기의 권상용와이어로프의 사용금지 사항을 5가지 쓰시오.

해답

① 이음매가 있는 것
② 와이어로프의 한 꼬임(스트랜드)에서 끊어진 소선(필러선 제외)의 수가 10% 이상(비자전로프의 경우에는 끊어진 소선의 수가 와이어로프 호칭지름의 6배 길이 이내에서 4개 이상이거나 호칭지름 30배 길이 이내에서 8개 이상)인 것
③ 지름의 감소가 공칭지름의 7%를 초과하는 것
④ 꼬인 것
⑤ 심하게 변형되거나 부식된 것
⑥ 열과 전기충격에 의해 손상된 것

25

항타기 또는 항발기의 권상용와이어로프의 사용시 준수 사항을 3가지 쓰시오.

해답

① 권상용 와이어로프는 추 또는 해머가 최저의 위치에 있을 때 또는 널말뚝을 빼내기 시작할 때를 기준으로 권상장치의 드럼에 적어도 2회 감기고 남을 수 있는 충분한 길이일 것
② 권상용 와이어로프는 권상장치의 드럼에 클램프·클립 등을 사용하여 견고하게 고정할 것
③ 권상용 와이어로프에서 추·해머 등과의 연결은 클램프·클립 등을 사용하여 견고하게 할 것
④ 제②호 및 제③호의 클램프·클립 등은 한국산업표준 제품이거나 한국산업표준이 없는 제품의 경우에는 이에 준하는 규격을 갖춘 제품을 사용할 것

26

항타기 또는 항발기를 조립하거나 해체하는 경우 점검해야 할 사항을 4가지 쓰시오.

해답

① 본체 연결부의 풀림 또는 손상의 유무
② 권상용 와이어로프·드럼 및 도르래의 부착상태의 이상유무
③ 권상장치의 브레이크 및 쐐기장치 기능의 이상유무
④ 권상기의 설치상태의 이상유무
⑤ 리더(leader)의 버팀 방법 및 고정상태의 이상 유무
⑥ 본체·부속장치 및 부속품의 강도가 적합한지 여부
⑦ 본체·부속장치 및 부속품에 심한 손상·마모·변형 또는 부식이 있는지 여부

27

굴착작업시 지반 조사사항을 4가지 쓰시오.

해답

① 형상·지질 및 지층의 상태
② 균열·함수(含水)·용수 및 동결의 유무 또는 상태
③ 매설물 등의 유무 또는 상태
④ 지반의 지하수위 상태

28

굴착작업 시 토사등의 붕괴 또는 낙하에 의하여 근로자에게 위험을 미칠 우려가 있는 경우 사업주가 위험을 방지하기 위해 해야하는 필요한 조치를 3가지 쓰시오.

해답

① 흙막이 지보공 설치 ② 방호망 설치 ③ 근로자의 출입금지

29

흙막이 굴착시 주의해야 할 현상을 3가지 쓰시오.

해답

① 히빙(Heaving)현상 ② 보일링(Boiling)현상
③ 파이핑(Piping)현상 ④ 액화 또는 액상화(Liguefaction)현상

30

히빙(Heaving)현상의 정의 및 방지대책을 3가지 쓰시오.

해답

(1) 정의 : 연약성 점토지반 굴착시 굴착외측 흙의 중량에 의해 굴착 저면의 흙이 활동 전단 파괴되어 굴착 내측으로 부풀어 오르는 현상

(2) 방지대책
① 흙막이 근입깊이를 깊게 ② 표토제거 하중감소 ③ 지반개량
④ 굴착면 하중증가 ⑤ 어스앵커설치 등

31

보일링(Boiling)현상의 정의 및 방지대책을 3가지 쓰시오.

해답

(1) 정의 : 투수성이 좋은 사질지반의 흙막이 저면에서 수두차로 인한 상향의 침투압이 발생 유효응력이 감소하여 전단강도가 상실되는 현상으로 지하수가 모래와 같이 솟아오르는 현상

(2) 방지대책
① Filter 및 차수벽설치
② 흙막이 근입깊이를 깊게(불투수층까지)
③ 약액주입등의 굴착면 고결
④ 지하수위저하
⑤ 압성토 공법 등

32

토사붕괴재해의 붕괴 형태를 3가지 쓰시오.

해답

① 사면 천단부 붕괴 ② 사면 중심부 붕괴 ③ 사면 하단부 붕괴

33

토사붕괴 재해의 붕괴원인을 외적원인과 내적원인으로 구분하여 쓰시오.

해답

구분	원인
외적 원인	① 사면, 법면의 경사 및 기울기의 증가 ② 절토 및 성토 높이의 증가 ③ 공사에 의한 진동 및 반복 하중의 증가 ④ 지표수 및 지하수의 침투에 의한 토사 중량의 증가 ⑤ 지진, 차량, 구조물의 하중작용 ⑥ 토사 및 암석의 혼합층두께
내적 원인	① 절토 사면의 토질·암질 ② 성토 사면의 토질구성 및 분포 ③ 토석의 강도 저하

34

토사붕괴를 예방하기 위한 대책을 3가지 쓰시오.

해답

① 적절한 경사면 기울기 계획
② 경사면 기울기가 초기계획과 차이 발생 시 즉시 재검토 및 계획 변경
③ 활동성 토석의 제거
④ 경사면 하단부는 압성토 등 보강공법으로 활동에 대한 저항대책 강구
⑤ 말뚝(강관, H형강, 철근 콘크리트)을 타입 하여 지반강화

35

차량계 건설기계의 종류를 5가지 쓰시오.

해답

① 도저형 건설기계(불도저, 스트레이트도저, 틸트도저, 앵글도저, 버킷도저 등)
② 모터그레이더(motor grader, 땅 고르는 기계)
③ 로더(포크 등 부착물 종류에 따른 용도 변경 형식을 포함한다)
④ 스크레이퍼
⑤ 크레인형 굴착기계(크램쉘, 드래그라인 등)
⑥ 굴착기(브레이커, 크러셔, 드릴 등 부착물 종류에 따른 용도 변경 형식을 포함한다)
⑦ 항타기 및 항발기
⑧ 천공용 건설기계(어스드릴, 어스오거, 크롤러드릴, 점보드릴 등)
⑨ 지반 압밀침하용 건설기계(샌드드레인머신, 페이퍼드레인머신, 팩드레인머신 등)
⑩ 지반 다짐용 건설기계(타이어롤러, 매커덤롤러, 탠덤롤러 등)
⑪ 준설용 건설기계(버킷준설선, 그래브준설선, 펌프준설선 등)
⑫ 콘크리트 펌프카
⑬ 덤프트럭
⑭ 콘크리트 믹서 트럭
⑮ 도로포장용 건설기계(아스팔트 살포기, 콘크리트 살포기, 아스팔트 피니셔, 콘크리트 피니셔 등)
⑯ 골재 채취 및 살포용 건설기계(쇄석기, 자갈채취기, 골재살포기 등)
⑰ 제①호부터 제⑯호까지와 유사한 구조 또는 기능을 갖는 건설기계로서 건설작업에 사용하는 것

36

차량계건설기계를 사용하여 작업하는 경우 작업계획서 내용을 3가지 쓰시오.

해답

① 사용하는 차량계 건설기계의 종류 및 성능
② 차량계 건설기계의 운행경로
③ 차량계 건설기계에 의한 작업방법

37

차량계건설기계의 운전자가 운전위치를 이탈할 경우 조치해야 할 사항을 2가지 쓰시오.

해답

① 포크, 버킷, 디퍼 등의 장치를 가장 낮은 위치 또는 지면에 내려 둘 것
② 원동기를 정지시키고 브레이크를 확실히 거는 등 차량계 하역운반기계등, 차량계 건설기계의 갑작스러운 이동을 방지하기 위한 조치를 할 것
③ 운전석을 이탈하는 경우에는 시동키를 운전대에서 분리시킬 것. 다만, 운전석에 잠금장치를 하는 등 운전자가 아닌 사람이 운전하지 못하도록 조치한 경우는 그러하지 아니하다.

tip
2024년 개정된 법령 적용

38

차량계건설기계를 사용하여 작업하는 경우 전도등의 방지를 위한 조치사항을 4가지 쓰시오.

해답

① 유도하는 사람 배치
② 지반의 부동침하방지
③ 갓길의 붕괴방지
④ 도로 폭의 유지

39

차량계건설기계의 이송시 전도 또는 전락에 의한 위험을 방지하기 위하여 준수해야 할 사항을 3가지 쓰시오.

해답

① 싣거나 내리는 작업은 평탄하고 견고한 장소에서 할 것
② 발판을 사용하는 때에는 충분한 길이·폭 및 강도를 가진 것을 사용하고 적당한 경사를 유지하기 위하여 견고하게 설치할 것
③ 자루·가설대 등을 사용하는 때에는 충분한 폭 및 강도와 적당한 경사를 확보할 것

40

차량계건설기계의 붐, 암등이 갑자기 하강함으로써 발생하는 위험을 방지하기 위한 조치를 쓰시오.

해답

① 안전지지대사용　② 안전블록사용

41

철골작업 중 악천후로 인하여 작업을 중지해야 하는 사항을 쓰시오.

해답

① 풍속 : 초당 10m 이상인 경우
② 강우량 : 시간당 1mm 이상인 경우
③ 강설량 : 시간당 1cm 이상인 경우

42

중량물 취급작업의 작업계획서 내용에 대하여 쓰시오.

해답

① 추락위험을 예방할 수 있는 안전대책
② 낙하위험을 예방할 수 있는 안전대책
③ 전도위험을 예방할 수 있는 안전대책
④ 협착위험을 예방할 수 있는 안전대책
⑤ 붕괴위험을 예방할 수 있는 안전대책

43

중량물 취급시 준수해야 할 사항을 3가지 쓰시오.

해답

① 하역운반기계·운반용구사용
② 작업계획서 작성
③ 2명 이상의 근로자가 취급하거나 운반하는 작업일 경우 신호방법 정하고 신호에 따라 작업(체력, 신장고려)
④ 작업지휘자 지정(단위화물의 무게가 100kg 이상인 화물을 차량계 하역운반기계 등에 싣거나 내리는 작업)

44

잠함 또는 우물통의 내부에서 굴착작업시 급격한 침하로 인한 위험을 방지하기 위하여 준수해야 할 사항을 2가지 쓰시오.

해답

① 침하관계도에 따라 굴착방법 및 재하량 등을 정할 것
② 바닥으로부터 천장 또는 보까지의 높이는 1.8m 이상으로 할 것

45

잠함등의 내부에서 굴착작업을 하는 경우 준수해야 할 사항을 3가지 쓰시오.

해답

① 산소결핍의 우려가 있는 때에는 산소의 농도를 측정하는 자를 지명하여 측정하도록 할 것
② 근로자가 안전하게 승강 하기 위한 설비를 설치할 것
③ 굴착깊이가 20m를 초과하는 때에는 당해 작업장소와 부와의 연락을 위한 통신설비 등을 설치할 것

12

건설현장 안전시설 관리 및 건설공사 위험성 평가

안전시설 관리 계획하기

1 안전난간의 설치기준 ★★★

구성	상부난간대·중간난간대·발끝막이판 및 난간기둥으로 구성(중간난간대·발끝막이판 및 난간기둥은 이와 비슷한 구조 및 성능을 가진 것으로 대체가능)
상부난간대	바닥면·발판 또는 경사로의 표면으로부터 90센티미터 이상 지점에 설치하고, 상부난간대를 120센티미터 이하에 설치하는 경우에는 중간난간대는 상부난간대와 바닥면 등의 중간에 설치하여야 하며, 120센티미터 이상 지점에 설치하는 경우에는 중간 난간대를 2단 이상으로 균등하게 설치하고 난간의 상하 간격은 60센티미터 이하가 되도록 할 것(다만, 난간기둥간의 간격이 25센티미터 이하인 경우 중간난간대를 설치하지 아니할 수 있다.)
발끝막이판	바닥면 등으로부터 10센티미터 이상의 높이를 유지할 것(물체가 떨어지거나 날아올 위험이 없거나 그 위험을 방지할 수 있는 망을 설치하는 등 필요한 예방조치를 한 장소 제외)
난간기둥	상부난간대와 중간난간대를 견고하게 떠받칠 수 있도록 적정간격을 유지할 것
상부난간대와 중간난간대	난간길이 전체에 걸쳐 바닥면 등과 평행을 유지할 것
난간대	지름 2.7센티미터 이상의 금속제파이프나 그 이상의 강도가 있는 재료일 것
하중	안전난간은 구조적으로 가장 취약한 지점에서 가장 취약한 방법으로 작용하는 100킬로그램 이상의 하중에 견딜 수 있는 튼튼한 구조일 것

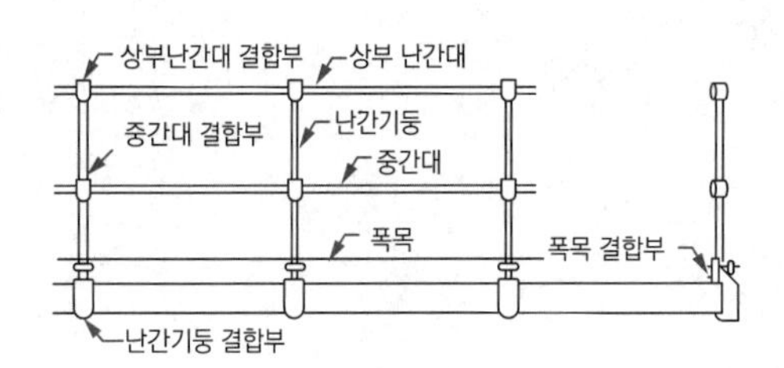

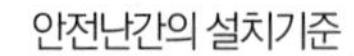
안전난간의 설치기준

계단에 설치된 안전난간

2 계단 및 비상구

1) 계단의 안전기준 ★★★

계단 및 계단참의 강도	① 매제곱미터당 500킬로그램 이상의 하중에 견딜 수 있는 강도를 가진 구조로 설치 ② 안전율(재료의 파괴응력도와 허용응력도의 비율을 말한다)은 4 이상 ③ 계단 및 승강구 바닥을 구멍이 있는 재료로 만드는 경우 렌치나 그 밖의 공구 등이 낙하할 위험이 없는 구조
계단의 폭	폭은 1미터 이상(급유용·보수용·비상용 계단 및 나선형 계단이거나 높이 1미터 미만의 이동식 계단은 제외)이며 손잡이 외 다른 물건 설치, 적재금지
계단참의 높이	높이가 3미터를 초과하는 계단에 높이 3미터 이내마다 진행방향으로 길이 1.2미터 이상의 계단참 설치
천장의 높이	바닥면으로부터 높이 2미터 이내의 공간에 장애물이 없을 것(급유용·보수용·비상용 계단 및 나선형 계단은 제외)
계단의 난간	높이 1미터 이상인 계단의 개방된 측면에는 안전난간설치

2) 위험물질 제조·취급 작업장의 비상구 ★

설치기준	① 출입구와 같은 방향에 있지 아니하고, 출입구로부터 3m 이상 떨어져 있을 것 ② 작업장의 각 부분으로부터 하나의 비상구 또는 출입구까지의 수평거리가 50m 이하가 되도록 할 것. 다만, 작업장이 있는 층에 피난층 또는 지상으로 통하는 직통계단(경사로 포함)을 설치한 경우에는 그 부분에 한정하여 본문에 따른 기준을 충족한 것으로 본다. ③ 비상구의 너비는 0.75m 이상으로 하고, 높이는 1.5m 이상으로 할 것 ④ 비상구의 문은 피난방향으로 열리도록 하고, 실내에서 항상 열 수 있는 구조로 할 것
상태유지	① 비상구에 문을 설치하는 경우 항상 사용할 수 있는 상태로 유지 ② 출입구외 1개 이상 설치. 다만, 작업장 바닥면의 가로 및 세로가 3미터 미만인 경우는 제외

참고

가설구조물의 구비요건

① 안전성
② 작업성(시공성)
③ 경제성

3 가설통로 및 사다리식 통로 ★★★

가설 통로	① 견고한 구조로 할 것 ② 경사는 30도 이하로 할 것(계단을 설치하거나 높이 2미터 미만의 가설통로로서 튼튼한 손잡이를 설치한 경우에는 그러하지 아니하다) ③ 경사가 15도를 초과하는 경우에는 미끄러지지 아니하는 구조로 할 것 ④ 추락할 위험이 있는 장소에는 안전난간을 설치할 것(작업상 부득이한 경우에는 필요한 부분만 임시로 해체할 수 있다) ⑤ 수직갱에 가설된 통로의 길이가 15미터 이상인 경우에는 10미터 이내마다 계단참을 설치할 것 ⑥ 건설공사에 사용하는 높이 8미터 이상인 비계다리에는 7미터 이내마다 계단참을 설치할 것
사다리식 통로	① 견고한 구조로 할 것 ② 심한 손상·부식 등이 없는 재료를 사용할 것 ③ 발판의 간격은 일정하게 할 것 ④ 발판과 벽과의 사이는 15cm 이상의 간격을 유지할 것 ⑤ 폭은 30cm 이상으로 할 것 ⑥ 사다리가 넘어지거나 미끄러지는 것을 방지하기 위한 조치를 할 것 ⑦ 사다리의 상단은 걸쳐놓은 지점으로부터 60cm 이상 올라가도록 할 것 ⑧ 사다리식 통로의 길이가 10미터 이상인 경우에는 5미터 이내마다 계단참을 설치할 것 ⑨ 사다리식 통로의 기울기는 75도 이하로 할 것. 다만, 고정식 사다리식 통로의 기울기는 90도 이하로 하고, 그 높이가 7미터 이상인 경우에는 다음 각 목의 구분에 따른 조치를 할 것 ㉮ 등받이울이 있어도 근로자 이동에 지장이 없는 경우 : 바닥으로부터 높이가 2.5미터 되는 지점부터 등받이울을 설치할 것 ㉯ 등받이울이 있으면 근로자가 이동이 곤란한 경우 : 한국산업표준에서 정하는 기준에 적합한 개인용 추락방지 시스템을 설치하고 근로자로 하여금 한국산업표준에서 정하는 기준에 적합한 전신안전대를 사용하도록 할 것 ⑩ 접이식 사다리 기둥은 사용시 접혀지거나 펼쳐지지 않도록 철물 등을 사용하여 견고하게 조치할 것

CHAPTER 02

안전시설 설치하기

1 추락방지용 안전시설

1) 추락재해 예방대책 ★★

(1) 추락의 방지(작업발판의 끝, 개구부 등 제외)

① 추락하거나 넘어질 위험이 있는 장소 또는 기계·설비·선박블록 등에서 작업할 때

㉠ 비계를 조립하는 등의 방법으로 작업발판 설치

㉡ 발판설치가 곤란한 경우 추락방호망 설치

㉢ 추락방호망 설치가 곤란한 경우 안전대 착용 등 추락위험방지 조치

추락 방호망의 설치기준	① 추락방호망의 설치위치는 가능하면 작업면으로부터 가까운 지점에 설치하여야 하며, 작업면으로부터 망의 설치지점까지의 수직거리는 10미터를 초과하지 아니할 것 ② 추락방호망은 수평으로 설치하고, 망의 처짐은 짧은 변 길이의 12퍼센트 이상이 되도록 할 것 ③ 건축물 등의 바깥쪽으로 설치하는 경우 망의 내민 길이는 벽면으로부터 3미터 이상 되도록 할 것. 다만, 그물코가 20밀리미터 이하인 망을 사용한 경우에는 낙하물에 의한 위험 방지에 따른 낙하물방지망을 설치한 것으로 본다.

㉣ 작업발판 및 추락방호망 설치가 곤란한 경우(이동식사다리의 구조)

3개 이상의 버팀대를 가지고 지면으로부터 안정적으로 세울 수 있는 구조를 갖춘 이동식 사다리를 사용하여 작업

이동식 사다리 작업시 준수사항	① 평탄하고 견고하며 미끄럽지 않은 바닥에 이동식 사다리를 설치할 것 ② 이동식 사다리의 넘어짐을 방지하기 위해 다음 각 목의 어느 하나 이상에 해당하는 조치를 할 것 ㉮ 이동식 사다리를 견고한 시설물에 연결하여 고정할 것 ㉯ 아웃트리거(outrigger, 전도방지용 지지대)를 설치하거나 아웃트리거가 붙어있는 이동식 사다리를 설치할 것 ㉰ 이동식 사다리를 다른 근로자가 지지하여 넘어지지 않도록 할 것 ③ 이동식 사다리의 제조사가 정하여 표시한 이동식 사다리의 최대사용하중을 초과하지 않는 범위 내에서만 사용할 것 ④ 이동식 사다리를 설치한 바닥면에서 높이 3.5미터 이하의 장소에서만 작업할 것 ⑤ 이동식 사다리의 최상부 발판 및 그 하단 디딤대에 올라서서 작업하지 않을 것. 다만, 높이 1미터 이하의 사다리는 제외한다. ⑥ 안전모를 착용하되, 작업 높이가 2미터 이상인 경우에는 안전모와 안전대를 함께 착용할 것 ⑦ 이동식 사다리 사용 전 변형 및 이상 유무 등을 점검하여 이상이 발견되면 즉시 수리하거나 그 밖에 필요한 조치를 할 것

Key point

안전대 부착설비의 종류

① 비계
② 지지로프
③ 건립중인 구조체(철골 등)
④ 전용철물
⑤ 수평지지로프
⑥ 수직지지로프

② 높이가 2m 이상인 장소에서의 위험방지 조치사항

㉠ 안전대의 부착설비 : 지지로프 설치시 처지거나 풀리는 것을 방지하기 위한 조치

㉡ 조명의 유지 : 당해 작업을 안전하게 수행하는데 필요한 조명 유지

㉢ 승강설비(건설용 리프트 등) 설치 : 높이 또는 깊이가 2m 초과하는 장소에서의 안전한 작업을 위한 승강설비 설치

방망설치작업

설치완료된 방망

(2) 지붕위에서 작업시 추락하거나 넘어질 위험이 있는 경우 조치사항

① 지붕의 가장자리에 안전난간을 설치할 것

- 안전난간 설치가 곤란한 경우 추락방호망 설치
- 추락방호망 설치가 곤란한 경우 안전대 착용 등의 추락 위험 방지조치

② 채광창(skylight)에는 견고한 구조의 덮개를 설치할 것

③ 슬레이트 등 강도가 약한 재료로 덮은 지붕에는 폭 30센티미터 이상의 발판을 설치할 것

2) 작업발판 및 통로의 끝이나 개구부로 추락위험 장소

① 안전난간, 울타리, 수직형 추락방망 또는 덮개 등의 방호조치를 충분한 강도를 가진 구조로 튼튼하게 설치하고, 덮개 설치 시 뒤집히거나 떨어지지 않도록 설치 (어두운 장소에서도 알아볼 수 있도록 개구부임을 표시)

② 안전난간 등의 설치가 매우 곤란하거나 작업의 필요상 임시로 난간 등을 해체하는 경우 추락방호망 설치(추락방호망 설치가 곤란한 경우 안전대 착용 등의 추락위험 방지조치)

2 낙하방지용 안전시설 ★★

낙하물에 의한 위험방지	① 낙하물 방지망 설치 ② 수직 보호망 설치 ③ 방호선반 설치 ④ 출입금지구역 설정 ⑤ 보호구 착용 등
낙하물방지망 또는 방호선반 설치시 준수사항	① 높이 10미터 이내마다 설치하고, 내민 길이는 벽면으로부터 2미터 이상으로 할 것 ② 수평면과의 각도는 20도 이상 30도 이하를 유지할 것
투하설비 설치	높이가 3미터 이상인 장소로부터 물체를 투하하는 경우 적당한 투하설비를 설치하거나 감시인을 배치하는 등 위험을 방지하기 위하여 필요한 조치

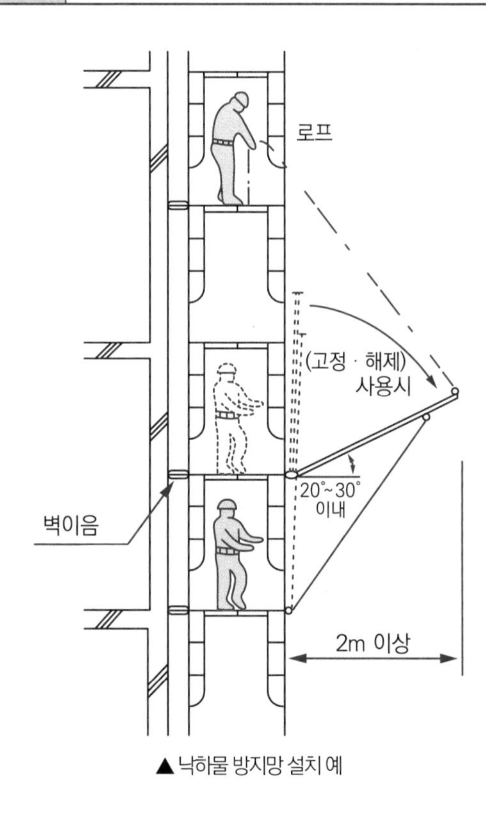

▲ 낙하물 방지망 설치 예

3 붕괴방지용 안전시설

1) 붕괴 원인

외적 원인 ★	① 사면, 법면의 경사 및 기울기의 증가 ② 절토 및 성토 높이의 증가 ③ 공사에 의한 진동 및 반복 하중의 증가 ④ 지표수 및 지하수의 침투에 의한 토사 중량의 증가 ⑤ 지진, 차량, 구조물의 하중작용 ⑥ 토사 및 암석의 혼합층 두께
내적 원인	① 절토 사면의 토질·암질 ② 성토 사면의 토질구성 및 분포 ③ 토석의 강도 저하

2) 토사, 구축물 등에 의한 붕괴 또는 낙하방지

① 지반은 안전한 경사로 하고 낙하의 위험이 있는 토석을 제거하거나 옹벽, 흙막이 지보공 등을 설치할 것

② 토사등의 붕괴 또는 낙하 원인이 되는 빗물이나 지하수 등을 배제할 것

③ 갱내의 낙반·측벽 붕괴의 위험이 있는 경우에는 지보공을 설치하고 부석을 제거하는 등 필요한 조치를 할 것

CHAPTER

03 안전시설 관리하기

1 콘크리트 타설 작업시 준수사항 ★★★

① 당일의 작업을 시작하기 전에 해당 작업에 관한 거푸집 및 동바리의 변형·변위 및 지반의 침하유무 등을 점검하고 이상이 있으면 보수할 것

② 작업 중에는 감시자를 배치하는 등의 방법으로 거푸집 및 동바리의 변형·변위 및 침하 유무 등을 확인해야 하며, 이상이 있으면 작업을 중지하고 근로자를 대피시킬 것

③ 콘크리트 타설작업시 거푸집 붕괴의 위험이 발생할 우려가 있으면 충분한 보강조치를 할 것

④ 설계도서상의 콘크리트 양생기간을 준수하여 거푸집 및 동바리 등을 해체할 것

⑤ 콘크리트를 타설하는 경우에는 편심이 발생하지 않도록 골고루 분산하여 타설할 것

참고

옹벽의 안정조건 ★

① 전도(over turning)에 대한 안정
② 활동(sliding)에 대한 안정
③ 지반지지력[침하(settlement)]에 대한 안정

2 거푸집 동바리 조립시 안전조치

1) 거푸집의 필요조건

(1) 목적

타설기간, 양생기간 동안 콘크리트의 위치, 치수, 모양을 정확하게 확보하기 위한 가설물로서 하중, 진동, 기상변화로부터 콘크리트를 보호

(2) 필요조건

① 가공용이, 치수정확　② 수밀성 확보, 내수성유지
③ 경제성　④ 외력에 강하고, 청소, 보수용이

2) 거푸집 및 동바리의 조립 시 안전조치 사항

(1) 조립도

① 구조를 검토한 후 조립도를 작성하여 조립도에 의해 조립

② 조립도에 명시해야 할 사항

㉠ 부재의 재질　㉡ 단면규격
㉢ 설치간격 및 이음방법 등

3) 조립 시 안전조치 ★

거푸집 조립 시의 안전조치	① 거푸집이 콘크리트 하중이나 그 밖의 외력에 견딜 수 있거나, 넘어지지 않도록 견고한 구조의 긴결재, 버팀대 또는 지지대를 설치하는 등 필요한 조치를 할 것 ② 거푸집이 곡면인 경우에는 버팀대의 부착 등 그 거푸집의 부상을 방지하기 위한 조치를 할 것

Key point

작업발판 일체형 거푸집의 종류 ★

① 갱 폼(gang form)
② 슬립 폼(slip form)
③ 클라이밍 폼(climbing form)
④ 터널 라이닝 폼(tunnel lining form)
⑤ 그 밖에 거푸집과 작업발판이 일체로 제작된 거푸집 등

동바리 조립 시의 안전조치	① 받침목이나 깔판의 사용, 콘크리트 타설, 말뚝박기 등 동바리의 침하를 방지하기 위한 조치를 할 것 ② 동바리의 상하 고정 및 미끄러짐 방지 조치를 할 것 ③ 상부·하부의 동바리가 동일 수직선상에 위치하도록 하여 깔판·받침목에 고정시킬 것 ④ 개구부 상부에 동바리를 설치하는 경우에는 상부하중을 견딜 수 있는 견고한 받침대를 설치할 것 ⑤ U헤드 등의 단판이 없는 동바리의 상단에 멍에 등을 올릴 경우에는 해당 상단에 U헤드 등의 단판을 설치하고, 멍에 등이 전도되거나 이탈되지 않도록 고정시킬 것 ⑥ 동바리의 이음은 같은 품질의 재료를 사용할 것 ⑦ 강재의 접속부 및 교차부는 볼트·클램프 등 전용철물을 사용하여 단단히 연결할 것 ⑧ 거푸집의 형상에 따른 부득이한 경우를 제외하고는 깔판이나 받침목은 2단 이상 끼우지 않도록 할 것 ⑨ 깔판이나 받침목을 이어서 사용하는 경우에는 그 깔판·받침목을 단단히 연결할 것
동바리 유형에 따른 동바리 조립 시의 안전조치	① 동바리로 사용하는 파이프 서포트의 경우 ㉮ 파이프 서포트를 3개 이상 이어서 사용하지 않도록 할 것 ㉯ 파이프 서포트를 이어서 사용하는 경우에는 4개 이상의 볼트 또는 전용철물을 사용하여 이을 것 ㉰ 높이가 3.5미터를 초과하는 경우에는 높이 2미터 이내마다 수평연결재를 2개 방향으로 만들고 수평연결재의 변위를 방지할 것 ② 동바리로 사용하는 강관틀의 경우 ㉮ 강관틀과 강관틀 사이에 교차가새를 설치할 것 ㉯ 최상단 및 5단 이내마다 동바리의 측면과 틀면의 방향 및 교차가새의 방향에서 5개 이내마다 수평연결재를 설치하고 수평연결재의 변위를 방지할 것 ㉰ 최상단 및 5단 이내마다 동바리의 틀면의 방향에서 양단 및 5개틀 이내마다 교차가새의 방향으로 띠장틀을 설치할 것 ③ 동바리로 사용하는 조립강주의 경우 : 조립강주의 높이가 4미터를 초과하는 경우에는 높이 4미터 이내마다 수평연결재를 2개 방향으로 설치하고 수평연결재의 변위를 방지할 것 ④ 시스템 동바리의 경우 ㉮ 수평재는 수직재와 직각으로 설치해야 하며, 흔들리지 않도록 견고하게 설치할 것 ㉯ 연결철물을 사용하여 수직재를 견고하게 연결하고, 연결부위가 탈락 또는 꺾어지지 않도록 할 것 ㉰ 수직 및 수평하중에 대해 동바리의 구조적 안정성이 확보되도록 조립도에 따라 수직재 및 수평재에는 가새재를 견고하게 설치할 것 ㉱ 동바리 최상단과 최하단의 수직재와 받침철물은 서로 밀착되도록 설치하고 수직재와 받침철물의 연결부의 겹침길이는 받침철물 전체길이의 3분의 1 이상 되도록 할 것 ⑤ 보 형식의 동바리[강제 갑판(steel deck), 철재트러스 조립 보 등 수평으로 설치하여 거푸집을 지지하는 동바리]의 경우 ㉮ 접합부는 충분한 걸침 길이를 확보하고 못, 용접 등으로 양끝을 지지물에 고정시켜 미끄러짐 및 탈락을 방지할 것 ㉯ 양끝에 설치된 보 거푸집을 지지하는 동바리 사이에는 수평연결재를 설치하거나 동바리를 추가로 설치하는 등 보 거푸집이 옆으로 넘어지지 않도록 견고하게 할 것 ㉰ 설계도면, 시방서 등 설계도서를 준수하여 설치할 것

안전시설 적용하기

1 비계설치시 준수사항

1) 비계의 점검보수 ★★★

점검 보수 시기	① 비, 눈 그 밖의 기상 상태의 악화로 작업을 중지시킨 후 그 비계에서 작업할 경우 ② 비계를 조립, 해체하거나 변경한 후에 그 비계에서 작업을 하는 경우
작업 시작전 점검사항	① 발판재료의 손상여부 및 부착 또는 걸림상태 ② 당해 비계의 연결부 또는 접속부의 풀림상태 ③ 연결재료 및 연결철물의 손상 또는 부식상태 ④ 손잡이의 탈락여부 ⑤ 기둥의 침하·변형·변위 또는 흔들림 상태 ⑥ 로프의 부착상태 및 매단장치의 흔들림 상태

2) 비계높이 2m 이상 장소의 작업발판 설치기준(달비계, 달대비계, 말비계 제외)

① 발판재료는 작업할 때의 하중을 견딜 수 있도록 견고한 것으로 할 것

② 작업발판의 폭은 40cm 이상으로 하고, 발판재료 간의 틈은 3cm 이하로 할 것

③ 제②호에도 불구하고 선박 및 보트 건조작업의 경우 선박블록 또는 엔진실 등의 좁은 작업공간에 작업발판을 설치하기 위하여 필요하면 작업발판의 폭을 30cm 이상으로 할 수 있고, 걸침비계의 경우 강관기둥 때문에 발판재료 간의 틈을 3cm 이하로 유지하기 곤란하면 5cm 이하로 할 수 있다. 이 경우 그 틈 사이로 물체 등이 떨어질 우려가 있는 곳에는 출입금지 등의 조치를 할 것

④ 추락의 위험성이 있는 장소에는 안전난간을 설치할 것(안전난간설치가 곤란한 경우, 작업의 필요상 임시로 안전난간 해체시 추락방호망 또는 안전대 사용 등 추락에 의한 위험방지조치)

⑤ 작업발판의 지지물은 하중에 의하여 파괴될 우려가 없는 것을 사용할 것

⑥ 작업발판재료는 뒤집히거나 떨어지지 않도록 둘 이상의 지지물에 연결하거나 고정시킬 것

⑦ 작업발판을 작업에 따라 이동시킬 경우에는 위험방지에 필요한 조치를 할 것

2 비계의 종류

1) 강관비계 조립시 준수사항 ★

① 비계기둥에는 미끄러지거나 침하하는 것을 방지하기 위하여 밑받침철물을 사용하거나 깔판·받침목 등을 사용하여 밑둥잡이를 설치하는 등의 조치를 할 것

② 강관의 접속부 또는 교차부는 적합한 부속철물을 사용하여 접속하거나 단단히 묶을 것

③ 교차가새로 보강할 것

④ 외줄비계·쌍줄비계 또는 돌출비계에 대하여는 다음에 정하는 바에 따라 벽이음 및 버팀을 설치할 것

㉠ 강관비계의 조립간격은 다음의 기준에 적합하도록 정해진 기준 이내로 할 것

강관비계의 종류	조립간격(단위 : m 이내)	
	수직방향	수평방향
단관비계	5	5
틀비계(높이가 5m 미만의 것 제외)	6	8

㉡ 강관·통나무 등의 재료를 사용하여 견고한 것으로 할 것

㉢ 인장재와 압축재로 구성되어 있는 때에는 인장재와 압축재의 간격을 1미터 이내로 할 것

⑤ 가공전로에 근접하여 비계를 설치하는 때에는 가공전로를 이설하거나 가공전로에 절연용 방호구를 장착하는 등 가공전로와의 접촉을 방지하기 위한 조치를 할 것

2) 강관틀비계 조립 시 준수사항

구분	준수 사항
벽이음	수직방향 6미터, 수평방향 8미터 이내마다
높이 제한	전체 높이 40미터 초과금지
가새 및 수평재	주틀 간 교차가새. 최상층 및 5층 이내마다 수평재 설치
주틀 간 간격	높이 20미터를 초과하거나 중량물의 적재를 수반하는 작업을 할 경우 주틀 간의 간격 1.8미터 이하로 할 것
비계기둥 밑둥	밑받침 철물사용(밑받침에 고저차가 있는 경우에는 조절형 밑받침 철물 사용) 수평 수직 유지
버팀 기둥	길이가 띠장 방향으로 4미터 이하이고 높이가 10미터를 초과하는 경우에는 10미터 이내마다 띠장 방향으로 버팀 기둥설치

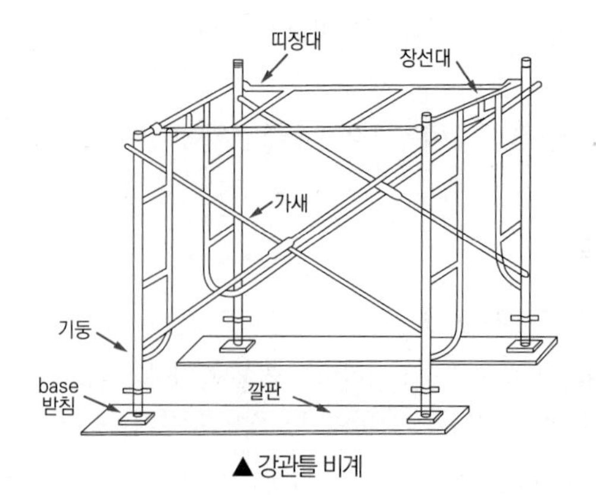

▲ 강관틀 비계

3) 곤돌라형 달비계의 구조

① 달비계 등의 사용금지 조건 ★★★

달비계의 와이어로프	㉠ 이음매가 있는 것 ㉡ 와이어로프의 한 꼬임(스트랜드)에서 끊어진 소선(필러선 제외)의 수가 10% 이상(비자전로프의 경우에는 끊어진 소선의 수가 와이어로프 호칭지름의 6배 길이 이내에서 4개 이상이거나 호칭지름 30배 길이 이내에서 8개 이상)인 것 ㉢ 지름의 감소가 공칭지름의 7%를 초과하는 것 ㉣ 꼬인 것 ㉤ 심하게 변형되거나 부식된 것 ㉥ 열과 전기충격에 의해 손상된 것
달비계의 달기체인	㉠ 달기체인의 길이가 달기체인이 제조된 때의 길이의 5퍼센트를 초과한 것 ㉡ 링의 단면지름이 달기체인이 제조된 때의 해당 링의 지름의 10퍼센트를 초과하여 감소한 것 ㉢ 균열이 있거나 심하게 변형된 것
달기강선 및 달기 강대	심하게 손상·변형 또는 부식된 것을 사용하지 않도록 할 것.

② 달기 와이어로프·달기체인·달기강선·달기강대는 한쪽 끝을 비계의 보 등에, 다른 쪽 끝을 내민 보·앵커볼트 또는 건축물의 보 등에 각각 풀리지 않도록 설치할 것

③ 작업발판은 폭을 40cm 이상으로 하고 틈새가 없도록 할 것

④ 작업발판의 재료는 뒤집히거나 떨어지지 않도록 비계의 보 등에 연결하거나 고정시킬 것

⑤ 비계가 흔들리거나 뒤집히는 것을 방지하기 위하여 비계의 보·작업발판 등에 버팀을 설치하는 등 필요한 조치를 할 것

⑥ 선반비계에서는 보의 접속부 및 교차부를 철선·이음철물 등을 사용하여 확실하게 접속시키거나 단단하게 연결시킬 것

⑦ 근로자의 추락 위험을 방지하기 위하여 다음의 조치를 할 것

㉠ 달비계에 구명줄을 설치할 것

㉡ 근로자에게 안전대를 착용하도록 하고 근로자가 착용한 안전줄을 달비계의 구명줄에 체결하도록 할 것

㉢ 달비계에 안전난간을 설치할 수 있는 구조인 경우에는 안전난간을 설치할 것

4) 작업의자형 달비계 설치시 준수사항 ★★

작업대	① 달비계의 작업대는 나무 등 근로자의 하중을 견딜 수 있는 강도의 재료를 사용하여 견고한 구조로 제작할 것 ② 작업대의 4개 모서리에 로프를 매달아 작업대가 뒤집히거나 떨어지지 않도록 연결할 것
작업용 섬유로프	① 작업용 섬유로프는 콘크리트에 매립된 고리, 건축물의 콘크리트 또는 철재 구조물 등 2개 이상의 견고한 고정점에 풀리지 않도록 결속(結束)할 것 ② 근로자가 작업용 섬유로프에 작업대를 연결하여 하강하는 방법으로 작업을 하는 경우 근로자의 조종 없이는 작업대가 하강하지 않도록 할 것
작업용 섬유로프와 구명줄	① 작업용 섬유로프와 구명줄은 다른 고정점에 결속되도록 할 것 ② 작업하는 근로자의 하중을 견딜 수 있을 정도의 강도를 가진 작업용 섬유로프, 구명줄 및 고정점을 사용할 것 ③ 작업용 섬유로프 또는 구명줄이 결속된 고정점의 로프는 다른 사람이 풀지 못하게 하고 작업 중임을 알리는 경고표지를 부착할 것 ④ 작업용 섬유로프와 구명줄이 건물이나 구조물의 끝부분, 날카로운 물체 등에 의하여 절단되거나 마모될 우려가 있는 경우에는 로프에 이를 방지할 수 있는 보호 덮개를 씌우는 등의 조치를 할 것
작업용 섬유로프 또는 안전대의 섬유벨트 사용금지	① 꼬임이 끊어진 것 ② 심하게 손상되거나 부식된 것 ③ 2개 이상의 작업용 섬유로프 또는 섬유벨트를 연결한 것 ④ 작업높이보다 길이가 짧은 것
근로자 추락위험 방지조치	① 달비계에 구명줄을 설치할 것 ② 근로자에게 안전대를 착용하도록 하고 근로자가 착용한 안전줄을 달비계의 구명줄에 체결하도록 할 것

5) 말비계의 조립 시 준수사항 ★★★

① 지주부재의 하단에는 미끄럼 방지장치를 하고, 양측 끝부분에 올라서서 작업하지 않도록 할 것

② 지주부재와 수평면과의 기울기를 75도 이하로 하고, 지주부재와 지주부재 사이를 고정시키는 보조부재를 설치할 것

③ 말비계의 높이가 2m를 초과할 경우에는 작업발판의 폭을 40cm 이상으로 할 것

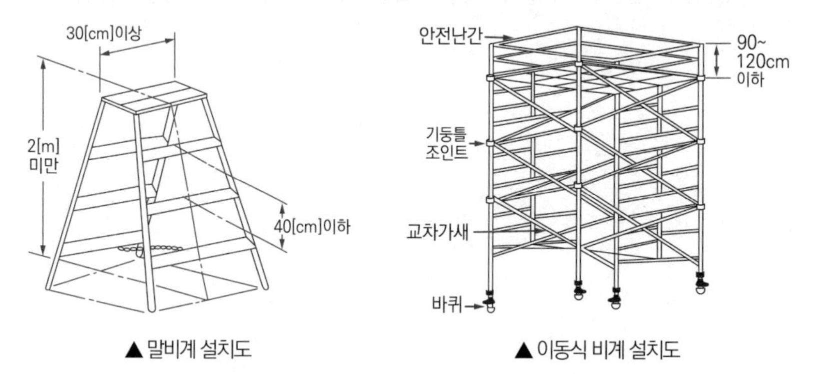

▲ 말비계 설치도　　▲ 이동식 비계 설치도

6) 이동식 비계

조립하여 작업하는 경우 준수사항	① 이동식비계의 바퀴에는 뜻밖의 갑작스러운 이동 또는 전도를 방지하기 위하여 브레이크·쐐기 등으로 바퀴를 고정시킨 다음 비계의 일부를 견고한 시설물에 고정하거나 아웃트리거를 설치하는 등 필요한 조치를 할 것 ② 승강용 사다리는 견고하게 설치할 것 ③ 비계의 최상부에서 작업을 하는 경우에는 안전난간을 설치할 것 ④ 작업발판은 항상 수평을 유지하고 작업발판 위에서 안전난간을 딛고 작업을 하거나 받침대 또는 사다리를 사용하여 작업하지 않도록 할 것 ⑤ 작업발판의 최대적재하중은 250킬로그램을 초과하지 않도록 할 것
사용상 준수사항	① 승강용 사다리는 견고하게 부착 ② 비계의 최대높이는 밑변 최소 폭의 4배 이하 ③ 최대 적재 하중 표시 ④ 안전모 착용 및 지지로프 설치 ⑤ 상하 동시 작업시에는 충분한 연락을 취하면서 작업 ⑥ 재료, 공구의 오르내리기에는 포대, 로프 등 이용

PART 12

CHAPTER 05

건설공사 위험성평가 사전준비 및 유해·위험요인 파악하기

참고

위험성 평가의 정의

사업주가 스스로 유해·위험요인을 파악하고 해당 유해·위험요인의 위험성 수준을 결정하여, 위험성을 낮추기 위한 적절한 조치를 마련하고 실행하는 과정

01 건설공사 위험성평가 사전준비하기

1 위험성평가 사전준비

위험성평가 실시규정을 작성하고, 위험성의 수준과 그 수준의 판단기준을 정하고, 위험성평가에 필요한 각종 자료를 수집하는 단계

2 사전준비 사항 ★

위험성평가 실시규정 작성(최초 평가시)	① 평가의 목적 및 방법 ② 평가담당자 및 책임자의 역할 ③ 평가시기 및 절차 ④ 근로자에 대한 참여·공유방법 및 유의사항 ⑤ 결과의 기록·보존
실시 전 확정 사항	① 위험성의 수준과 그 수준을 판단하는 기준 ② 허용 가능한 위험성의 수준(법에서 정한 기준 이상으로)
사업장 안전보건정보 사전 조사	① 작업표준, 작업절차 등에 관한 정보 ② 기계·기구, 설비 등의 사양서, 물질안전보건자료(MSDS) 등의 유해·위험요인에 관한 정보 ③ 기계·기구, 설비 등의 공정 흐름과 작업 주변의 환경에 관한 정보 ④ 같은 장소에서 사업의 일부 또는 전부를 도급을 주어 행하는 작업이 있는 경우 혼재 작업의 위험성 및 작업 상황 등에 관한 정보(도급인의 안전조치 및 보건조치) ⑤ 재해사례, 재해통계 등에 관한 정보 ⑥ 작업환경측정결과, 근로자 건강진단결과에 관한 정보 ⑦ 그 밖에 위험성평가에 참고가 되는 자료 등

02 건설공사 유해·위험요인 파악하기

1 유해·위험요인 파악하기

1) 유해위험요인 파악

사업장 순회점검, 근로자들의 상시적인 제안 제도, 평상시 아차사고 발굴 등을 통해 사업장 내의 유해·위험요인을 빠짐없이 파악하는 단계

2) 유해 위험요인 파악 방법 ★

(1) 업종, 규모 등 사업장 실정에 따라 (2)에 해당하는 방법 중 어느 하나 이상의 방법을 사용하되, 특별한 사정이 없으면 제①호에 의한 방법을 포함하여야 한다.

(2) 파악 방법

① 사업장 순회점검에 의한 방법

② 근로자들의 상시적 제안에 의한 방법

③ 설문조사·인터뷰 등 청취조사에 의한 방법

④ 물질안전보건자료, 작업환경측정결과, 특수건강진단결과 등 안전보건 자료에 의한 방법

⑤ 안전보건 체크리스트에 의한 방법

⑥ 그 밖에 사업장의 특성에 적합한 방법

2 평가대상 유해위험요인

업무 중	① 근로자에게 노출된 것이 확인되었거나 노출될 것이 합리적으로 예견 가능한 모든 유해·위험요인 ② 다만, 매우 경미한 부상 및 질병만을 초래할 것으로 명백히 예상되는 유해·위험요인은 평가 대상에서 제외
아차사고	사업장 내 부상 또는 질병으로 이어질 가능성이 있었던 상황을 확인한 경우에는 해당 사고를 일으킨 유해·위험요인을 위험성평가의 대상에 포함
중대재해	① 중대재해가 발생한 때에는 지체 없이 중대재해의 원인이 되는 유해·위험요인에 대해 위험성평가 실시 ② 그 밖의 사업장 내 유해·위험요인에 대해서는 위험성평가 재검토 실시

Key point

위험성평가 실시주체

① 사업주는 스스로 사업장의 유해·위험요인을 파악하고 이를 평가하여 관리 개선하는 등 위험성평가 실시

② 작업의 일부 또는 전부를 도급에 의하여 행하는 사업의 경우는 도급을 준 도급인과 도급을 받은 수급인은 각각 위험성평가 실시

CHAPTER 06

건설공사 위험성결정·감소대책 및 보고서작성하기

Key point

위험성 평가 실시시기 ★★

① 최초평가
② 수시평가
③ 정기평가
④ 상시평가

01 건설공사 위험성 결정하기

1 위험성 결정 및 평가방법 ★★

위험성 결정	사전준비 단계에서 미리 설정한 위험성의 판단 수준과 사업장에서 허용 가능한 위험성의 크기 등을 활용하여, 유해·위험요인의 위험성이 허용 가능한 수준인지를 추정 · 판단하고 결정하는 단계
위험성 결정 방법	① 파악된 유해·위험요인이 근로자에게 노출되었을 때의 위험성을 위험성의 수준과 그 수준을 판단하는 기준에 의해 판단 ② 판단한 위험성의 수준이 허용 가능한 위험성의 수준에 의한 허용 가능한 위험성의 수준인지 결정
위험성 평가 방법 (한 가지 이상 선정)	① 위험 가능성과 중대성을 조합한 빈도·강도법 ② 체크리스트(Checklist)법 ③ 위험성 수준 3단계(저·중·고) 판단법 ④ 핵심요인 기술(One Point Sheet)법 ⑤ 그 외 공정안전보고서 위험성평가 기법[위험과운전분석(HAZOP), 결함수분석(FTA), 사건수분석(ETA) 등]

02 건설공사 위험성평가 보고서 작성하기

1 결과의 기록 및 공유

파악한 유해 · 위험요인과 각 유해 · 위험요인별 위험성의 수준, 그 위험성의 수준을 결정한 방법, 그에 따른 조치사항 등을 기록하고, 근로자들이 보기 쉬운 곳에 게시하며 작업 전 안전점검회의(TBM) 등을 통해 근로자들에게 위험성평가 실시 결과를 공유하는 단계.

2 위험성 평가의 공유 ★

공유해야 할 사항 (게시, 주지 등의 방법)	① 근로자가 종사하는 작업과 관련된 유해·위험요인 ② ①에 따른 유해·위험요인의 위험성 결정 결과 ③ ①에 따른 유해·위험요인의 위험성 감소대책과 그 실행 계획 및 실행 여부 ④ ③에 따른 위험성 감소대책에 따라 근로자가 준수하거나 주의하여야 할 사항
중대재해 요인	위험성평가 결과 중대재해로 이어질 수 있는 유해·위험요인에 대해서는 작업 전 안전점검회의(TBM: Tool Box Meeting) 등을 통해 근로자에게 상시적으로 주지시키도록 노력

3 기록 및 보존 ★

기록 및 보존 포함사항	① 위험성평가 대상의 유해·위험요인 ② 위험성 결정의 내용 ③ 위험성 결정에 따른 조치의 내용 ④ 그 밖에 위험성평가를 위해 사전조사 한 안전보건정보 및 사업장에서 필요하다고 정한 사항
보존 기간	실시 시기별 위험성평가를 완료한 날부터 기산하여 3년간

03 건설공사 위험성 감소대책 수립하기

1 감소대책 수립 및 실행

위험성을 결정한 결과 유해·위험요인의 위험수준이 사업장에서 허용 가능한 수준을 넘는다면, 합리적으로 실천 가능한 범위에서 유해·위험요인의 위험성을 가능한 낮은 수준으로 감소시키기 위한 대책을 수립하고 실행하는 단계

2 감소대책 수립 및 실행 절차

대책의 순서 고려	허용 가능한 위험성이 아니라고 판단한 경우에는 위험성의 수준, 영향을 받는 근로자 수 및 대책의 순서를 고려하여 위험성 감소를 위한 대책을 수립하여 실행
위험성 수준 확인	위험성 감소대책을 실행한 후 해당 공정 또는 작업의 위험성의 수준이 사전에 자체 설정한 허용 가능한 위험성의 수준인지 확인
추가 감소대책	위험성이 자체 설정한 허용 가능한 위험성 수준으로 내려오지 않는 경우에는 허용 가능한 위험성 수준이 될 때까지 추가의 감소대책 수립·실행
잠정적인 조치	중대재해, 중대산업사고 또는 심각한 질병이 발생할 우려가 있는 위험성으로서 위험성 감소대책의 실행에 많은 시간이 필요한 경우에는 즉시 잠정적인 조치 강구

Key point

감소 대책의 순서 ★

① 위험한 작업의 폐지·변경, 유해·위험물질 대체 등의 조치 또는 설계나 계획 단계에서 위험성을 제거 또는 저감하는 조치
② 연동장치, 환기장치 설치 등의 공학적 대책
③ 사업장 작업절차서 정비 등의 관리적 대책
④ 개인용 보호구의 사용

Part12

단원별 출제예상문제

01

위험물질을 제조·취급하는 작업장 및 당해 작업장이 있는 건축물에 설치해야 하는 비상구의 설치기준을 3가지 쓰시오.

해답

① 출입구와 같은 방향에 있지 아니하고, 출입구로부터 3m 이상 떨어져 있을 것
② 작업장의 각 부분으로부터 하나의 비상구 또는 출입구까지의 수평거리가 50m 이하가 되도록 할 것
③ 비상구의 너비는 0.75m 이상으로 하고, 높이는 1.5m 이상으로 할 것
④ 비상구의 문은 피난방향으로 열리도록 하고, 실내에서 항상 열 수 있는 구조로 할 것

02

추락 위험을 예방하기 위한 조치사항을 3가지 쓰시오.

해답

추락의 방지(작업발판의 끝, 개구부등 제외)

① 추락하거나 넘어질 위험이 있는 장소 또는 기계·설비·선박블록 등에서 작업할 때
  ㉠ 비계를 조립하는 등의 방법으로 작업발판 설치
  ㉡ 발판설치가 곤란한 경우 추락방호망 설치
  ㉢ 추락방호망 설치가 곤란한 경우 안전대 착용 등 추락위험방지조치

방호망의 설치기준	㉮ 추락방호망의 설치위치는 가능하면 작업면으로부터 가까운 지점에 설치하여야 하며, 작업면으로부터 망의 설치지점까지의 수직거리는 10미터를 초과하지 아니할 것 ㉯ 추락방호망은 수평으로 설치하고, 망의 처짐은 짧은 변 길이의 12퍼센트 이상이 되도록 할 것 ㉰ 건축물 등의 바깥쪽으로 설치하는 경우 망의 내민 길이는 벽면으로부터 3미터 이상 되도록 할 것. 다만, 그물코가 20밀리미터 이하인 망을 사용한 경우에는 낙하물에 의한 위험방지에 따른 낙하물방지망을 설치한 것으로 본다.

  ㉣ 작업발판 및 추락방호망 설치가 곤란한 경우 3개 이상의 버팀대를 가지고 지면으로부터 안정적으로 세울 수 있는 구조를 갖춘 이동식 사다리를 사용하여 작업

② 악천후시 작업금지 : 비, 눈, 바람 또는 그밖의 기상상태의 불안정으로 인하여 근로자가 위험해질 우려가 있는경우(다만, 태풍등으로 위험이 예상되거나 발생되어 긴급 복구작업을 필요로 하는 경우에는 그렇지 않다.)

③ 높이가 2m 이상인 장소에서의 위험방지 조치사항
  ㉠ 안전대의 부착설비 : 지지로프 설치시 처지거나 풀리는 것을 방지하기 위한 조치
  ㉡ 조명의 유지 : 당해 작업을 안전하게 수행하는데 필요한 조명 유지
  ㉢ 승강설비(건설용 리프트 등) 설치 : 높이 또는 깊이가 2m 초과하는 장소에서의 안전한 작업을 위한 승강설비 설치

03

추락방호망의 설치기준을 3가지 쓰시오.

해답

① 추락방호망의 설치위치는 가능하면 작업면으로부터 가까운 지점에 설치하여야 하며, 작업면으로부터 망의 설치지점까지의 수직거리는 10미터를 초과하지 아니할 것
② 추락방호망은 수평으로 설치하고, 망의 처짐은 짧은 변 길이의 12퍼센트 이상이 되도록 할 것
③ 건축물 등의 바깥쪽으로 설치하는 경우 망의 내민 길이는 벽면으로부터 3미터 이상 되도록 할 것. 다만, 그물코가 20밀리미터 이하인 망을 사용한 경우에는 낙하물에 의한 위험방지에 따른 낙하물방지망을 설치한 것으로 본다.

04

근로자가 지붕위에서 작업시 추락하거나 넘어질 위험이 있는 경우 조치해야 할 사항을 쓰시오.

해답

지붕위에서 작업시 추락하거나 넘어질 위험이 있는 경우 조치 사항
① 지붕의 가장자리에 안전난간을 설치할 것
- 안전난간 설치가 곤란한 경우 추락방호망 설치
- 추락방호망 설치가 곤란한 경우 안전대 착용 등의 추락 위험 방지조치
② 채광창(skylight)에는 견고한 구조의 덮개를 설치할 것
③ 슬레이트 등 강도가 약한 재료로 덮은 지붕에는 폭 30센티미터 이상의 발판을 설치할 것

05

작업발판 및 통로의 끝이나 개구부로 추락위험장소에 대한 방호조치를 쓰시오.

해답

① 안전난간, 울타리, 수직형 추락방망 또는 덮개 등의 방호조치를 충분한 강도를 가진 구조로 튼튼하게 설치하고, 덮개 설치 시 뒤집히거나 떨어지지 않도록 설치(어두운 장소에서도 알아볼 수 있도록 개구부임을 표시)
② 안전난간 등의 설치가 매우 곤란하거나 작업의 필요상 임시로 난간등을 해체하는 경우 추락방호망 설치(추락방호망 설치가 곤란한 경우 안전대 착용 등의 추락위험 방지조치)

06

추락방지를 위한 방망의 정기시험주기와 시험방법을 쓰시오.

해답

① 기간 : 사용 개시 후 1년이내 그후 6개월마다 1회씩
② 시험방법 : 시험용사에 대한 등속인장시험

07

안전난간의 설치기준을 쓰시오.

해답

구분	설치기준
상부 난간대	바닥면·발판 또는 경사로의 표면으로부터 90센티미터 이상 지점에 설치하고, 상부 난간대를 120센티미터 이하에 설치하는 경우에는 중간 난간대는 상부 난간대와 바닥면 등의 중간에 설치하여야 하며, 120센티미터 이상 지점에 설치하는 경우에는 중간 난간대를 2단 이상으로 균등하게 설치하고 난간의 상하 간격은 60센티미터 이하가 되도록 할 것
발끝 막이판	바닥면 등으로부터 10센티미터 이상의 높이를 유지할 것(물체가 떨어지거나 날아올 위험이 없거나 그 위험을 방지할 수 있는 망을 설치하는 등 필요한 예방조치를 한 장소 제외)
난간기둥	상부난간대와 중간난간대를 견고하게 떠받칠 수 있도록 적정간격을 유지할 것
상부난간대와 중간난간대	난간길이 전체에 걸쳐 바닥면등과 평행을 유지할 것
난간대	지름 2.7센티미터 이상의 금속제파이프나 그 이상의 강도가 있는 재료일 것
하중	안전난간은 구조적으로 가장 취약한 지점에서 가장 취약한 방향으로 작용하는 100킬로그램 이상의 하중에 견딜 수 있는 튼튼한 구조일 것

08

추락방지를 위한 방망 지지점의 강도기준을 쓰시오.

해답

① 600kg의 외력에 견딜 수 있는 강도 보유
② 연속적인 구조물이 방망 지지점인 경우
$F=200B$
여기서, F=외력(킬로그램)
B : 지지점간격(미터)

09

높이 3m 이상인 장소에서 물체 투하시 낙하에 의한 위험방지를 위한 조치사항을 쓰시오.

해답

① 투하설비설치 ② 감시인배치

10

낙하에 의한 위험을 방지하기 위한 법적인 조치사항을 4가지 쓰시오.

해답

① 낙하물 방지망 설치 ② 수직 보호망 설치 ③ 방호선반 설치
④ 출입금지구역 설정 ⑤ 보호구착용

11

낙하물방지망 또는 방호선반 설치시 준수해야 할 사항을 2가지 쓰시오.

해답

① 설치높이는 10m 이내마다 설치하고, 내민길이는 벽면으로부터 2m 이상으로 할 것
② 수평면과의 각도는 20도 이상 30도 이하를 유지할 것

12

지반등을 굴착하는 경우 사업주가 준수해야 할 굴착면의 기울기 기준에 관한 다음 사항에서 (　　)에 알맞은 내용을 쓰시오.

지반의 종류	(①)	연암 및 풍화암	(②)	그 밖의 흙
굴착면의 기울기	1 : 1.8	(③)	1 : 0.5	(④)

해답

① 모래 ② 경암 ③ 1 : 1.0 ④ 1 : 1.2

13

계단의 안전기준에 관한 내용 중 주어진 항목에 해당되는 내용을 쓰시오.

해답

계단의 안전

계단 및 계단참의 강도	① 매제곱미터당 500킬로그램 이상의 하중에 견딜 수 있는 강도를 가진 구조로 설치 ② 안전율[재료의 파괴응력도와 허용응력도의 비율을 말한다)]은 4 이상 ③ 계단 및 승강구 바닥을 구멍이 있는 재료로 만드는 경우 렌치나 그 밖의 공구 등이 낙하할 위험이 없는 구조
계단의 폭	폭은 1미터 이상(급유용·보수용·비상용 계단 및 나선형 계단이거나 높이 1미터 미만의 이동식 계단은 제외)이며 손잡이 외 다른 물건 설치, 적재금지
계단참의 높이	높이가 3미터를 초과하는 계단에 높이 3미터 이내마다 진행방향으로 길이 1.2미터 이상의 계단참설치
천장의 높이	바닥면으로부터 높이 2미터 이내의 공간에 장애물 없을 것(급유용·보수용·비상용 계단 및 나선형 계단은 제외)
계단의 난간	높이 1미터 이상인 계단의 개방된 측면에 안전난간 설치

14

가설통로 설치시 준수해야 할 사항을 3가지 쓰시오.

해답

① 견고한 구조로 할 것
② 경사는 30도 이하로 할 것(계단을 설치하거나 높이2m 미만의 가설통로로서 튼튼한 손잡이를 설치한 때에는 그렇지 않다.)
③ 경사가 15도를 초과하는 때에는 미끄러지지 아니하는 구조로 할 것
④ 추락의 위험이 있는 장소에는 안전난간을 설치할 것(작업상 부득이 한 때에는 필요한 부분에 한하여 임시로 이를 해체할 수 있다)
⑤ 수직갱에 가설된 통로의 길이가 15m이상인 때에는 10m 이내마다 계단참을 설치할 것
⑥ 건설공사에 사용하는 높이 8m 이상인 비계다리에는 7m 이내마다 계단참을 설치할 것

15

사다리식 통로 설치시 준수해야 할 사항을 5가지 쓰시오.

해답

① 견고한 구조로 할 것
② 심한 손상·부식 등이 없는 재료를 사용할 것
③ 발판의 간격은 일정하게 할 것
④ 발판과 벽과의 사이는 15센티미터 이상의 간격을 유지할 것
⑤ 폭은 30센티미터 이상으로 할 것
⑥ 사다리가 넘어지거나 미끄러지는 것을 방지하기 위한 조치를 할 것
⑦ 사다리의 상단은 걸쳐놓은 지점으로부터 60센티미터 이상 올라가도록 할 것
⑧ 사다리식 통로의 길이가 10미터 이상인 경우에는 5미터 이내마다 계단참을 설치할 것
⑨ 사다리식 통로의 기울기는 75도 이하로 할 것. 다만, 고정식 사다리식 통로의 기울기는 90도 이하로 하고, 그 높이가 7미터 이상인 경우에는 다음 각 목의 구분에 따른 조치를 할 것
  가. 등받이울이 있어도 근로자 이동에 지장이 없는 경우: 바닥으로부터 높이가 2.5미터 되는 지점부터 등받이울을 설치할 것
  나. 등받이울이 있으면 근로자가 이동이 곤란한 경우: 한국산업표준에서 정하는 기준에 적합한 개인용 추락 방지 시스템을 설치하고 근로자로 하여금 한국산업표준에서 정하는 기준에 적합한 전신안전대를 사용하도록 할 것
⑩ 접이식 사다리 기둥은 사용 시 접혀지거나 펼쳐지지 않도록 철물 등을 사용하여 견고하게 조치할 것

tip
2024년 개정된 법령 적용

16

곤돌라형 달비계 작업시 근로자의 추락위험을 방지하기 위한 조치사항을 3가지 쓰시오.

해답

① 달비계에 구명줄을 설치할 것
② 근로자에게 안전대를 착용하도록 하고 근로자가 착용한 안전줄을 달비계의 구명줄에 체결하도록 할 것
③ 달비계에 안전난간을 설치할 수 있는 구조인 경우에는 달비계에 안전난간을 설치할 것

17

비계의 높이가 2m 이상인 작업장소에 설치해야 하는 작업발판의 안전기준을 쓰시오.

해답

① 발판재료는 작업시의 하중을 견딜 수 있도록 견고한 것으로 할 것
② 작업발판의 폭은 40cm 이상으로 하고, 발판재료 간의 틈은 3cm 이하로 할 것
③ 제②호에도 불구하고 선박 및 보트 건조작업의 경우 선박블록 또는 엔진실 등의 좁은 작업공간에 작업발판을 설치하기 위하여 필요하면 작업발판의 폭을 30cm 이상으로 할 수 있고, 걸침비계의 경우 강관기둥 때문에 발판재료 간의 틈을 3cm 이하로 유지하기 곤란하면 5cm 이하로 할 수 있다. 이 경우 그 틈 사이로 물체 등이 떨어질 우려가 있는 곳에는 출입금지 등의 조치를 할 것
④ 추락의 위험성이 있는 장소에는 안전난간을 설치할 것(안전난간 설치가 곤란한 경우, 작업의 필요상 임시로 안전난간 해체 시 추락방지망 또는 안전대 사용 등 추락에 의한 위험방지조치)
⑤ 작업발판의 지지물은 하중에 의하여 파괴될 우려가 없는 것을 사용할 것
⑥ 작업발판재료는 뒤집히거나 떨어지지 않도록 둘 이상의 지지물에 연결하거나 고정시킬 것
⑦ 작업발판을 작업에 따라 이동시킬 경우에는 위험방지에 필요한 조치를 할 것

18

비, 눈 등 기상상태 불안정으로 작업을 중지시킨 후 또는 비계를 조립, 해체, 변경한 후 그 비계에서 작업할 경우 작업시작 전 점검해야 할 사항을 5가지 쓰시오.

해답

① 발판재료의 손상여부 및 부착 또는 걸림상태
② 당해 비계의 연결부 또는 접속부의 풀림상태
③ 연결재료 및 연결철물의 손상 또는 부식상태
④ 손잡이의 탈락여부
⑤ 기둥의 침하·변형·변위 또는 흔들림 상태
⑥ 로프의 부착상태 및 매단장치의 흔들림 상태

19

작업의자형 달비계를 설치하는 경우 준수해야할 다음 사항에서 ( )에 알맞은 내용을 쓰시오.

가. 달비계의 작업대는 나무 등 근로자의 하중을 견딜 수 있는 강도의 재료를 사용하여 견고한 구조로 제작할 것 나. 작업대의 (①) 모서리에 로프를 매달아 작업대가 뒤집히거나 떨어지지 않도록 연결할 것 다. 작업용 섬유로프는 콘크리트에 매립된 고리, 건축물의 콘크리트 또는 철재 구조물 등 (②) 이상의 견고한 고정점에 풀리지 않도록 결속할 것

해답

① 4개 ② 2개

20

작업의자형 달비계에 사용해서는 안되는 작업용 섬유로프 또는 안전대의 섬유벨트 기준을 3가지 쓰시오.

해답

① 꼬임이 끊어진 것
② 심하게 손상되거나 부식된 것
③ 2개 이상의 작업용 섬유로프 또는 섬유벨트를 연결한 것
④ 작업높이보다 길이가 짧은 것

21

강관비계의 조립시 준수해야 할 사항을 3가지 쓰시오.

해답

① 비계기둥에는 미끄러지거나 침하하는 것을 방지하기 위하여 밑받침철물을 사용하거나 깔판·받침목등을 사용하여 밑둥잡이를 설치하는 등의 조치를 할 것
② 강관의 접속부 또는 교차부는 적합한 부속철물을 사용하여 접속하거나 단단히 묶을 것
③ 교차가새로 보강할 것
④ 가공전로에 근접하여 비계를 설치하는 때에는 가공전로를 이설하거나 가공전로에 절연용 방호구를 장착하는 등 가공전로와의 접촉을 방지하기 위한 조치를 할 것

22

강관을 사용하여 비계를 구성하는 경우 준수해야 할 사항을 4가지 쓰시오.

해답

① 비계기둥의 간격은 띠장방향에서는 1.85m, 장선방향에서는 1.5m 이하로 할 것
② 띠장간격은 2.0미터 이하로 설치할 것
③ 비계기둥의 최고부로부터 31m되는 지점 밑부분의 비계기둥은 2본의 강관으로 묶어세울 것
④ 비계기둥간의 적재하중은 400kg을 초과하지 아니하도록 할 것

23

다음의 내용을 보고 알맞은 강관비계의 조립간격을 쓰시오.

강관비계의 종류	조립간격(단위 : m)	
	수직방향	수평방향
단관비계	5	(①)
틀비계 (높이가 5m 미만의 것 제외)	(②)	(③)

해답

① 5 ② 6 ③ 8

24

강관 틀비계를 조립할 경우 준수해야 할 사항을 4가지 쓰시오.

해답

① 비계기둥의 밑둥에는 밑받침철물을 사용하여야 하며 밑받침에 고저차가 있는 경우에는 조절형 밑받침철물을 사용하여 각각의 강관틀 비계가 항상 수평 및 수직을 유지하도록 할 것
② 높이가 20m를 초과하거나 중량물의 적재를 수반하는 작업을 할 경우에는 주틀간의 간격이 1.8m 이하로 할 것
③ 주틀간에 교차가새를 설치하고 최상층 및 5층이내마다 수평재를 설치할 것
④ 수직방향으로 6m, 수평방향으로 8m 이내마다 벽이음을 할 것
⑤ 길이가 띠장방향으로 4m 이하이고 높이가 10m를 초과하는 경우에는 10m 이내마다 띠장방향으로 버팀기둥을 설치할 것

25

달비계 와이어로프의 사용금지 조건을 쓰시오.

해답

① 이음매가 있는 것
② 와이어로프의 한 꼬임(스트랜드)에서 끊어진 소선(필러선 제외)의 수가 10% 이상(비자전로프의 경우에는 끊어진 소선의 수가 와이어로프 호칭지름의 6배 길이 이내에서 4개 이상이거나 호칭지름 30배 길이 이내에서 8개이상)인 것
③ 지름의 감소가 공칭지름의 7%를 초과하는 것
④ 꼬인 것
⑤ 심하게 변형되거나 부식된 것
⑥ 열과 전기충격에 의해 손상된 것

26

달비계 달기체인의 사용금지 조건을 쓰시오.

해답

① 달기체인의 길이가 달기체인이 제조된 때의 길이의 5퍼센트를 초과한 것
② 링의 단면지름이 달기체인이 제조된 때의 해당 링의 지름의 10퍼센트를 초과하여 감소한 것
③ 균열이 있거나 심하게 변형된 것

27

곤돌라형 달비계의 설치시 준수해야 할 사항을 3가지 쓰시오.(단, 달비계에 사용해서는 안되는 와이어로프 및 달기체인에 관한 사항은 제외한다)

해답

① 달기 와이어로프, 달기 체인, 달기 강선, 달기 강대는 한쪽 끝을 비계의 보 등에, 다른 쪽 끝을 내민 보, 앵커볼트 또는 건축물의 보 등에 각각 풀리지 않도록 설치할 것
② 작업발판은 폭을 40센티미터 이상으로 하고 틈새가 없도록 할 것
③ 작업발판의 재료는 뒤집히거나 떨어지지 않도록 비계의 보 등에 연결하거나 고정시킬 것
④ 비계가 흔들리거나 뒤집히는 것을 방지하기 위하여 비계의 보·작업발판 등에 버팀을 설치하는 등 필요한 조치를 할 것
⑤ 선반 비계에서는 보의 접속부 및 교차부를 철선·이음철물 등을 사용하여 확실하게 접속시키거나 단단하게 연결시킬 것
⑥ 근로자의 추락 위험을 방지하기 위하여 다음의 조치를 할 것
㉠ 달비계에 구명줄을 설치할 것
㉡ 근로자에게 안전대를 착용하도록 하고 근로자가 착용한 안전줄을 달비계의 구명줄에 체결하도록 할 것
㉢ 달비계에 안전난간을 설치할 수 있는 구조인 경우에는 안전난간을 설치할 것

28

말비계의 조립시 준수해야 할 사항을 3가지 쓰시오.

해답

① 지주부재의 하단에는 미끄럼 방지장치를 하고, 양측 끝부분에 올라서서 작업하지 아니하도록 할 것
② 지주부재와 수평면과의 기울기를 75도 이하로 하고, 지주부재와 지주부재 사이를 고정시키는 보조부재를 설치할 것
③ 말비계의 높이가 2미터를 초과할 경우에는 작업발판의 폭을 40cm 이상으로 할 것

29

이동식비계의 조립시 준수해야 할 사항을 3가지 쓰시오.

해답

① 이동식비계의 바퀴에는 뜻밖의 갑작스러운 이동 또는 전도를 방지하기 위하여 브레이크·쐐기 등으로 바퀴를 고정시킨 다음 비계의 일부를 견고한 시설물에 고정하거나 아웃트리거를 설치하는 등 필요한 조치를 할 것
② 승강용 사다리는 견고하게 설치할 것
③ 비계의 최상부에서 작업을 하는 경우에는 안전난간을 설치할 것
④ 작업발판은 항상 수평을 유지하고 작업발판 위에서 안전난간을 딛고 작업을 하거나 받침대 또는 사다리를 사용하여 작업하지 않도록 할 것
⑤ 작업발판의 최대적재하중은 250킬로그램을 초과하지 않도록 할 것

30

이동식 비계의 사용상 준수해야 할 사항을 3가지 쓰시오.

해답

① 승강용사다리는 견고하게 부착
② 비계의 최대높이는 밑변 최소 폭의 4배 이하
③ 최대 적재 하중 표시
④ 안전모 착용 및 지지로프 설치
⑤ 상하 동시 작업시에는 충분한 연락 취하면서 작업
⑥ 재료, 공구의 오르내리기에는 포대, 로프 등 이용

31

거푸집 동바리의 조립도에 명시해야 할 사항을 4가지 쓰시오.

해답

① 부재의 재질　② 단면규격　③ 설치간격
④ 이음방법

32

동바리 유형에 따른 동바리조립시 안전조치에서 동바리로 사용하는 파이프 서포트의 경우 안전조치사항을 3가지 쓰시오.

해답

① 파이프 서포트를 3개 이상 이어서 사용하지 않도록 할 것
② 파이프 서포트를 이어서 사용하는 경우에는 4개 이상의 볼트 또는 전용철물을 사용하여 이을 것
③ 높이가 3.5미터를 초과하는 경우에는 높이 2미터 이내마다 수평연결재를 2개 방향으로 만들고 수평연결재의 변위를 방지할 것

33

흙막이 지보공 설치시 점검해야 할 사항을 3가지 쓰시오.

해답

① 부재의 손상·변형·부식·변위 및 탈락의 유무와 상태
② 버팀대의 긴압의 정도
③ 침하의 정도
④ 부재의 접속부·부착부 및 교차부의 상태

34

터널지보공 설치시 점검해야 할 사항을 3가지 쓰시오.

해답

① 부재의 손상·변형·부식·변위 탈락의 유무 및 상태
② 부재의 긴압의 정도
③ 기둥침하의 유무 및 상태
④ 부재의 접속부 및 교차부의 상태

35

위험성 평가를 실시할 경우 사업주가 따라야 하는 절차의 순서를 번호로 쓰시오.

① 사전준비
② 위험성 결정
③ 위험성 감소대책 수립 및 실행
④ 유해·위험요인 파악
⑤ 위험성평가 실시내용 및 결과에 관한 기록 및 보존

해답

① - ④ - ② - ③ - ⑤

36

다음은 사업장 위험성 평가에 관한 용어의 정의이다. 해당하는 용어를 쓰시오.

① 유해·위험요인이 사망, 부상 또는 질병으로 이어질 수 있는 가능성과 중대성 등을 고려한 위험의 정도를 말한다.
② 유해·위험을 일으킬 잠재적 가능성이 있는 것의 고유한 특징이나 속성을 말한다.
③ 사업주가 스스로 유해·위험요인을 파악하고 해당 유해·위험요인의 위험성 수준을 결정하여, 위험성을 낮추기 위한 적절한 조치를 마련하고 실행하는 과정을 말한다.

해답

① 위험성 ② 유해·위험요인 ③ 위험성평가

37

위험성평가를 실시할 경우 사업주는 업종, 규모 등 사업장 실정에 따라 유해위험요인을 파악해야한다. 파악하는 방법을 3가지 쓰시오. (단, 특별한 사정이 없을 경우 반드시 포함해야 하는 방법을 포함하여 작성할 것)

해답

① 사업장 순회점검에 의한 방법
② 근로자들의 상시적 제안에 의한 방법
③ 설문조사·인터뷰 등 청취조사에 의한 방법
④ 물질안전보건자료, 작업환경측정결과, 특수건강진단결과 등 안전보건 자료에 의한 방법
⑤ 안전보건 체크리스트에 의한 방법
⑥ 그 밖에 사업장의 특성에 적합한 방법

38

위험성평가를 효과적으로 실시하기 위하여 사전준비 단계에서 작성하는 위험성평가 실시규정에 포함해야 하는 사항을 3가지 쓰시오.

해답

① 평가의 목적 및 방법
② 평가담당자 및 책임자의 역할
③ 평가시기 및 절차
④ 근로자에 대한 참여·공유방법 및 유의사항
⑤ 결과의 기록·보존

39

위험성평가를 실시하기 전 사전준비단계에서 확정해야 하는 사항을 2가지 쓰시오.

해답

① 위험성의 수준과 그 수준을 판단하는 기준
② 허용 가능한 위험성의 수준(이 경우 법에서 정한 기준 이상으로 위험성의 수준을 정하여야 한다)

40

위험성평가에 활용하기 위해 사전준비 단계에서 조사해야할 사업장 안전보건에 관한 정보에 해당하는 내용을 2가지 쓰시오.

해답

① 작업표준, 작업절차 등에 관한 정보
② 기계·기구, 설비 등의 사양서, 물질안전보건자료(MSDS) 등의 유해·위험요인에 관한 정보
③ 기계·기구, 설비 등의 공정 흐름과 작업 주변의 환경에 관한 정보
④ 도급인의 안전조치 및 보건조치를 해야 하는 작업을 하는 경우 같은 장소에서 사업의 일부 또는 전부를 도급을 주어 행하는 작업이 있는 경우 혼재 작업의 위험성 및 작업상황 등에 관한 정보
⑤ 재해사례, 재해통계 등에 관한 정보
⑥ 작업환경측정결과, 근로자 건강진단결과에 관한 정보
⑦ 그 밖에 위험성평가에 참고가 되는 자료 등

41

위험성 평가에서 위험성을 판단하고 결정하는 것은 무엇에 따라 해야 하는지 쓰시오.

해답

① 위험성의 수준과 그 수준을 판단하는 기준에 따라 판단해야 한다.
② 사전준비단계에서 확정한 허용 가능한 위험성의 수준인지 결정한다.

42

위험성평가의 위험성결정에서 허용 가능한 위험성이 아니라고 판단한 경우 위험성의 수준, 영향을 받는 근로자 수를 고려하여 위험성감소대책을 수립하여 실행할 때 고려해야 하는 감소대책의 순서를 쓰시오.

해답

① 위험한 작업의 폐지·변경, 유해·위험물질 대체 등의 조치 또는 설계나 계획 단계에서 위험성을 제거 또는 저감하는 조치
② 연동장치, 환기장치 설치 등의 공학적 대책
③ 사업장 작업절차서 정비 등의 관리적 대책
④ 개인용 보호구의 사용

43

위험성평가를 실시한 결과 중 근로자에게 게시, 주지 등의 방법으로 알려야 하는 사항을 2가지 쓰시오.

해답

① 근로자가 종사하는 작업과 관련된 유해·위험요인
② ①에 따른 유해·위험요인의 위험성 결정 결과
③ ①에 따른 유해·위험요인의 위험성 감소대책과 그 실행 계획 및 실행 여부
④ ③에 따른 위험성 감소대책에 따라 근로자가 준수하거나 주의하여야 할 사항

44

사업주가 위험성평가의 결과와 조치사항을 기록·보존할 때 포함하여야 하는 사항을 3가지 쓰고, 보존해야 하는 기간을 쓰시오.

해답

(1) 포함사항
① 위험성평가 대상의 유해·위험요인
② 위험성 결정의 내용
③ 위험성 결정에 따른 조치의 내용
④ 위험성평가를 위해 사전조사 한 안전보건정보
⑤ 그 밖에 사업장에서 필요하다고 정한 사항

(2) 보존기간 : 3년간 보존

45

위험성 평가의 실시 시기에 따른 종류와 실시해야 하는 시기를 간단히 쓰시오.

해답

최초평가	사업장 성립(사업개시·실착공일) 이후 1개월 이내 착수
수시평가	기계·기구 등의 신규 도입·변경 등으로 인한 추가적 유해·위험요인에 대해 실시
정기평가	매년 전체 위험성 평가 결과의 적정성을 재검토하고, 필요시 감소대책 시행
상시평가	월·주·일 단위의 주기적 위험성 평가 및 결과 공유·주지 등의 조치를 실시하는 경우 수시·정기평가를 실시한 것으로 간주

46

사업주가 사업장의 규모와 특성을 등을 고려하여 위험성평가를 실시할 때 사용할수 있는 위험성평가 방법을 3가지 쓰시오.

해답

① 위험 가능성과 중대성을 조합한 빈도·강도법
② 체크리스트(Checklist)법
③ 위험성 수준 3단계(저·중·고) 판단법
④ 핵심요인 기술(One Point Sheet)법
⑤ 그 외 공정안전보고서 위험성 평가 기법[위험과운전분석(HAZOP), 결함수분석(FTA), 사건수분석(ETA) 등

47

소규모 사업장의 위험성평가를 활성화하기 위하여 위험성평가 우수 사업장에 대해 인정해 주는 제도를 운영할 수 있다. 이 경우 인정을 신청할 수 있는 대상 사업장을 쓰시오.

해답

① 상시 근로자 수 100명 미만 사업장(건설공사 제외)
② 총 공사금액 120억원(토목공사는 150억원) 미만의 건설공사

48

위험성평가 인정신청서를 제출한 사업장에 대하여 공단이 심사하는 대상 항목을 쓰시오.

해답

① 사업주의 관심도　② 위험성평가 실행수준
③ 구성원의 참여 및 이해 수준　④ 재해발생 수준

49

추가적인 유해·위험요인이 발생하여 수시 위험성평가를 실시해야 하는 경우에 해당하는 사항을 2가지 쓰시오.

해답

① 사업장 건설물의 설치·이전·변경 또는 해체
② 기계·기구, 설비, 원재료 등의 신규 도입 또는 변경
③ 건설물, 기계·기구, 설비 등의 정비 또는 보수(주기적·반복적 작업으로서 이미 위험성평가를 실시한 경우에는 제외)
④ 작업방법 또는 작업절차의 신규 도입 또는 변경
⑤ 중대산업사고 또는 산업재해(휴업 이상의 요양을 요하는 경우에 한정) 발생
⑥ 그 밖에 사업주가 필요하다고 판단한 경우

13

작업형 문제

제1회 작업형 기출문제

01 기계안전

〈영상화면 상황 1〉
작업장 내에서 근로자가 프레스 작업을 하고 있는 상황.

※ 본 사진은 문제의 이해를 돕기 위한 것으로 실제 출제된 문제와 동일하지 않습니다.

01

화면은 프레스 작업을 하는 근로자의 모습이다. 작업을 안전하게 하기 위하여 설치해야 할 방호장치의 종류를 2가지 쓰시오. (단, 급정지기구가 미부착된 프레스)

해답

① 손쳐내기식 ② 수인식

02

프레스 작업 중 금형파손에 의한 위험을 방지하기 위한 안전대책을 3가지 쓰시오.

해답

① 맞춤핀 등은 낙하방지 대책을 세우고 인서트 부품은 이탈방지대책을 수립
② 캠 및 그 밖의 충격이 반복되어 부가되는 부분에는 완충장치 설치
③ 금형의 조립에 사용되는 볼트 및 너트는 작업 중의 진동에 의해 느슨해질 위험성이 있으므로 스프링 와셔, 로크너트, 등의 느슨해지는 것을 방지하는 대책수립

tip

금형설치시 점검사항

① 다이홀더와 펀치의 직각도, 생크홀과 펀치의 직각도
② 펀치와 다이의 평행도
③ 펀치와 볼스터면의 평행도
④ 다이와 볼스터의 평행도

02 전기안전

〈영상화면 상황 2〉
변압기 테스트 작업을 하고 있는 동영상으로 방은 두 개로 구획되어 있으며 방에는 각각 한 명씩의 작업자가 있고 한 작업자가 테스트를 한 후 전원을 차단하고 수신호로 표시한 후 다른 방의 작업자가 다시 테스트하던 변압기에 손을 대는 순간 감전되는 상황.

03

화면에서의 작업상황을 보고 위험 예지 포인트를 쓰시오.

해답

① 대화창이 설치되어있지 않아서 의사소통이 원활하지 못했다.
② 수신호만 확인하고 전원이 차단되었는지 재확인하지 않았다.
③ 절연용 보호구를 착용하지 않았다.

04

화면에서 작업자가 착용해야 할 보호구를 2가지 쓰시오.

해답

① 절연장갑 ② 절연화

03 화학설비 안전

〈영상화면 상황 3〉
밀폐된 LPG 용기 저장소 안으로 근로자가 들어가서 전원스위치를 켜는 순간 폭발사고가 발생하는 상황.

05

화면에서와 같은 작업장에 공기와 혼합된 가연성가스의 조성이 공기 50%, 프로판 45%, 부탄 5%라 가정하면 이때 혼합된 가스의 폭발하한계를 구하시오.(단, 프로판과 부탄의 폭발하한계 값은 2.1%와 1.8%이다.)

해답

① 프로판 조성비 : $\frac{45\text{vol\%}}{50\text{vol\%}} \times 100 = 90\text{vol\%}$

② 부탄 조성비 : $\frac{5\text{vol\%}}{50\text{vol\%}} \times 100 = 10\text{vol\%}$

③ 혼합가스의 폭발하한계 : $L = \frac{100}{\frac{V_1}{L_1} + \frac{V_2}{L_2} + \cdots + \frac{V_n}{L_n}} = \frac{100}{\frac{90}{2.1} + \frac{10}{1.8}} = 2.07\text{vol\%}$

06

화면의 작업장처럼 LPG 용기 저장소로서 부적절한 장소를 쓰시오.

해답

① 통풍이나 환기가 불충분한 장소

② 화기를 사용하는 장소 및 그 부근

③ 위험물 또는 인화성 액체를 취급하는 장소 및 그 부근

tip

LPG의 주성분인 프로판(C_3H_8) 가스의 최소산소농도(MOC)를 구하시오.
(단, 프로판의 연소범위는 2.1 ~ 9.5vol%. 연소반응식은 $C_3H_8 + 5O_2 \rightarrow 3CO_2 + 4H_2O$이다)

해답

① MOC 구하는 공식

$$MOC = \left(LFL \frac{연료mol}{연료mol + 공기mol} \right) \left(\frac{O_2 mol}{연료mol} \right)$$

② 실험데이터가 불충분할 경우(대부분의 탄화수소)

$LFL \times$ 산소의 양론계수(연소반응식)

$\therefore \ MOC = 2.1 \times 5 = 10.5\%$

04 건설안전

〈영상화면 상황 4〉
이동식 크레인을 사용하여 강구조물을 운반하는 철골조립 작업장에서 한 작업자가 철골 위에서 작업현장을 지휘하고 있다. 이때 크레인으로 운반하던 구조물이 철골에 부딪히는 상황.

07

화면에서와 같은 이동식 크레인은 작업시작전 점검을 하여야 한다. 점검사항을 3가지 쓰시오.

해답

① 권과방지장치 그 밖의 경보장치의 기능
② 브레이크·클러치 및 조정장치의 기능
③ 와이어로프가 통하고 있는 곳 및 작업장소의 지반상태

08

화면의 작업상황을 보고 위험요인을 3가지 쓰시오.

해답

① 신호수 미배치 또는 신호수와 운전자와의 원활하지 못한 신호
② 크레인의 작업 범위 내(크레인의 운행경로 및 통로)에 철골구조물 위치
③ 크레인 작업 범위 내 근로자 출입
④ 크레인 작업 전 운행경로에 대한 점검 및 통제미흡

09

산소농도가 18% 미만인 지하탱크작업에서 근로자가 착용해야 할 보호구의 명칭과 화면에서 해당하는 번호를 쓰시오.(해당사항 모두 기재)

해답

호스마스크, 송기마스크, 공기호흡기 등(해당되는 보호구를 모두 고르세요)
(해당번호는 화면에서 주어지므로 생략합니다. 보호구와 번호가 반드시 일치해야 합니다.)

제2회 작업형 기출문제

01 기계안전

〈영상화면 상황 1〉

인쇄 윤전기를 사용하는 작업자가 장갑을 착용하고 작업을 하던 중 윤전기 롤러에 작업자의 손이 말려 들어가는 상황.

01

화면에서 인쇄 윤전기에 설치한 방호장치의 성능을 확인하기 위하여 윤전기 롤러의 표면원주속도를 구하려고 한다. 표면원주속도(m/min)를 구하는 공식을 쓰시오.

해답

표면원주속도$(V)=\frac{\pi DN}{1,000}$[m/min]

여기서, D : 로울러의 직경(mm), N : 회전수(rpm)

02

화면에서와 같이 롤러에 작업자의 손이 말려 들어가는 부분에서 형성되는 위험점의 종류를 쓰고, 그 정의에 대해 간략히 설명하시오.

해답

① 위험점 : 물림점(Nip-point)
② 정의 : 회전하는 두 개의 회전축에 의해 형성(회전체가 서로 반대방향으로 회전하는 경우)

tip

기계 설비에 의해 형성되는 위험점

구분	정의	예
협착점 (Squeeze-point)	왕복 운동하는 운동부와 고정부 사이에 형성(작업점이라 부르기도 함)	① 프레스 금형 조립부위 ② 전단기의 누름판 및 칼날부위 ③ 선반 및 평삭기의 베드 끝 부위
끼임점 (Shear-point)	고정부분과 회전 또는 직선운동부분에 의해 형성	① 연삭 숫돌과 작업대 ② 반복동작되는 링크기구 ③ 교반기의 교반날개와 몸체사이
절단점 (Cutting-point)	회전운동부분 자체와 운동하는 기계 자체에 의해 형성	① 밀링컷터 ② 둥근톱 날 ③ 목공용 띠톱 날 부분
물림점 (Nip-point)	회전하는 두 개의 회전축에 의해 형성(회전체가 서로 반대방향으로 회전하는 경우)	① 기어와 피니언 ② 롤러의 회전 등
접선 물림점 (Tangential Nip-point)	회전하는 부분이 접선방향으로 물려 들어가면서 형성	① V벨트와 풀리 ② 기어와 랙 ③ 롤러와 평벨트 등
회전 말림점 (Trapping-point)	회전체의 불규칙 부위와 돌기 회전 부위에 의해 형성	① 회전축 ② 드릴축 등

02 전기안전

〈영상화면 상황 2〉
영상표시단말기 작업(VDT 작업)에서 작업자가 불량한 작업자세로 작업을 하고 있는 상황.

03

화면에서 작업자의 올바르지 못한 작업상황 포인트를 3가지 찾아 쓰시오.

해답

① 화면과 근로자의 눈과의 거리가 너무 가깝다.(40cm 이상 확보)
② 의자 등받이에 작업자의 등이 충분히 지지되어 있지 않다.
③ 작업자의 시선이 수평선상에서 위로 향하고 있다.
④ 아래팔과 손등이 수평을 유지하지 않아서 손목이 꺽인 자세가 되어 위험하다.

tip

영상표시단말기 취급근로자의 안전한 작업자세

① 시선은 화면상단과 눈높이가 일치할 정도로 하고 작업 화면상의 시야범위는 수평선상으로부터 10~15° 밑에 오도록 하며 화면과 근로자의 눈과의 거리(시거리 : EYE-SCREEN DISTANCE)는 적어도 40cm 이상이 확보될 수 있도록 할 것

② 윗팔(UPPER ARM)은 자연스럽게 늘어뜨리고, 작업자의 어깨가 들리지 않아야 하며, 팔꿈치의 내각은 90° 이상이 되어야 하고, 아랫팔(FOREARM)은 손등과 수평을 유지하여 키보드를 조작하도록 할 것

③ 연속적인 자료의 입력 작업 시에는 서류받침대(DOCUMENT HOLDER)를 사용하도록 하고, 서류받침대는 높이·거리·각도 등을 조절하여 화면과 동일한 높이 및 거리에 두어 작업하도록 할 것

④ 의자에 앉을 때는 의자 깊숙히 앉아 의자등받이에 작업자의 등이 충분히 지지되도록 할 것

⑤ 영상표시단말기 취급근로자의 발바닥 전면이 바닥면에 닿는 자세를 기본으로 하되, 그러하지 못할 때에는 발 받침대(FOOT REST)를 조건에 맞는 높이와 각도로 설치할 것

⑥ 무릎의 내각(KNEE ANGLE)은 90° 전후가 되도록 하되, 의자의 앉는 면의 앞부분과 영상표시단말기 취급근로자의 종아리 사이에는 손가락을 밀어 넣을 정도의 틈새가 있도록 하여 종아리와 대퇴부에 무리한 압력이 가해지지 않도록 할 것

⑦ 키보드를 조작하여 자료를 입력할 때 양 손목을 바깥으로 꺾은 자세가 오래 지속되지 않도록 주의할 것

04

화면의 영상표시단말기 작업을 하는 근로자에게 작업으로 인하여 발생할 수 있는 장해를 쓰시오.

해답

VDT 증후군 (영상 표시단말기를 취급하는 작업으로 인하여 발생되는 경견완증후군 및 기타 근골격계 증상·눈의 피로·피부증상·정신신경계증상 등을 말한다)

tip

컴퓨터 단말기 조작업무에 대한 조치기준

① 실내는 명암의 차이가 심하지 아니하도록 하고 직사광선이 들어오지 아니하는 구조로 할 것

② 저휘도형의 조명기구를 사용하고 창 벽면 등은 반사되지 아니하는 재질을 사용할 것

③ 컴퓨터단말기 및 키보드를 설치하는 책상 및 의자는 작업에 종사하는 근로자에 따라 그 높낮이를 조절할 수 있는 구조로 할 것

④ 연속적인 컴퓨터 단말기작업에 종사하는 근로자에 대하여는 작업시간 중에 적정한 휴식시간을 부여할 것

03 화학설비 안전

〈영상화면 상황 3〉
화학 설비가 설치된 작업장에서 한 작업자가 설비 위에서 너트를 조이는 작업을 하다가 몸의 중심을 잃고 추락하는 상황.

05

안전밸브 또는 파열판을 설치하여 그 성능이 발휘될 수 있도록 하여야 하는 화학설비 및 그 부속설비에 해당하는 종류를 3가지 쓰시오.

해답

① 압력용기(안지름이 150밀리미터 이하인 압력용기는 제외, 관형 열교환기는 관의 파열로 인하여 상승한 압력이 압력용기의 최고사용압력을 초과할 우려가 있는 경우)
② 정변위 압축기
③ 정변위 펌프(토출측에 차단밸브가 설치된 것)
④ 배관(2개 이상의 밸브에 의하여 차단되어 대기온도에서 액체의 열팽창에 의하여 파열될 것이 우려되는 것)
⑤ 그 밖의 화학설비 및 그 부속설비로서 해당 설비의 최고사용압력을 초과할 우려가 있는 것

tip

위의 내용에 해당하는 설비가 다음에 해당하는 경우 파열판을 설치하여야 한다.
① 반응폭주등 급격한 압력상승의 우려가 있는 경우
② 독성물질의 누출로 인하여 주위의 작업환경을 오염시킬 우려가 있는 경우
③ 운전중 안전밸브에 이상물질이 누적되어 안전밸브가 작동되지 아니할 우려가 있는 경우

06

화면의 작업과 관련된 특수화학설비 내부의 이상상태를 조기에 파악하기 위하여 설치해야 하는 안전장치의 종류를 3가지 쓰시오.

해답

내부의 이상상태를 조기에 파악하기 위한 장치는
① 온도계 ② 유량계 ③ 압력계 ④ 자동경보장치

tip

특수화학설비의 안전조치 사항

(1) 계측장치의 설치(내부이상상태의 조기 파악)
① 온도계 ② 유량계 ③ 압력계 등

(2) 자동경보장치의 설치 : 내부이상상태의 조기 파악

(3) 긴급차단장치의 설치 : 이상상태 발생으로 인한 폭발, 화재 또는 위험물 누출 방지

(4) 예비동력원의 준수사항
① 동력원의 이상에 의한 폭발 또는 화재를 방지하기 위하여 즉시 사용할 수 있는 예비동력원을 비치할 것
② 밸브·콕·스위치등에 대하여는 오조작을 방지하기 위하여 잠금장치를 하고 색체표시 등으로 구분할 것

04 건설안전

〈영상화면 상황 4〉
교량에서 볼트를 조이는 작업을 하던 근로자가 다른 근로자에게 공구를 받아오기 위해 이동했다가 작업장소로 돌아오던 중 추락하는 상황.

07

화면의 작업상황을 참고로 하여 철골작업 시 작업을 중지해야 하는 경우를 3가지 쓰시오.

해답

① 풍속 : 초당 10m 이상인 경우 ② 강우량 : 시간당 1mm 이상인 경우 ③ 강설량 : 시간당 1cm 이상인 경우

08

화면의 교량공사에서 강교량의 조립 시에는 고장력 볼트를 주로 사용하며, 고장력 볼트 이음에서 볼트에 도입되는 축력이 매우 중요하다. 볼트의 축력(N)을 측정하기 위하여 토크렌치를 이용하여 토크를 측정하였더니 80(kg·m)였다. 볼트의 축력(ton)을 계산하시오. (단, 토크계수 K=0.15, 볼트직경 d=22mm)

해답

$T=KdN$이므로

축력$(N)=\frac{T}{Kd}=\frac{80\,\text{kg}\cdot\text{m}}{0.15\times0.022\text{m}}=24242.424\text{kg}=24.24$

09

보호장구 화면에서 발파공 천공 작업을 할 때 근로자가 착용하여야 할 보호구와 화면에서의 해당 번호를 쓰시오.

해답

① 안전모 ② 안전화 ③ 보안경 ④ 귀덮개 및 귀마개 ⑤ 방진마스크
(해당번호는 화면에서 주어지므로 생략합니다. 보호구와 번호가 반드시 일치해야 합니다.)

제3회 작업형 기출문제

01 기계안전

〈영상화면 상황 1〉
지게차를 이용하는 운반작업장에서 한 근로자가 다른 작업을 하고 있다. 운전자가 일을 빨리 끝낼 욕심으로 지게차를 빠르게 몰다가 다른 일을 하고 있던 근로자와 충돌하는 상황.

01

화면에서의 작업상황을 보고 위험예지 포인트를 3가지 쓰시오.

해답

① 차량계 하역 운반작업장내에 다른 근로자가 작업을 하고 있어 충돌의 위험이 있다.
② 화물을 무리하게 과적하여 시야가 확보되지 않아 사람 및 물체에 충돌할 위험이 있다.
③ 과속 및 난폭 운행으로 인하여 화물의 낙하 및 충돌 등의 사고로 다른 근로자 및 운전자가 다칠 위험이 있다.
④ 화물의 적재상태가 불량하여 낙하로 인한 사고의 위험이 있다.

02

화면에서 화물이 운전자 쪽으로 낙하할 경우 운전자를 보호할 수 있는 방호장치를 쓰시오.

해답

헤드가드(head guard)

tip

헤드가드의 안전기준

① 강도는 지게차의 최대하중의 2배의 값(4톤을 넘는 값에 대하여서는 4톤으로 한다)의 등분포정하중에 견딜 수 있는 것일 것

② 상부틀의 각 개구의 폭 또는 길이가 16cm 미만일 것

③ 운전자가 앉아서 조작하거나 서서 조작하는 지게차의 헤드가드는 한국산업표준에서 정하는 높이 기준 이상일 것

02 전기안전

〈영상화면 상황 2〉

전주 위에서 작업자가 담배를 피우면서 형강 교체 작업을 하고 있는 상황..

03

화면의 작업상황에서 작업자가 작업에 집중할 수 없는 요인을 3가지 찾아 쓰시오.

해답

① 작업중 흡연으로 인한 불안정

② 작업발판의 폭이 좁고 발판설치가 불안정하여 작업자의 안정된 자세유지가 안되고 있음.

③ C.O.S(Cut Out Switch)를 C.O.S 브라켓트를 이용하지 않고 발판용 볼트에 임시로 설치

④ 안전벨트 및 보호구 미착용으로 인한 자세의 불안정(화면에서 보호구 착용 시 제외)

⑤ 안전벨트의 착용이 불안정하여 추락위험 노출

04

화면의 작업상황에서 취해야 할 작업 중 안전조치 사항을 3가지 쓰시오.

해답

① 작업지휘자에 의한 지휘 및 감시인 배치
② 개폐기에 대한 관리 철저
③ 단락접지 상태를 수시로 확인
④ 근접활선에 대한 방호상태를 유지

tip

활선작업에 관련된 사항은 2011년 법이 개정되면서 전면적으로 내용이 수정되었습니다. 본문내용에서 관련사항을 반드시 확인하세요.

03 화학설비 안전

〈영상화면 상황 3〉
크롬도금 작업장에서 근로자가 도금한 제품을 옮기고 있는 상황.

05

화면에서와 같은 유해물질 취급시 주의해야 할 사항을 5가지 쓰시오.

해답

① 가스·증기 또는 분진의 발산원을 밀폐하는 설비 또는 국소배기장치 설치
② 시간당 필요환기량 이상의 전체 환기장치 설치
③ 실내작업장의 바닥은 불침투성 재료 사용 및 청소가 쉬운구조로 할 것
④ 뚜껑·후렌지·밸브 등의 접합부에는 새지 않도록 가스켓 사용 등의 조치
⑤ 유해물질이 샐 우려가 있을 경우 경보설비 및 긴급차단장치 설치
⑥ 중독발생의 우려가 있을 경우 즉시 작업중지 후 대피
⑦ 유해물질 취급작업장에는 명칭등의 사항 게시
⑧ 운반 및 저장시에는 샐 우려가 없는 뚜껑 또는 마개가 있는 견고한 용기 사용
⑨ 유해성의 정도에 따라 송기마스크 등의 호흡용보호구 착용
⑩ 자극성 또는 부식성 유해물질 취급시 불침투성 보호복·보호장갑·보호장화 및 피부보호용 바르는 약품을 비치하고 사용할 것
⑪ 유해물질이 흩날리는 업무일 경우 보안경 착용
(화면의 내용을 잘 살펴보고 가장 적합한 답안을 5가지 골라서 쓰시면 됩니다)

tip

유해물질 작업장에 게시해야 하는 사항[관리(허가)대상유해물질]
① 관리대상유해물질(허가대상유해물질)의 명칭
② 인체에 미치는 영향
③ 취급상 주의사항
④ 착용하여야 할 보호구
⑤ 응급조치(처치)와 긴급 방재 요령

06

화면에 나오는 작업장에 국소배기장치를 설치할 경우 준수해야 할 사항을 3가지 쓰시오.

해답

(1) 국소배기장치의 후드 및 닥트 설치 요령

후드	① 유해물질이 발생하는 곳마다 설치할 것 ② 유해인자의 발생형태 및 비중, 작업방법등을 고려하여 당해 분진 등의 발산원을 제어할 수 있는 구조로 설치할 것 ③ 후드형식은 가능한 포위식 또는 부스식 후드를 설치할 것 ④ 외부식 또는 레시버식 후드를 설치하는 때에는 당해 분진 등의 발산원에 가장 가까운 위치에 설치할 것
닥트	① 가능한 한 길이는 짧게 하고 굴곡부의 수는 적게 할 것 ② 접속부의 내면은 돌출된 부분이 없도록 할 것 ③ 청소구를 설치하는 등 청소하기 쉬운 구조로 할 것 ④ 닥트 내 오염물질이 쌓이지 아니하도록 이송 속도를 유지할 것 ⑤ 연결부위 등은 외부 공기가 들어오지 아니하도록 할 것

(2) 공기정화장치를 설치할 때에는 정화 후의 공기가 통하는 위치에 배풍기 설치

(3) 분진배출을 위한 국소배기장치의 배기구는 직접외기로 향하도록 개방하여 실외에 설치하는 등 재유입 방지 조치

(후드 및 닥트의 설치요령을 3가지 적으셔도 됩니다. 항상 답안은 자신 있는 부분을 먼저 적고 아시는 만큼 더 적으시면 됩니다)

tip

크롬 또는 크롬화합물의 흄, 분진, 미스트 등을 장기간 흡입 시 발생할 수 있는 대표적인 직업병의 명칭은? (비중격 천공)

04 건설안전

〈영상화면 상황 4〉
터널공사 현장에서 암벽에 천공을 한 후 화약을 충전하는 상황.

07

화면에서와 같은 터널굴착공사에서의 계측의 종류를 3가지 쓰시오.

해답

① 내공변위 측정
② 천단 침하 측정
③ 지표면 침하 측정
④ 록볼트(Rock Bolt) 인발 시험
⑤ 뿜어 붙이기 콘크리트 응력 측정
⑥ 지중 변위 측정
⑦ 지하 수위 측정
⑧ 지중 침하 측정 등

08

화면의 발파작업에서 발파공의 충진재료로 사용하는 것을 쓰시오.

해답

점토·모래 등 발화성 또는 인화성의 위험이 없는 재료(점토, 모래 등을 비벼 사용하고 작은 돌을 사용치 않아야 하며 처음에는 느슨하게 하고 점차 단단하게 하여 구멍 입구부위까지 채워야 한다)

tip

(1) 전기뇌관에 의한 발파의 경우 점화하기 전 전선에 대한 저항측정 및 도통시험을 하고 그 결과를 기록 관리하는데 이러한 시험은 화약류를 장전한 장소로부터 얼마나 떨어진 장소에서 실시하는가? (30m 이상 떨어진 안전한 장소)

(2) 점화 후 장진된 화약류가 폭발하지 아니하거나 장진된 화약류의 폭발여부를 확인하기 곤란한 경우 어느 정도의 시간이 경과한 후에 장진 장소에 접근하여야 하는가?

① 전기뇌관에 의한 경우 : 발파모선을 점화기에서 떼어 그 끝을 단락 시켜 놓는 등 재점화 되지 아니하도록 조치한 후 5분 이상 경과한 후

② 전기뇌관 외의 것 : 점화한 때부터 15분 이상 경과한 후

PART 13

09

보호구 화면에서 다량의 고열물체를 취급하거나 현저히 더운 장소에서 작업하는 근로자에게 착용하도록 해야 할 보호구의 종류와 해당하는 번호를 쓰시오.

해답

방열장갑 및 방열복 등(해당사항을 모두 기재하세요)

tip

다량의 저온물체를 취급하거나 현저히 추운 장소에서 작업하는 근로자에게 착용하도록 해야 하는 보호구는? (방한모, 방한화, 방한장갑 및 방한복)

제4회 작업형 기출문제

01 기계안전

〈영상화면 상황 1〉
톱날덮개가 설치되어있지 아니한 목재가공용 둥근톱으로 근로자가 목재가공 작업을 하다가 톱날에 손이 접촉하면서 재해가 발생하는 상황

01

화면에서의 목재가공용 둥근톱기계에는 덮개가 설치되어 있지 않다. 이 기계에 고정식 접촉예방장치를 설치할 경우 설치기준을 쓰시오.

해답

덮개하단과 테이블 사이의 높이를 최대 25mm로 제한하고, 덮개하단과 가공재의 상면과의 간격을 8mm 이내로 조정.

02

화면에서의 사고는 목재가공용 둥근톱 작업 시 자주 발생하는 사례이다. 안전한 작업을 위하여 필요한 안전 및 보조장치를 쓰시오.

해답

① 분할날
② 평행조정기
③ 직각정규
④ 밀대
⑤ 톱날덮개

PART 13

02 전기안전

〈영상화면 상황 2〉

1만 볼트의 전압이 인가된 배전판에서 근로자가 작업 중 "악" 하는 소리와 함께 쓰러지는 상황.

03

화면에서의 전기작업은 안전담당자를 지정해야 하는 대상 작업인지 판단하고 사고유형 및 그 용어에 대하여 간략히 설명하시오.

해답

① 법개정 전 「전압이 75V이상의 정전 및 활선작업」은 안전담당자 지정 대상 작업장이었으나 법이 개정되어 안전담당자라는 직책은 앞으로 사용하지 않습니다. 관리감독자로 알아두세요.(정전 및 활선작업시 에는 작업책임자 임명)

② 사고유형 : 감전

③ 용어의 정의 : 전기접촉이나 방전에 의해 사람이 충격을 받은 경우.

04

화면에서의 근로자가 안전한 작업을 위하여 착용해야 할 보호구의 종류를 쓰시오.

해답

① 절연안전모(AE, ABE형) ② 절연안전장갑 ③ 절연안전화

03 화학설비 안전

〈영상화면 상황 3〉
석면을 취급하는 작업장에서 근로자가 호흡용 보호구를 착용하고 석면해체·제거 작업을 실시하고 있는 상황.

05

화면에서와 같은 석면 취급작업장에 장기간 근무할 경우 석면으로 인하여 발생할 수 있는 직업병의 명칭을 쓰시오.

해답

석면폐증(폐암발생률을 높이는 진폐증), 중피종 유발

06

화면에서와 같은 석면 해체·제거 작업에 근로자가 종사할 경우 작업의 종류에 따른 안전조치사항을 쓰시오.

해답

(1) 분무(噴霧)된 석면이나 석면이 함유된 보온재 또는 내화피복재의 해체. 제거작업

① 창문·벽·바닥 등은 비닐 등 불침투성 차단재로 밀폐하고 해당 장소를 음압(陰壓)으로 유지하고 그 결과를 기록·보존할 것(작업장이 실내인 경우에만 해당)

② 작업시 석면분진이 흩날리지 아니하도록 고성능 필터가 장착된 석면분진 포집장치(捕集裝置)를 가동하는 등 필요한 조치를 할 것(실외 작업장)

③ 물이나 습윤제를 사용하여 습식(濕式)으로 작업할 것

④ 평상복 탈의실, 샤워실 및 작업복 탈의실 등의 위생설비를 작업장과 연결하여 설치할 것(실내 작업장)

(2) 석면이 함유된 벽체, 바닥타일 및 천장재의 해체·제거작업

① 창문·벽·바닥 등은 비닐 등 불침투성 차단재로 밀폐할 것

② 물이나 습윤제를 사용하여 습식으로 작업할 것

③ 작업장소를 음압으로 유지하고 그 결과를 기록·보존할 것(석면함유 벽체·바닥타일·천장재를 물리적으로 깨거나 기계 등을 이용하여 절단하는 작업인 경우에만 해당한다)

(3) 석면이 함유된 지붕재의 해체·제거작업

① 해체된 지붕재는 직접 땅으로 떨어뜨리거나 던지지 말 것

② 물이나 습윤제를 사용하여 습식으로 작업할 것. 다만, 습식작업 시 안전상 위험이 있는 경우에는 그러하지 아니하다.

③ 난방 또는 환기를 위한 통풍구가 지붕 근처에 있는 경우에는 이를 밀폐하고 환기설비의 가동을 중단할 것

(4) 석면이 함유된 그 밖의 자재의 해체. 제거작업

① 창문·벽·바닥 등은 비닐 등 불침투성 차단재로 밀폐할 것(실내 작업장)

② 석면분진이 흩날리지 아니하도록 석면분진 포집장치를 가동하는 등 필요한 조치를 할 것(실외 작업장)

③ 물이나 습윤제를 사용하여 습식으로 작업할 것

tip

(1) 석면 해체·제거 작업 시 작업계획에 포함되어야 할 사항

① 석면 해체·제거작업의 절차 및 방법

② 석면 흩날림방지 및 폐기방법

③ 근로자 보호조치

(2) 석면해체·제거작업에 근로자를 종사하도록 하는 경우 지급하여 착용하도록 해야 할 개인보호구

① 방진마스크(특등급만 해당)나 송기마스크 또는 전동식 호흡보호구[전동식 방진마스크(전면형 특등급만 해당), 전동식 후드 또는 전동식 보안면(분진·미스트·흄에 대한 용도로 안면부 누설율이 0.05% 이하인 특등급에만 해당)]. 다만, 분무된 석면이나 석면이 함유된 보온재 또는 내화피복재의 해체·제거 작업에 종사하는 경우에는 송기마스크 또는 전동식 호흡보호구를 지급하여 착용하도록 하여야 한다.

② 고글(Goggles)형 보호안경

③ 신체를 감싸는 보호복, 보호장갑 및 보호신발

(3) 석면 해체 작업

석면해체·제거작업 계획 수립 포함사항	① 석면해체·제거작업의 절차와 방법 ② 석면 흩날림 방지 및 폐기방법 ③ 근로자 보호조치
석면해체·제거작업 완료 후의 석면농도기준	1세제곱센티미터당 0.01개 이하
석면농도의 측정방법	① 석면해체·제거작업장 내의 작업이 완료된 상태를 확인한 후 공기가 건조한 상태에서 측정할 것 ② 작업장 내에 침전된 분진을 비산(飛散)시킨 후 측정할 것 ③ 시료채취기를 작업이 이루어진 장소에 고정하여 공기 중 입자상 물질을 채취하는 지역시료 채취방법으로 측정할 것

(4) 석면해체·제거작업 시 특별안전보건교육의 교육내용

① 석면의 특성과 위험성

② 석면해체·제거의 작업방법에 관한 사항

③ 장비 및 보호구 사용에 관한 사항

④ 그 밖에 안전·보건관리에 필요한 사항

04 건설안전

〈영상화면 상황 4〉
해체장비를 이용하여 구조물 해체작업을 하고 있는 상황.

07

해체작업을 하는 때에는 미리 해체건물의 조사결과에 따른 작업계획을 작성하고 그 작업계획에 의해 작업하도록 하여야 한다. 작업계획서에 포함되어야 할 사항을 5가지 쓰시오.

해답

① 해체의 방법 및 해체순서도면
② 가설설비·방호설비·환기설비 및 살수·방화설비 등의 방법
③ 사업장 내 연락방법
④ 해체물의 처분계획
⑤ 해체작업용 기계·기구 등의 작업계획서
⑥ 해체작업용 화약류 등의 사용계획서
⑦ 그 밖에 안전·보건에 관련된 사항

08

동영상의 해체작업에서 해체장비와 해체구조물 사이의 거리 간격은 얼마가 적당한지 계산하시오.(단, 해체구조물의 높이는 7m이다.)

해답

① 안전거리 ≥ 0.5 H(구조물의 높이)

　∴ $0.5 \times 7 = 3.5m$

② 끌어당겨서 무너뜨릴 경우 : 안전거리 ≥ 1.5 H(구조물의 높이)

　∴ $1.5 \times 7 = 10.5m$

(화면의 작업상황을 보고 해당되는 공식을 사용하면 됩니다. 일반적인 작업은 ① 의 공식)

tip

해체작업 시 일반적인 안전기준 사항

① 작업구역내에는 관계자 이외의 자에 대하여 출입 금지

② 강풍, 폭우, 폭설 등 악천후 시에는 작업중지

③ 사용기계·기구 등을 인양하거나 내릴 때에는 그물망이나 그물포대 등을 사용

④ 외벽, 기둥 등을 전도하는 작업을 할 경우에는 전도 위치와 파편 비산거리 등을 예측하여 작업반경 설정

⑤ 전도작업을 할 때에는 작업자 이외에는 모두 대피시킨 뒤 전도작업

⑥ 해체구조물 외곽에 방호용 울타리를 설치하고 해체물의 전도, 낙하·비산에 대비하여 안전거리 유지

⑦ 파쇄공법의 특성에 따라 방진벽, 비산차단벽 및 분진억제 살수시설 설치

⑧ 작업자 상호간에 적정한 신호 규정을 준수하고 신호방식 및 신호기기 사용법은 사전교육에 의해 숙지

⑨ 적정한 위치에 대피소 설치

09

화면의 보호장구 사진 중 크롬도금작업장에서 작업자가 안전을 위해 착용해야할 보호구의 종류와 해당하는 번호를 쓰시오.

해답

① 방진마스크　② 보호장화　③ 보호장갑

④ 불침투성 보호복　⑤ 유해물질이 흩날릴 경우 보안경

제5회 작업형 기출문제

01 기계안전

〈영상화면 상황 1〉

지게차의 포크가 올라가 있는 상태에서 수리작업을 하다가 포크가 불시에 하강하면서 아래에 있던 근로자가 재해를 당하는 상황.

01

화면에서와 같은 지게차 수리작업 시 안전한 작업을 위하여 취해야 할 조치사항을 쓰시오.

해답

(1) 안전지지대 또는 안전블록을 사용하여 포크를 받쳐놓고 작업해야 한다.
(2) 작업지휘자를 지정하여 다음과 같은 사항을 준수하도록 해야 한다.
① 작업순서를 결정하고 작업을 지휘할 것　② 안전지지대 또는 안전블록 등의 사용상황 등을 점검할 것

02

지게차에 의한 하역운반작업에 사용하는 팔레트(pallet) 또는 스키드(skid)의 안전한 기준을 쓰시오.

해답

① 적재하는 화물의 중량에 따른 충분한 강도를 가질 것　② 심한 손상·변형 또는 부식이 없을 것

02 전기안전

〈영상화면 상황 2〉
1만 볼트의 전압이 흐르는 고압선 아래에서 크레인 작업을 하고 있는 상황.

03

화면에서와 같은 크레인 작업 또는 충전전로에 접근하는 장소에서 시설물 건설·해체 등의 작업으로 인하여 감전의 위험이 발생할 우려가 있는 경우 취해야 할 안전조치 사항을 쓰시오.

해답 **충전전로 인근에서의 차량·기계장치 작업**

(1) 충전전로 인근에서 차량, 기계장치 등의 작업이 있는 경우
차량 등을 충전전로의 충전부로부터 300센티미터 이상 이격시켜 유지시키되, 대지전압이 50킬로볼트를 넘는 경우 이격시켜 유지하여야 하는 거리(이격거리)는 10킬로볼트 증가할 때마다 10센티미터씩 증가시켜야 한다. 다만, 차량 등의 높이를 낮춘 상태에서 이동하는 경우에는 이격거리를 120센티미터 이상(대지전압이 50킬로볼트를 넘는 경우에는 10킬로볼트 증가할 때마다 이격거리를 10센티미터씩 증가)으로 할 수 있다.

(2) 충전전로의 전압에 적합한 절연용 방호구 등을 설치한 경우
이격거리를 절연용 방호구 앞면까지로 할 수 있으며, 차량 등의 가공 붐대의 버킷이나 끝부분 등이 충전전로의 전압에 적합하게 절연되어 있고 유자격자가 작업을 수행하는 경우에는 붐대의 절연되지 않은 부분과 충전전로 간의 이격거리는 충전전로에서의 전기작업 표에 따른 접근 한계거리까지로 할 수 있다.

(3) 다음 각 호의 경우를 제외하고는 근로자가 차량 등의 그 어느 부분과도 접촉하지 않도록 울타리(방책)를 설치하거나 감시인 배치 등의 조치를 하여야 한다.
① 근로자가 해당 전압에 적합한 절연용 보호구 등을 착용하거나 사용하는 경우
② 차량 등의 절연되지 않은 부분이 접근 한계거리 이내로 접근하지 않도록 하는 경우

tip

본 문제는 2011년 법이 개정되면서 전면적으로 내용이 수정되었으며, 해답은 개정된 내용으로 작성하였습니다. 본문내용에서 관련 사항을 반드시 확인하세요.

04

화면의 작업에서 고압선아래 위치한 변압기 등의 수리작업을 하기 위하여 충전부분에 접촉 또는 접근함으로 감전의 위험이 있을 경우 충전부분에 대한 안전조치 사항을 쓰시오.

해답

① 충전부가 노출되지 아니하도록 폐쇄형 외함(外函)이 있는 구조로 할 것
② 충전부에 충분한 절연효과가 있는 방호망 또는 절연덮개를 설치할 것
③ 충전부는 내구성이 있는 절연물로 완전히 덮어 감쌀 것
④ 발전소·변전소 및 개폐소 등 구획되어 있는 장소로서 관계근로자외의 자의 출입이 금지되는 장소에 충전부를 설치하고 위험표시 등의 방법으로 방호를 강화할 것
⑤ 전주 위 및 철탑 위 등 격리되어 있는 장소로서 관계근로자 외의 자가 접근할 우려가 없는 장소에 충전부를 설치할 것

03 화학설비 안전

〈영상화면 상황 3〉
지하에 설치된 폐수처리조에서 슬러지 처리 작업을 하던 근로자가 갑자기 쓰러지는 상황.

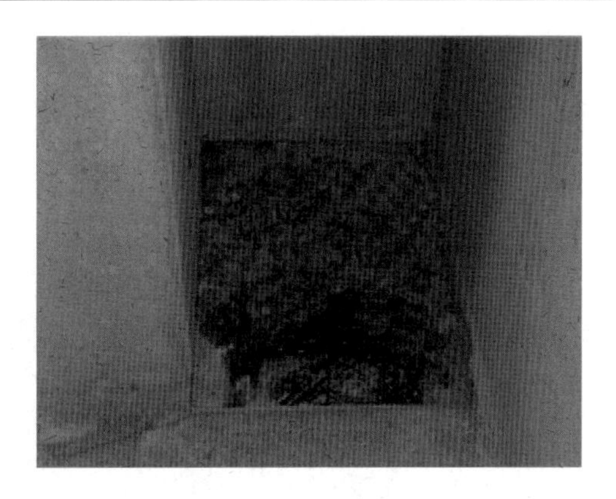

05

화면에서의 작업을 할 경우 작업장으로 들어가는 근로자가 안전을 위하여 착용해야 할 보호구의 종류를 2가지 쓰시오.

해답

① 공기 호흡기 ② 송기 마스크

06

화면과 같은 산소가 결핍된 밀폐공간에서 근로자가 작업 중 실신 혼절하여 7~8분 이내에 사망하였다면 이 장소의 산소농도는 어느 정도로 추정할 수 있는가?

해답

약 8% 정도

tip

산소결핍장소에서 근로자가 순간에 혼절, 호흡정지, 경련 등으로 6분이내 사망하였다면 산소의 농도는? (약 6% 정도)

〈영상화면 상황 4〉
구조물 신축공사 현장에서 타워크레인으로 철근인양 작업을 하던 중 달기 와이어 로프가 절단되면서 철근이 낙하하여 아래에서 작업하던 근로자가 재해를 당하는 상황.

07

화면에서의 와이어로프 절단은 사용금지된 로프일 가능성이 높다. 와이어로프의 사용금지에 해당하는 기준을 쓰고, 위험의 포인트를 2가지 쓰시오.

해답

(1) 와이어로프의 사용금지
① 이음매가 있는 것
② 와이어로프의 한 꼬임(스트랜드)에서 끊어진 소선(필러선 제외)의 수가 10% 이상(비자전로프의 경우에는 끊어진 소선의 수가 와이어로프 호칭지름의 6배 길이 이내에서 4개 이상이거나 호칭지름 30배 길이 이내에서 8개 이상)인 것
③ 지름의 감소가 공칭지름의 7%를 초과하는 것
④ 꼬인 것
⑤ 심하게 변형되거나 부식된 것
⑥ 열과 전기충격에 의해 손상된 것

(2) 위험포인트
① 자재인양작업전 와이어로프의 점검 미실시 ② 신호수 미배치 ③ 작업을 하는 위험반경 내 근로자 출입통제 미실시

tip

2011년 법 개정으로 내용이 수정되었으며, 해답은 수정된 내용으로 작성하였습니다.

08

화면에서처럼 화물의 하중을 직접 지지하는 경우의 와이어로프 안전계수는 얼마 이상이어야 하는가?

해답

5이상

tip

① 근로자가 탑승하는 운반구를 지지하는 경우 : 10 이상

② 기타의 경우 : 4 이상

09

분말 또는 액체상태의 방사성물질에 오염된 장소에 방사성물질의 흩날림 등으로 근로자의 신체가 오염될 우려가 있을 경우 착용해야 하는 보호구의 종류와 해당되는 번호를 쓰시오.

해답

① 호흡용보호구(방진마스크) ② 보호복 ③ 보호장갑
④ 신발덮개 ⑤ 보호모 등

제6회 작업형 기출문제

01 기계안전

〈영상화면 상황 1〉
안전장치가 미부착된 프레스에서 근로자가 프레스 작업을 하던 중 절편(chip)을 제거하기 위해 손을 프레스 안쪽으로 이동하다가 실수로 페달을 밟아 금형이 낙하하면서 재해가 발생하는 상황.

01

화면의 프레스 작업에서 안전한 작업을 위하여 광전자식 안전장치를 설치하고자 한다. 손이 광선을 차단했을때부터 슬라이드가 정지할때까지의 시간이 5ms였다면 방호장치와 위험한계 사이의 거리(안전거리)를 계산하시오.

해답

$D=1600\times(Tc+Ts)$

D : 안전거리(mm)

Tc : 방호장치의 작동시간[즉 손이 광선을 차단했을 때부터 급정지기구가 작동을 개시할 때까지의 시간 (초)]

Ts : 프레스의 최대정지시간[즉 급정지기구가 작동을 개시했을 때부터 슬라이드가 정지할 때까지의 시간 (초)]

그러므로, 안전거리$(mm)=1600\times5\times10^{-3}=8(mm)$

02

화면에서와 같은 프레스 재해를 예방하기 위한 안전조치 사항을 2가지 쓰시오.

해답

① chip의 제거는 압축공기 또는 핀셋류 등의 수공구를 사용할 것

② 페달의 불시작동에 의한 사고를 예방하기 위하여 U자형의 이중 상자(덮개)로 덮고 연속 작업 외에는 1회전마다 발을 페달에서 빼서 상자 위에 놓을 것

02 전기안전

〈영상화면 상황 2〉
자연재해로 인한 전주복구공사현장에서 전주에 승주하여 정전작업을 하던중 예비동력원의 역송전으로 인한 감전사고가 발생하는 상황.

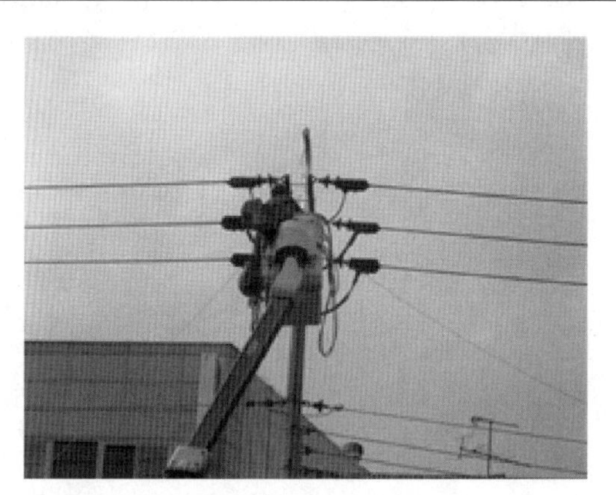

03

화면에서와 같은 정전작업시 안전을 위해 취해야 할 조치사항을 3가지 쓰시오.

해답

근로자가 노출된 충전부 또는 그 부근에서 작업함으로써 감전될 우려가 있는 경우에는 작업에 들어가기 전에 해당 전로를 차단하여야 하며, 전로 차단절차는 다음과 같다.

① 전기기기 등에 공급되는 모든 전원을 관련 도면, 배선도 등으로 확인할 것
② 전원을 차단한 후 각 단로기 등을 개방하고 확인할 것
③ 차단장치나 단로기 등에 잠금장치 및 꼬리표를 부착할 것
④ 개로된 전로에서 유도전압 또는 전기에너지가 축적되어 근로자에게 전기위험을 끼칠 수 있는 전기기기등은 접촉하기 전에 잔류전하를 완전히 방전시킬 것
⑤ 검전기를 이용하여 작업 대상 기기가 충전되었는지를 확인할 것
⑥ 전기기기 등이 다른 노출 충전부와의 접촉, 유도 또는 예비동력원의 역송전 등으로 전압이 발생할 우려가 있는 경우에는 충분한 용량을 가진 단락 접지기구를 이용하여 접지할 것

tip

본문제에 해당하는 정전전로에서의 작업에 관한 사항은 2011년 관련법이 전면 개정되었으므로, 반드시 본문내용에서 관련사항을 확인하시기 바랍니다. 해답의 내용은 개정된 내용으로 작성하였습니다.

04

화면의 정전작업은 근로자의 감전을 방지하기 위해 정전작업요령을 작성하여 관계근로자에게 교육하여야 한다. 정전작업요령에 포함되어야 할 사항을 4가지 쓰시오.

해답

① 작업책임자의 임명, 정전범위·절연용보호구의 이상유무 점검 및 활선접근경보장치의 휴대 등 작업시작전에 필요한 사항
② 전로 또는 설비의 정전순서에 관한 사항
③ 개폐기관리 및 표지판 부착에 관한 사항
④ 정전확인순서에 관한 사항
⑤ 단락접지실시에 관한 사항
⑥ 전원재투입 순서에 관한 사항
⑦ 점검 또는 시운전을 위한 일시운전에 관한 사항
⑧ 교대근무시 근무인계에 필요한 사항

tip

본문제는 2011년 법 개정으로 삭제된 내용입니다. 본문제에 해당하는 정전전로에서의 작업에 관한 사항은 2011년 관련법이 전면 개정되었으므로, 반드시 본문내용에서 관련사항을 확인하시기 바랍니다.

03 화학설비 안전

〈영상화면 상황 3〉
아파트 신축 공사현장에서 콘크리트 타설 후 갈탄화로를 이용해 양생중인 지하 피트층 내부를 점검하기 위하여 근로자가 진입하여 점검 중 쓰러지는 상황.

05

화면에서의 작업을 안전하게 실시하기 위하여 취해야 할 안전조치 사항을 3가지 쓰시오.

해답

(1) 작업시작 전 및 작업 중에 당해 작업장을 적정한 공기상태로 유지하기 위한 환기 조치
(2) 당해 작업장과 외부의 감시인 사이에 상시 연락을 취할 수 있는 설비 설치
(3) 다음의 내용이 포함된 밀폐공간 작업프로그램을 수립하여 시행
① 사업장 내 밀폐공간의 위치 파악 및 관리방안
② 밀폐공간 내 질식·중독 등을 일으킬 수 있는 유해·위험 요인의 파악 및 관리 방안
③ ②항에 따라 밀폐공간 작업 시 사전 확인이 필요한 사항에 대한 확인 절차
④ 안전 보건 교육 및 훈련
⑤ 그 밖에 밀폐공간 작업 근로자의 건강장해 예방에 관한 사항
(4) 당해 장소에 근로자를 입장시킬 때와 퇴장시킬 때의 인원점검 등
(5) 출입금지 표지를 밀폐공간 근처의 보기 쉬운 곳에 게시

06

화면에서와 같은 밀폐공간작업에서 정하고 있는 적정한 공기와 산소결핍공기의 기준을 쓰시오.

해답

① 적정한 공기 : 적정공기란 산소 농도의 범위가 18% 이상 23.5% 미만, 이산화탄소의 농도가 1.5% 미만, 일산화탄소의 농도가 30ppm 미만, 황화수소의 농도가 10ppm 미만인 수준의 공기

② 산소결핍 : 공기 중의 산소농도가 18% 미만인 상태

tip

밀폐공간 작업에서 근로자를 피난시키거나 구출하기 위하여 비치해야 하는 기구의 종류를 쓰시오. (공기호흡기 또는 송기마스크 등, 사다리 및 섬유로프 등)

PART 13

04 건설안전

〈영상화면 상황 4〉

건설현장에서 건물외벽공사를 위해 비계 조립공사를 하고 있는 상황. 근로자 1명은 상부에서 조립작업을 하고 나머지 근로자는 이미 조립된 비계의 중간부분에서 자재인양 작업을 보조하던 중 한 근로자가 몸의 중심을 잃고 바닥으로 추락하는 재해가 발행.

07

화면에서의 추락재해 발생원인과 대책을 각각 2가지씩 쓰시오.

해답

(1) 발생원인

① 견고한 작업발판 및 추락방지망 미설치

② 수직구명줄 등의 안전대 부착설비 미설치 및 안전대 미착용

(2) 안전대책

① 안전난간이 설치된 가설통로 및 안전한 작업발판 설치

② 안전대 부착설비 설치 및 안전대 착용

08

화면에서의 작업처럼 비계의 높이가 2m 이상인 경우 작업발판을 설치하여야 한다. 작업발판의 기준 또는 구조에 관하여 3가지 쓰시오.

해답

① 발판재료는 작업시의 하중을 견딜 수 있도록 견고한 것으로 할 것
② 작업발판의 폭은 40cm 이상으로 하고, 발판재료 간의 틈은 3cm 이하로 할 것
③ 제②호에도 불구하고 선박 및 보트 건조작업의 경우 선박블록 또는 엔진실 등의 좁은 작업공간에 작업발판을 설치하기 위하여 필요하면 작업발판의 폭을 30cm 이상으로 할 수 있고, 걸침비계의 경우 강관기둥 때문에 발판재료 간의 틈을 3cm 이하로 유지하기 곤란하면 5cm 이하로 할 수 있다. 이 경우 그 틈 사이로 물체 등이 떨어질 우려가 있는 곳에는 출입금지 등의 조치를 할 것
④ 추락의 위험성이 있는 장소에는 안전난간을 설치할 것(안전난간설치가 곤란한 경우, 작업의 필요상 임시로 안전난간 해체 시 추락방호망 또는 안전대 사용 등 추락에 의한 위험방지조치)
⑤ 작업발판의 지지물은 하중에 의하여 파괴될 우려가 없는 것을 사용할 것
⑥ 작업발판재료는 뒤집히거나 떨어지지 않도록 둘 이상의 지지물에 연결하거나 고정시킬 것
⑦ 작업발판을 작업에 따라 이동시킬 경우에는 위험방지에 필요한 조치를 할 것

PART 13

09

안전대 구조에 관한 다음의 설명을 보고 해당되는 장치를 화면에서 찾아 명칭과 번호를 쓰시오.

① 신체의 추락을 방지하기 위해 자동잠김장치를 갖추고 죔줄과 수직구명줄에 연결된 금속장치
② 안전그네와 연결하여 추락발생시 추락을 억제할 수 있는 자동잠김 장치가 갖추어져 있고 죔줄이 자동적으로 수축되는 금속장치

해답

① 추락방지대
② 안전블록

제7회 작업형 기출문제

01 기계안전

〈영상화면 상황 1〉

환봉을 연마하기 위해 회전하는 탁상용연삭기로 작업하던 중 환봉이 튕겨서 근로자를 가격하는 장면.

01

화면의 재해상황에서 기인물과 가해물은 무엇이며, 연삭작업에 의한 파편이나 칩의 비래에 의한 위험을 예방하기 위한 방호장치의 종류와 연마가공 작업시 숫돌과 가공면과의 각도는 어느정도를 유지하여야 하는지 쓰시오.

해답

① 기인물 : 탁상용 연삭기

② 가해물 : 환봉

③ 방호장치의 종류 : 투명비산 방지판

④ 숫돌과 가공면과의 각도 : 15°~ 30°

02

연삭숫돌에 의한 재해를 예방하기 위한 안전기준을 3가지 쓰시오.

해답

① 회전중인 연삭숫돌(직경이 5cm 이상인 것)이 근로자에게 위험을 미칠 우려가 있는 때에는 해당부위에 덮개를 설치하여야 한다.
② 연삭숫돌을 사용하는 작업에 있어서 작업을 시작하기 전에 1분 이상, 연삭숫돌을 교체한 후에 3분이상 시운전을 하고 당해 기계에 이상이 있는 지의 여부를 확인하여야 한다.
③ 제2항의 규정에 의한 시운전에 사용하는 연삭숫돌은 작업시작 전에 결함유무를 확인한 후 사용하여야 한다.
④ 연삭숫돌의 최고사용회전속도를 초과하여 사용하도록 하여서는 아니된다.
⑤ 측면을 사용하는 것을 목적으로 하는 연삭숫돌 이외의 연삭숫돌은 측면을 사용하도록 하여서는 아니된다.

02 전기안전

〈영상화면 상황 2〉
옥내 도장작업장에서 작업을 시작하기 위해 전원스위치를 투입하려고 분전반으로 접근하던 중 내부절연이 파괴되어 외함으로 전기가 누전된 교류아크용접기에 근로자가 접촉하면서 감전재해를 당하는 상황.

03

화면의 상황에서 감전재해가 발생하게 된 원인을 3가지 쓰시오.

해답

(1) 재해발생 원인
① 교류아크용접기의 누전여부 확인 및 절연조치 미실시
② 금속제 외함의 접지 미실시
③ 2차무부하 전압을 안전전압으로 감압하는 자동전격방지기 미설치

04

화면의 작업장에 설치된 교류아크용접기에 설치해야 할 자동전격방지기의 성능기준을 쓰시오.

해답

자동전격방지기는 아크발생을 중지하였을 때 지동시간이 1.0초 이내에 2차 무부하 전압을 25V 이하로 감압시켜 안전을 유지할 수 있어야 한다.

03 화학설비 안전

〈영상화면 상황 3〉
폭발성 화학물질 취급 작업장에 작업자들이 신발에 물을 묻히고 들어가서 화학물질을 이용하여 작업하던 중 부주의로 인하여 재해가 발생하는 상황.

05

화면에 나오는 폭발성 화학물질 작업장에 근로자들이 들어갈 때 신발에 물을 묻히는 이유는 무엇이며, 화재발생 시 적합한 소화방법을 쓰시오.

해답

① 이유 : 폭발성 화학물질 작업장에는 정전기에 의한 점화로 폭발이 발생할 수 있으므로 작업화와 바닥의 마찰로 인한 정전기 발생을 방지하기 위하여.
② 소화방법 : 다량의 주수에 의한 냉각소화

〈영상화면 상황 4〉
건설현장에서 콘크리트 파일을 설치하기 위한 항타기 작업이 진행되고 있는 상황.

06

화면에서와 같은 항타기에 사용되는 권상용 와이어로프의 안전계수를 고려할 때 인양하고자하는 파일의 하중이 2톤이라면 권상용 로프의 절단 하중은 몇 톤 이상이어야 하는가?

해답

$$\text{와이어로프의 안전계수} = \frac{\text{절단하중}}{\text{와이어로프에 걸리는 하중의 최대값}}$$

∴ 절단하중 = 5(항타기 항발기의 권상용 와이어로프의 안전계수) × 2ton = 10ton

07

항타기 또는 항발기의 권상장치의 드럼축과 권상장치로부터 첫 번째 도르래의 축과의 거리는 권상장치의 드럼폭의 몇 배 이상으로 하여야 하는가?

해답

15배 이상

tip

(1) 항타기 또는 항발기의 권상용 와이어로프의 사용금지 조건

① 이음매가 있는 것

② 와이어로프의 한 꼬임(스트랜드)에서 끊어진 소선(필러선 제외)의 수가 10% 이상(비자전로프의 경우에는 끊어진 소선의 수가 와이어로프 호칭지름의 6배 길이 이내에서 4개 이상이거나 호칭지름 30배 길이 이내에서 8개 이상)인 것

③ 지름의 감소가 공칭지름의 7%를 초과하는 것

④ 꼬인 것

⑤ 심하게 변형되거나 부식된 것

⑥ 열과 전기충격에 의해 손상된 것

(2) 2011년 법 개정으로 내용이 수정되었으며, 해답은 수정된 내용으로 작성하였습니다.

08

화면에 나오는 보호장구의 사진 중 방수를 중요한 목적으로 하고 내화학성을 겸한 것으로 물체의 낙하, 충격 및 바닥으로부터의 날카로운 물체에 의한 찔림 위험으로부터 발을 보호하기 위해 사용하는 보호구의 명칭과 해당되는 번호를 쓰시오.

해답

고무제 안전화

산업안전 산업기사실기

제8회 작업형 기출문제

01 기계안전

〈영상화면 상황 1〉
무채를 써는 기계로 작업하던 근로자가 이상작동으로 인하여 기계가 갑자기 정지하자 아무런 조치 없이 기계의 덮개를 열고 점검하고 있는 상황

01

화면의 작업상황을 보고 위험예지 포인트를 2가지 쓰시오.

해답

① 기계의 전원스위치를 off 시키지 않아 기계가 불시에 작동할 경우 손을 다칠 위험이 있다.
② 기계의 덮개를 열면 기계가 작동되지 않도록 연동장치가 되어 있어야 하는데 연동장치가 설치되어있지 않아 작동될 경우 위험하다.

02

화면의 작업상황에서 기계가 갑자기 작동할 경우 발생할 수 있는 재해를 예방하기 위하여 기계의 덮개를 열었을 경우 또는 기계의 정상적인 작동을 위한 조건이 만족되지 않았을 경우 기계가 작동하지 않도록 하는 안전장치를 무엇이라 하는가?

해답

inter lock 장치(연동장치)

02 전기안전

〈영상화면 상황 2〉
습윤한 작업장소에서 수중펌프를 이용한 작업을 하기 위해 배선공사 및 점검을 하고 있는 상황.

PART 13

03

화면의 작업상황에서 발생할 수 있는 감전재해를 예방하기 위한 조치사항을 3가지 쓰시오.

해답

① 전선의 접속부분을 가능한 적게하고 테이프 처리 등을 할 때에 절연처리에 특히 주의하여 충분한 절연효과가 있는 것으로 시설할 것
② 이동전선은 가능한 중간에 접속점이 없어야 하며 부득이한 경우 방수형으로 하고 외부손상으로 인한 감전을 방지하기 위해 캡타이어 케이블을 사용하는 것이 바람직하다.
③ 작업시작전 전선 피복 등의 손상유무, 접속부위의 절연상태 및 절연저항을 측정하여 이상유무를 확인할 것
④ 감전방지용 누전차단기를 설치하고 작업 전 작동상태를 반드시 점검할 것

04

화면의 작업상황에서 근로자에게 발생할 수 있는 감전을 방지하기 위하여 설치하는 누전차단기의 성능기준을 쓰시오.

해답

전기기계기구에 설치하는 누전차단기는 정격감도전류가 30밀리암페어 이하이고 작동시간은 0.03초 이내일 것 (다만, 정격전부하전류가 50암페어 이상인 전기기계기구에 접속되는 누전차단기는 오작동을 방지하기 위하여 정격감도전류는 200밀리암페어 이하로, 작동시간은 0.1초 이내로 할 수 있다)

tip

(1) 작업자가 물에 젖어있는 상황에서 쉽게 감전되었다면 그 이유는 무엇인가?
(인체가 젖어있는 경우 피부저항은 보통상태의 1/25로 감소되므로 쉽게 감전된다)

(2) 누전차단기 설치장소
① 물 등 도전성이 높은 액체에 의한 습윤장소
② 철판·철골위 등 도전성이 높은 장소
③ 임시배선의 전로가 설치되는 장소

03 화공안전

〈영상화면 상황 3〉
헬륨, 아르곤, 질소, 탄산가스 그 밖의 불활성가스가 들어있었던 보일러 또는 탱크 시설의 내부작업을 위해 퍼지를 하고 있는 상황.

05

화면의 작업에서 실시하고 있는 퍼지 작업의 목적을 간략히 쓰시오.

해답

① 가연성 가스 및 조연성 가스에 의한 화재폭발사고의 방지
② 독성가스에 의한 중독사고의 방지
③ 불활성 가스 및 유해가스 등에 의한 밀폐공간에서의 산소결핍에 의한 사고예방

06

퍼지의 종류를 3가지 쓰시오.

해답

① 진공퍼지
② 압력퍼지
③ 스위프 퍼지

tip

퍼지의 종류별 특징

진공퍼지 (Vacuum purging)	① 용기에 대한 가장 일반화된 인너팅장치 ② 용기를 진공으로 한 후 불활성가스 주입 ③ 저압에만 견딜 수 있도록 설계된 큰 저장용기에서는 사용될 수 없다.
압력퍼지 (Pressure purging)	① 가압하에서 인너트가스 주입하여 퍼지(압력용기에 주로 사용) ② 주입한 가스가 용기내에 충분히 확산된 후 대기중으로 방출 ③ 진공퍼지 보다 시간이 크게 감소하나 대량의 인너트가스 소모
스위프 퍼지 (Sweep-Through Purging)	① 용기의 한쪽 개구부로 퍼지가스 가하고 다른 개구부로 혼합가스 방출 ② 용기나 장치에 가압 하거나 진공으로 할 수 없는 경우 사용 ③ 대형 저장용기를 치환할 경우 많은 양의 불활성가스를 필요로 하여 경비가 많이 소요되므로 액체를 용기 내에 채운 다음 용기 상부의 잔류산소를 제거하는 스위프 치환 방법의 사용이 바람직
사이폰치환 (Siphon purging)	① 용기에 물 또는 비가연성, 비반응성의 적합한 액체를 채운 후 액체를 뽑아내면서 증기층에 불활성 가스를 주입하는 방법 ② 산소의 농도를 매우 낮은 수준으로 줄일 수 있음.

04 건설안전

〈영상화면 상황 4〉
신축아파트 건설현장에서 건설용 리프트를 이용한 자재운반 작업을 하고 있는 상황.

07

화면의 작업에서 사용하고 있는 리프트의 안전장치의 종류를 쓰고 순간 풍속이 얼마 이상일 때 받침 수를 증가시키는 등의 붕괴방지를 위한 조치를 해야 하는지 쓰시오.

해답

(1) 안전장치의 종류
① 과부하방지장치
② 권과방지장치
③ 비상정지장치
④ 조작반에 잠금장치

(2) 순간풍속 : 매초당 35미터를 초과하는 바람이 불어올 우려가 있을 때

tip

순간풍속이 얼마 이상 불어온 후 작업할 경우 리프트의 이상 유무를 점검해야 하는가?
(매초당 30미터 초과 및 중진 이상의 지진 후)

08

리프트의 수리, 점검 또는 해체작업 시 취해야 할 안전조치 사항을 3가지 쓰시오.

해답

① 작업을 지휘하는 자를 선임하여 그 자의 지휘하에 작업을 실시할 것
② 작업을 할 구역에 관계근로자외의 자의 출입을 금지하고 그 취지를 보기 쉬운 장소에 표시할 것
③ 비·눈 그 밖의 기상상태의 불안정으로 인하여 날씨가 몹시 나쁠 때에는 그 작업을 중지시킬 것

tip

화면에서와 같은 리프트 작업 시 작업지휘자의 이행사항을 3가지 쓰시오.
① 작업방법과 근로자의 배치를 결정하고 당해 작업을 지휘하는 일
② 재료의 결함유무 또는 기구 및 공구의 기능을 점검하고 불량품을 제거하는 일
③ 작업중 안전대 등 보호구의 착용상황을 감시하는 일

09

고소작업을 할 때 근로자의 안전을 위해 착용하는 보호구인 안전대 중에서 추락 시 받는 하중을 신체에 고루 분산시킬 수 있는 구조의 명칭을 쓰시오.

해답

안전 그네

메모

2025 산업안전산업기사 실기 이론+작업형

초판인쇄 2025년 2월 20일
초판발행 2025년 2월 27일

발 행 인 박용
출판총괄 김세라
개발책임 이성준
책임편집 윤혜진
마 케 팅 김치환, 최지희, 이혜진, 손정민, 정재윤, 최선희, 오유진
일러스트 ㈜ 유미지

발 행 처 ㈜ 박문각출판
출판등록 등록번호 제2019-000137호
주　　소 06654 서울시 서초구 효령로 283 서경B/D 5층
전　　화 (02) 6466-7202
팩　　스 (02) 584-2927
홈페이지 www.pmgbooks.co.kr

ISBN 979-11-7262-625-9
979-11-7262-624-2(세트)
정가 43,000원

2) Sounding(표준관입시험)

① 질량 63.5±0.5kg의 드라이브 해머를 760±10mm 높이에서 자유낙하
② 지반에 300mm 박아 넣는데 필요한 타격횟수 N값 측정
③ 흙의 지내력 판단, **사질토** 적용

3 토공사시 연약지반 보강방법

1) 사질토 개량공법

① 동다짐공법 ② 전기충격공법 ③ 다짐모래말뚝공법
④ 진동다짐공법 ⑤ 폭약다짐공법 ⑥ 약액주입공법

암기법 동전으로 다진 폭약

2) 점성토 개량공법

① 치환공법 : 굴착, 미끄럼, 폭파
② 압밀공법 : Preloading, 사면선단재하, 압성토
③ 배수공법 : Deep well, Well point
④ 탈수공법 : Sand drain, Paper drain, Pack drain

4 차량계 건설기계

1) 낙하물 보호구조를 갖춰야할 대상

① 불도저 ② 트랙터 ③ 굴착기 ④ 로더 ⑤ 스크레이퍼
⑥ 덤프트럭 ⑦ 모터그레이더 ⑧ 롤러 ⑨ 천공기 ⑩ 항타기 및 항발기

2) 작업계획에 포함되어야 하는 사항

① 사용하는 차량계 건설기계의 **종류 및 성능** ② 차량계 건설기계의 **운행경로**
③ 차량계 건설기계에 의한 **작업방법**

3) 전도 방지 조치

① 유도자 배치 ② 지반 부동침하방지 ③ 갓길 붕괴방지 ④ 도로폭 유지

4) 운전위치 이탈 시 조치사항

① 포크,버킷,디퍼 등의 장치를 가장 낮은 위치 또는 지면에 내려 둘 것
② 원동기 정지, 브레이크를 확실히 거는 등 갑작스러운 이동을 방지하기 위한 조치를 할 것
③ 시동키 운전대에서 분리

5 차량계 하역운반기계

1) 전도 방지조치

① 유도자 배치 ② 부동침하 방지조치 ③ 갓길의 붕괴방지조치

2) 화물적재 시 조치

① 하중이 한쪽으로 **치우치지 않도록** 적재 ② 화물에 **로프**를 거는 등 필요한 조치
③ 운전자 **시야를 가리지 않도록** 화물적재

3) 운전위치 이탈 시 조치사항

① 포크,버킷,디퍼 등의 장치를 가장 낮은 위치 또는 지면에 내려 둘 것
② 원동기 정지, 브레이크를 확실히 거는 등 갑작스러운 이동을 방지하기 위한 조치를 할 것
③ 시동키 운전대에서 분리

CHAPTER 02 관련 공사자료 활용하기

1 흙막이 굴착공사 안전

1) 히빙과 보일링

히빙의 정의	**연약성 점토지반** 굴착 시 굴착외측 **흙의 중량**에 의해 굴착저면의 흙이 활동전단 파괴되어 굴착내측으로 **부풀어 오르는** 현상
보일링의 정의	**투수성이 좋은 사질지반**의 흙막이 저면에서 **수두차**로 인한 상향의 침투압이 발생, 유효응력이 감소하여 전단강도가 상실되는 현상으로 **지하수가 모래와 같이 솟아오르는 현상**

2) 히빙과 보일링 방지대책

히빙	보일링
① 표토제거 하중감소 ② 흙막이 근입 깊이 깊게 ③ 어스앵커 설치 ④ 굴착면 하중증가 등	① 흙막이 근입깊이 깊게(불투수층까지) ② 지하수위 저하 ③ 압성토 공법 ④ 차수벽 설치 등

3) 굴착면의 기울기 기준

모래	연암 및 풍화암	경암	그 밖의 흙
1:1.8	1:1.0	1:0.5	1:1.2

4) 잠함 내 굴착작업 시 침하 위험방지

① 침하관계도에 따라 **굴착방법 및 재하량** 정함
② 바닥으로부터 천장 또는 보까지 높이 **1.8m 이상**

PART 12 건설현장 안전시설 관리 및 건설공사 위험성 평가

CHAPTER 01 안전시설 관리 계획하기

1 통로의 안전

1) 가설통로

① **견고**한 구조
② 경사 **30도 이하**로 할 것
③ 경사 **15도 초과** 미끄러지지 않는 구조
④ 추락위험장소 **안전난간** 설치
⑤ 수직갱 통로길이 **15m 이상 10m 이내** 계단참
⑥ 비계다리 높이 **8m 이상 7m 이내** 계단참

암기법 삼공이 견고한 난간 잡고 일어나니 수비를 철저히...

CHAPTER 02 안전점검 실행 및 평가하기

1 공정안전보고서

1) 공정안전보고서 작성시 포함해야 할 내용

① **비상**조치계획 ② 안전**운전**계획 ③ **공**정안전**자**료 ④ 공정위험성**평가**서

암기법 비상운전에 대한 공자의 평가

PART 11 건설공사 특성분석

CHAPTER 01 건설공사 특수성 분석 및 안전관리 고려사항 확인하기

1 양중기

1) 산업안전보건법상 양중기의 종류

① 크레인(호이스트 포함) ② 이동식 크레인
③ 리프트(이삿짐 운반용 경우 적재하중 **0.1톤 이상**) ④ 곤돌라
⑤ 승강기

2) 양중기(크레인 등)에 부착해야할 방호장치

① **과부하**방지장치 ② **권과**방지장치 ③ **제동**장치 ④ **비상정지**장치

2 토질시험 방법

1) 보링의 종류

① **오**거보링 ② **수**세식 보링 ③ **회**전식 보링 ④ **충**격식 보링

암기법 오수에는 회충

CHAPTER 03 화재·폭발·누출 사고 예방활동 하기

1 연소

1) 연소의 3요소(4요소) 및 소화

연소 3요소	소화
가연물	제거소화
산소공급원	질식소화
점화원	냉각소화
연쇄반응(4요소)	억제소화

PART 10 화학물질 안전관리 실행 및 화공 안전점검

CHAPTER 01 안전점검계획 수립하기

1 안전밸브 및 파열판

1) 파열판을 설치해야 하는 경우

① 반응폭주 등 급격한 압력상승 우려
② 급성독성물질의 누출로 작업환경 오염 우려
③ 운전 중 안전밸브에 이상 물질 누적되어 작동되지 않을 경우

2) 안전밸브 작동요건

① 설비의 **최고사용압력** 이하에서 작동
② 안전밸브 2개 이상 설치된 경우(최고사용압력 이하, 최고사용압력 1.05배 이하)

2) 사다리식 통로

① 계단참 : 통로길이 10m **이상** 5m 이내 간격
② 사다리 상단 : 걸쳐놓은 지점에서 60cm **이상** 올라가도록
③ 폭 : 30cm **이상**
④ 발판과 벽사이의 간격 : 15cm 이상
⑤ 등받이울 : 고정식 90도 이하 (7m **이상**일 경우 *이동에 지장이 없을 경우 바닥으로부터 2.5m 이상
* 이동이 곤란한 경우 개인용 추락방지 시스템 설치하고 전신안전대 사용)
⑥ 사다리식 통로의 기울기 : 75도 **이하**

3) 계단 안전기준

① 매제곱미터당 500kg **이상** 하중
② 안전율 4 이상
③ 계단폭 1m **이상**
④ 높이 1m **이상**인 계단의 개방된 측면 안전난간
⑤ 바닥면으로부터 높이 2m **이내** 장애물이 없어야 함
⑥ 높이 3m **초과** 3m **이내마다** 진행방향으로 길이 1.2m 이상 계단참

CHAPTER 02 안전시설 설치하기

1 추락, 낙하, 비래방지

1) 추락재해 예방대책

① 비계조립 등의 방법으로 작업발판 설치
② 추락방호망 설치
③ 안전대 착용
④ 이동식 사다리 사용(작업발판 및 추락방호망 설치 곤란 시)
⑤ 개구부 추락방지(울타리, 수직형추락방망, 안전난간, 덮개 등)

2) 낙하, 비래 위험방지 대책

① 낙하물방지망
② 수직보호망
③ 방호선반 설치
④ 출입금지구역 설정
⑤ 보호구착용

3) 투하설비(높이 3m 이상)

CHAPTER 03 안전시설 적용하기

1 비계

1) 악천후 및 기상상태 불안정으로 작업을 중지하거나 비계의 조립, 해체 또는 변경 후 그 비계에서 작업을 할 경우 작업시작 전 점검사항

① 손잡이의 탈락 여부
② 발판재료의 손상여부 및 부착 또는 걸림 상태
③ 로프의 부착 상태 및 매단 장치의 흔들림 상태
④ 당해 비계의 연결부 또는 접속부의 풀림 상태
⑤ 기둥의 침하, 변형, 변위 또는 흔들림 상태
⑥ 연결재료 및 연결철물의 손상 또는 부식 상태

암기법 손발로 연기하는 철부지

2) 벽이음. 조립간격(m)

종류	수직	수평
단관비계	5	5
틀비계	6	8

3) 말비계 준수사항

① 지주부재하단에는 미끄럼 방지장치를 하고 양측 **끝부분에 올라서서 작업하지 아니하도록** 할 것
② 지주부재와수평면의 기울기를 (**75도 이하**)로 하고 지주부재사이를 고정시키는 **보조부재**를 설치
③ 말비계의 높이가 2m를 초과할 경우에는 작업 발판의 폭을 40cm 이상 으로 할 것

4) 강관 비계 구조 및 조립시 준수사항

강관(단관)비계	① 비계기둥 간격 : 띠장방향에서 1.85미터 이하, 장선방향에서 1.5미터 이하 ② 띠장간격 : 2.0미터 이하로 설치 ③ 비계기둥 제일 윗부분부터 31미터 되는 지점 밑부분의 비계기둥은 2개의 강관으로 묶어세울 것 ④ 비계기둥간 적재하중 : 400킬로그램을 초과하지 않도록 할 것
틀비계	① 비계기둥의 밑둥에는 밑받침철물 및 조절형 밑받침철물을 사용하여 각각의 강관틀비계가 항상 수평 및 수직 유지 ② 높이 20미터 초과하거나 중량물 적재를 수반하는 작업 시 주틀간 간격 1.8미터 이하 ③ 주틀간 교차가새 설치, 최상층 및 5층 이내마다 수평재 설치 ④ 길이가 띠장방향으로 4미터 이하, 높이 10미터 초과 시 10미터 이내마다 띠장방향으로 버팀기둥 설치

PART 09 화재·폭발·누출사고 예방

CHAPTER 01 화재·폭발·누출 요소 파악하기

1 인화·발화·폭발

1) 인화점, 발화점

① 인화점 : 점화원에 의해 인화될 수 있는 최저온도, 연소 가능한 가연성 증기를 발생시키는 최저온도
② 발화점 : 외부에서 직접적 점화원 없이 열의 축적에 의해 발화되는 최저온도

2) 자연발화 방지법

① 통풍
② 저장실 온도 낮출 것
③ 열이 축적되지 않는 퇴적방법 선택
④ 습도가 높지 않도록 할 것(건조)

3) 폭발이 성립하기 위한 조건

① **가연성 가스, 증기, 분진** 등이 공기 또는 산소와 접촉 또는 혼합하여 **폭발범위 내 존재**
② 혼합되어 있는 가스 및 분진이 어떤 구획한 공간이나 용기 등의 공간에 존재(**밀폐된 공간**)
③ 혼합된 물질의 일부에 **점화원이 존재**하고 그것이 매개체가 되어 **최소 착화에너지 이상**의 에너지를 줄 경우

CHAPTER 02 화재·폭발·누출 예방 계획수립 하기

1 분진폭발

1) 분진폭발에 영향을 주는 인자

① 분진의 **화학적 성질**과 조성 ② 입도와 **입도분포** ③ 입자의 **형상과 표면**상태 ④ **수분**

3 저압전로의 절연성능

전로의 사용전압(V)	DC시험전압(V)	절연저항(MΩ이상)
SELV 및 PELV	250	0.5
FELV, 500V 이하	500	1.0
500V 초과	1,000	1.0

[주]특별저압(Extra Low Voltage : 2차 전압이 AC 50V, DC120V 이하)으로 SELV(비접지회로구성) 및 PELV(접지회로 구성)은 1차와 2차가 전기적으로 절연된 회로, FELV는 1차와 2차가 전기적으로 절연되지 않은 회로

4 교류아크 용접기

1) 교류아크용접기의 자동전격방지기

① 아크발생을 중지시킬 때 주접점 개로될 때까지 시간(**지동시간) 1.0초 이내**

② 2차 (**무부하 전압) 25V 이하** 감압

CHAPTER 02 정전작업, 활선작업, 충전전로 근접작업 지원하기

1 전로차단 및 충전전로에서의 작업

1) 전로의 차단절차

① 전원관련 도면, 배선도 확인 ② 전원 차단, 단로기 개방 ③ 잠금장치 및 꼬리표 부착
④ 잔류전하 방전 ⑤ 검전기로 충전여부 확인 ⑥ 단락 접지기구로 접지

개념이해 암기가 아니라 개념이해

2) 충전전로에서 전기작업

① 직, 간접 접촉되지 않도록 할 것 ② 절연용 **보호구** 착용
③ 절연용 **방호구** 설치 ④ **활선작업용 기구 및 장치사용**
⑤ 유자격자 아닌경우 접근제한거리
- **50kV 이하** 300cm 이내 • **50kV** 초과 (10kV당 10cm씩 더한거리)

⑥ 유자격자 접근한계거리

암기법 초딩 초딩 찬스면 난 가면도사 오예~

CHAPTER 04 건설공사 위험성평가 사전준비 및 유해위험요인 파악하기

1 위험성 평가

1) 절차 및 평가방법 등

절차	사전준비 → 유해·위험요인 파악 → 위험성 결정 → 위험성 감소대책 수립 및 실행 → 위험성평가 의 공유 및 결과에 관한 기록 및 보존
유해위험요인 파악 방법	① 사업장 순회점검(특별한사정이 없으면 포함) ② 근로자들의 상시적 제안 ③ 설문조사·인터뷰 등 청취조사 ④ 안전보건 체크리스트 ⑤ MSDS 등 안전보건자료에 의한 방법 등
감소대책 순서 및 고려사항	① 위험한 작업의 폐지·변경, 유해·위험물질 대체 등의 조치 또는 설계나 계획 단계에서 위험성을 제거 또는 저감하는 조치 ② 연동장치, 환기장치 설치 등의 공학적 대책 ③ 사업장 작업절차서 정비 등의 관리적 대책 ④ 개인용 보호구의 사용
평가방법	① 위험 가능성과 중대성을 조합한 빈도·강도법 ② 체크리스트(Checklist)법 ③ 위험성 수준 3단계(저·중·고) 판단법 ④ 핵심요인 기술(One Point Sheet)법 ⑤ 그 외 공정안전보고서 위험성평가 기법 [위험과운전분석(HAZOP), 결함수분석(FTA), 사건수분석(ETA) 등]
평가실시시기에 따른 종류	① 최초평가 ② 수시평가 ③ 정기평가 ④ 상시평가
인정 신청 대상 사업장	① 상시 근로자 수 100명 미만 사업장(건설공사 제외) ② 총 공사금액 120억원(토목공사는 150억원) 미만의 건설공사
위험성의 분류	① 수용가능한 위험성 ② 허용가능한 위험성 ③ 허용 불가능한 위험성

메모

4) 직접접촉 방지대책

① 폐쇄형 외함이 있는 구조
② 절연효과 있는 방호망이나 절연덮개 설치
③ 충전부는 내구성 있는 절연물로 덮어 감쌀 것
④ 발전소 등 구획되어있는 장소로 관계근로자외 출입금지장소에 충전부 설치 위험표시등 방법으로 방호강화
⑤ 전주 위 및 철탑 위 등 격리되어 있는 장소로 관계근로자외 접근우려 없는 장소에 충전부설치

개념이해 암기가 아니라 개념이해

5) 간접접촉 방지대책

① 접지 ② 누전차단기의 설치 ③ 안전전압 이하의 기기
④ 보호절연 ⑤ 비접지식전로의 채용 ⑥ 이중절연구조

개념이해 암기가 아니라 개념이해

6) 누전차단기, 접지의 적용이 제외되는 경우

① 이중절연구조 ② 절연대 위 ③ 비접지방식 전로

2 접지시스템의 구분 및 종류

1) 구분 및 종류

구분	① 계통접지(TN,TT, IT계통) ② 보호접지 ③ 피뢰시스템 접지
종류	① 단독접지 ② 공통접지 ③ 통합접지

2) TN 계통의 분류

TN-S 계통	계통 전체에 대해 별도의 중성선 또는 PE 도체를 사용. 배전계통에서 PE 도체를 추가로 접지할 수 있다.
TN-C 계통	계통 전체에 대해 중성선과 보호도체의 기능을 동일도체로 겸용한 PEN 도체를 사용. 배전계통에서 PEN 도체를 추가로 접지할 수 있다.
TN-C-S계통	계통의 일부분에서 PEN 도체를 사용하거나, 중성선과 별도의 PE 도체를 사용하는 방식. 배전계통에서 PEN 도체와 PE 도체를 추가로 접지할 수 있다.

PART 08 전기작업 안전관리

CHAPTER 01 전기작업 위험성 파악하기

1 감전재해

1) 전격위험의 요소

1차적 감전요소	2차적 감전요소
① 통전 전류의 크기 ② 통전 경로 ③ 통전 시간 ④ 전원의 종류	① 인체의 조건 ② 전압 ③ 계절

2) 통전 경로별 위험도(체조 암기법)

① 왼손 – 가슴
② 오른손 – 가슴
③ 왼손 - 한발, 양발
④ 양손 – 양발
⑤ 오른손 - 한발, 양발
⑥ 왼손 – 등
⑦ 한손, 양손 - 앉은 자리
⑧ 왼손 – 오른손
⑨ 오른손 - 등

암기법 몸으로 익히는 체조 암기법

3) 전류가 인체에 미치는 영향(mA)

최소감지전류	1
고통한계전류	7 ~ 8
마비한계전류	10 ~ 15
심실세동전류	$I=\frac{165}{\sqrt{T}}$

산업안전산업기사 실기 필답형 대비 모의고사

제 1회 산업안전산업기사 실기(필답형) 모의고사

자격종목	시험시간	문항수
산업안전산업기사	1시간	13문항

성 명	
수험번호	
감독확인	

● 다음 물음에 답을 해당 답란에 답하시오.

1. 산업안전법령상, 안전인증과 자율안전확인에 관한 다음 사항에 답하시오.

가) 안전인증 대상기계등에 해당하는 기계 또는 설비의 종류를 4가지 쓰시오.

나) 자율안전확인대상기계등에 해당하는 방호장치의 종류를 4가지 쓰시오.

2. 산업안전보건법령상, 작업의자형 달비계를 설치하는 경우 준수해야 할 다음 사항에 답하시오.

가) 사용하지 않아야 할 작업용 섬유로프 또는 안전대의 섬유벨트에 해당하는 사항을 2가지 쓰시오.

나) 근로자의 추락위험을 방지하기 위한 조치사항을 2가지 쓰시오.

CHAPTER 02 전기방폭 결함요소 제거하기

1 최대 안전틈새 등

1) 최대안전틈새(mm)

가스 및 증기그룹	최대안전틈새
IIA	0.9mm 이상
IIB	0.5mm 초과 0.9mm 미만
IIC	0.5mm 이하

2) 최고표면온도(°C)

T1	T2	T3	T4	T5	T6
450	300	200	135	100	85

3) 위험장소분류(폭발성분위기)

- 0종 : 폭발 위험이 장시간 존재하는 장소[본질안전(ia)]
- 1종 : 정상작업시 폭발 분위기가 존재하기 쉬운 장소[n(비점화) 제외, 나머지 모두]
- 2종 : 발생 시 일시적으로 존재 [n(비점화) 포함, 나머지 모두]

CHAPTER 02 안전장구 관리하기

1 안전모 및 안전대

1) 안전모의 시험성능기준

항목	내관통성	충격흡수성	내전압성	내수성	난연성	턱끈풀림
성능기준	▪ AE,ABE: 9.5mm ▪ AB: 11.1mm	4,450N	20kV, 10mA	1% 미만	5초 이상	150N 이상 250N 이하

2) 안전대 종류 및 등급

종류	벨트식과 안전그네식			
사용구분	1개 걸이용	U자 걸이용	추락방지대 (안전그네식에만 적용)	안전블록 (안전그네식에만 적용)

PART 07 정전기 위험관리 및 전기방폭

CHAPTER 01 사고예방 계획수립 및 전기방폭 결함요소 파악하기

1 방폭기호

내압	압력	안전증	본질안전	비점화	유입	충전	몰드	특수
d	p	e	i	n	o	q	m	s

암기법 내압을 안본비는 유충을 몰라도 특수

3. 다음에 해당하는 방폭구조의 기호를 쓰시오.

① 내압 방폭구조 ② 충전 방폭구조 ③ 본질안전 방폭구조 ④ 몰드 방폭구조 ⑤ 비점화 방폭구조

4. 산업안전보건법령상, 다음 그림에 해당하는 안전보건표지의 명칭을 쓰시오.

①	②	③	④	⑤

5. 비, 눈, 그 밖의 기상상태의 악화로 작업을 중지시킨 후 또는 비계를 조립·해체하거나 변경한 후에 그 비계에서 작업을 하는 경우 사업주가 해당 작업을 시작하기 전에 점검하고, 이상을 발견하면 즉시 보수해야 할 사항을 4가지 쓰시오.

6. 산업용 로봇의 작동범위 내에서 해당 로봇에 대하여 교시등의 작업을 할 경우에는 해당 로봇의 예기치 못한 작동 또는 오조작에 의한 위험을 방지하기 위하여 관련 지침을 정하여 그 지침에 따라 작업을 하도록 하여야 하는데, 관련 지침에 포함되어야 할 사항을 4가지 쓰시오.

7. 산업안전보건법령상, 작업장의 조도기준에 관한 다음 사항에서 (   )에 알맞은 내용을 쓰시오.

초정밀 작업	정밀 작업	보통 작업	그 밖의 작업
(①) Lux 이상	(②) Lux 이상	(③) Lux 이상	(④) Lux 이상

8. 산업안전보건법령상, 근로자 안전보건교육 중 "채용시 및 작업내용 변경시 교육"의 교육내용을 4가지 쓰시오.

9. 산업안전보건법령상, 과압에 따른 폭발을 방지하기 위하여 폭발 방지 성능과 규격을 갖춘 안전밸브 또는 파열판을 설치하여야 하는 설비중에서 파열판을 설치해야 하는 경우를 2가지 쓰시오

PART 06 산업안전 보호장비 관리

CHAPTER 01 보호구 관리하기

1 방진 마스크 등

1) 방진마스크 여과재 분진등 포집효율

형태 및 등급	분리식			안면부여과식		
	특급	1급	2급	특급	1급	2급
염화나트륨 및 파라핀오일 시험	99.95%이상	94.0%이상	80.0%이상	99.0%이상	94.0%이상	80.0%이상

2) 방독마스크의 종류 및 정화통 외부측면 표시색

종류	유기화합물용	할로겐용	황화수소용	시안화수소용	아황산용	암모니아용
표시색	갈색	회색	회색	회색	노란색	녹색

3) 보안경의 종류

구분	자율안전확인			안전인증(차광보안경)			
종류	유리보안경	플라스틱보안경	도수렌즈보안경	자외선용	적외선용	복합용	용접용

2 와이어로프 등

1) 와이어로프 꼬임

보통꼬임	랭꼬임
스트랜드꼬임방향과 로프꼬임방향 반대	스트랜드꼬임방향과 로프꼬임방향 동일
소선의 외부 길이 짧다	소선과 외부 접촉 길이 길다
쉽게 마모	내마모성 우수
킹크 잘 안생김	킹크 잘 생김

2) 와이어로프에 걸리는 하중

① 총하중 = 정하중 + 동하중

$$동하중 = \frac{정하중}{중력가속도(9.8m/s^2)} \times 가속도(m/s^2)$$

② 슬링와이어로프의 한가닥에 걸리는 하중 $= \frac{화물의\ 무게}{2} \div \cos\frac{각도}{2}$

3) 와이어 로프 사용금지

① **이음매**가 있는 것
② 한꼬임(스트랜드)에서 끊어진 **소선수 10%이상**
③ 지름 감소가 **공칭지름의 7%초과**하는 것
④ **열**과 전기충격에 손상된 것
⑤ **꼬**인 것
⑥ **심**한 변형되거나 부식된 것

암기법 이음매하는 소가 열받으면 지가 먼저 공치자고 열나게 꼬심

4) 달기체인의 사용 금지기준 2가지

① 달기체인 길이가 제조 때 **길이의 5% 초과**
② 링의 단면지름이 제조 때 **링지름 10%초과** 감소
③ 균열이 있거나 **심하게** 변형된 것

암기법 길로 오면 지열이 심하게 발생

10. 악천후 및 강풍시 작업중지 등에 관한 다음 사항에 해당하는 풍속기준을 쓰시오.

① 타워크레인의 설치·수리·점검 또는 해체작업을 중지

② 타워크레인의 운전작업 중지

③ 옥외에 설치되어 있는 주행크레인에 대하여 이탈방지장치를 작동시키는 등 이탈 방지하기 위한 조치

④ 건설용 리프트에 대하여 받침의 수를 증가시키는 등 그 붕괴 등을 방지하기 위한 조치

11. 물질안전보건자료의 작성 항목 16가지 중 5가지 쓰시오. (단, 화학제품과 회사에 관한 정보, 응급조치요령, 독성에 관한 정보, 법적규제현황, 기타 참고사항은 제외한다)

12. 산업안전보건법령상, 유해·위험 방지를 위한 방호조치를 하지 아니하고는 양도, 대여, 설치 또는 사용에 제공하거나 양도·대여의 목적으로 진열해서는 아니 되는 기계·기구와 방호장치를 5가지 쓰시오.

13. 잠함 또는 우물통의 내부에서 근로자가 굴착작업을 하는 경우 잠함 또는 우물통의 급격한 침하에 의한 위험을 방지하기 위하여 사업주가 준수해야 할 사항을 2가지 쓰시오.

4) 연삭기

① 방호장치(직경 5cm이상) : 덮개
② 플랜지 직경 : 숫돌직경 **1/3이상**
③ 워크레스트와 숫돌과의 간격 **3mm이내**
④ 칩 비산방지 투명판, 국소배기장치 등
⑤ 덮개 설치방법 :

탁상용 연삭기			원통연삭기	휴대용연삭기	평면연삭기
일반연삭작업	상부사용	그 밖의 경우			
125°, 65°	60°	80°, 65°	180°, 65°	180°	150°

CHAPTER 03 안전시설 관리하기

1 지게차

1) 헤드가드

① 강도의 지게차의 최대하중의 2배의 값의 등분포정하중에 견딜 수 있을 것
② 상부틀의 각 개구의 폭 또는 길이가 16cm 미만일 것
③ 운전자가 앉아서 조작하거나 서서 조작하는 지게차의 헤드가드는 한국산업표준에서 정하는 높이 기준 이상일 것

2) 지게차 안정도

① 하역 → 전후 : 4%, 좌우: 6%
② 주행 → 전후 : 18%, 좌우: 15+1.1V(최고속도km/h)

2 보일러

1) 보일러 방호장치(그림으로 이해)

① 고저수위 조절장치 ② 압력방출장치(안전밸브) ③ 압력제한 스위치(버너 연소차단) ④ 화염검출기

2) 보일러 압력방출장치

① 1개 또는 2개 이상 설치(**최고사용압력 이하**)
② 2개 이상 경우(**최고사용압력이하, 최고사용압력의 1.05배 이하**)
③ 1년 1회 이상, 토출압력, 납으로 봉인(공정안전보고서 : **4년**)

3) 보일러 이상현상

① **플라이밍** (물방울) ② **포밍(거품)** ③ 캐리오버 ④ 워터해머

3 아세틸렌 용접장치 등

1) 아세틸렌 용접장치 안전기의 설치

① (**취관**)마다 (**안전기**) 설치
② 주관 및 (**취관**)에 가장 가까운 (**분기관**)마다 안전기부착
③ 가스용기가 (**발생기**)와 분리되어 있는 아세틸렌 용접장치에 대하여 (**발생기와 가스용기사이**)에 안전기 설치

2) 목재가공용 둥근톱(날접촉예방장치, 반발예방장치)

- 분할날의 설치기준
① 분할날 두께는 둥근톱 두께의 **1.1배 이상**
② 분할날과 톱날 원주면과의 거리 **12mm 이내**
③ 표준 테이블상의 톱 뒷날의 **2/3 이상** 덮도록

3) 롤러기의 방호장치(급정지장치)

① 손조작식 : 밑면에서 **1.8m이내**
② 복부조작식 : 밑면에서 **0.8m이상 1.1m이내**
③ 무릎조작식 : 밑면에서 **0.4m이상 0.6m이내**

제 2회 산업안전산업기사 실기(필답형) 모의고사

자격종목	시험시간	문항수
산업안전산업기사	1시간	13문항

성 명	
수험번호	
감독확인	

● 다음 물음에 답을 해당 답란에 답하시오.

1. 다음의 내용을 보고 방폭구조를 표시하시오.

- 방폭구조 : 외부가스가 용기 내로 침입하여 폭발하더라도 용기는 그 압력에 견디고 외부의 폭발성가스에 착화될 우려가 없도록 만들어진 구조
- 그룹 : II B
- 최고표면온도 : 90도

2. 산업안전보건법령상, 사업주는 물질안전보건자료대상물질을 취급하는 근로자의 안전 및 보건을 위하여 사업주가 근로자를 교육해야 하는 교육내용을 4가지 쓰시오.

3. 연평균근로자 600명이 작업하는 어느 사업장에서 15건의 재해가 발생하여 총휴업일수가 1,500일 발생하였다. 근로시간은 48시간×50주이며, 잔업시간은 년간 1인당 100시간, 평생근로년수는 40년일 때 다음을 구하시오.

① 도수율을 구하시오.

② 강도율을 구하시오.

③ 종합재해지수를 구하시오

④ 이 사업장에서 어느 작업자가 평생 근로한다면 몇 건의 재해를 당하겠는가?

2 기계의 위험점 및 본질적 안전화

1) 기계설비로 인하여 형성되는 위험점의 종류

① 협착점 : 프레스
② 끼임점 : 연삭숫돌과 작업대
③ 절단점 : 회전하는 운동부분 자체
④ 물림점 : 회전하는 두 개의 회전축에 의해 형성
⑤ 접선물림점 : 회전부가 접선방향 물려 형성
⑥ 회전말림점 : 회전체 불규칙 부위와 돌기회전부

2) 기계설비의 본질적 안전화

① 안전기능이 기계 내에 내장 ② 풀 프루프 ③ 페일 세이프

CHAPTER 02 안전시설 설치하기

1 프레스

1) 프레스 작업점에 대한 방호방법(방호장치)

일행정 일정지식	양수조작식
행정길이40mm이상, spm100이하	수인식(50mm이상), 손쳐내기식
슬라이드 정지기능	감응형, 안전블록

2) 안전거리(T : ms)

① 양수조작식(광전자식) : mm=1.6×(Tc+Ts)

② 양수기동식 : $mm = 1.6\left(\frac{1}{\text{클러치맞물림개소수}} + \frac{1}{2}\right) \times \frac{60,000}{spm}(ms)$

3) 손쳐내기식

① 슬라이드 하행정거리의 3/4 위치에서 밀어냄
② 방호판의 폭은 **금형폭의 1/2이상**
③ 행정길이 300mm **이상** 방호판 폭 300mm

6 작업시작전 점검사항

1) 크레인 작업 시작 전 점검사항

① 와이어로프가 통하고 있는 곳의 상태
② 권과방지장치, 브레이크, 클러치 및 운전장치
③ 주행로의 상측 및 트롤리가 횡행하는 레일상태

암기법 와이프가 권하는 주행

2) 이동식크레인 작업시작전 점검사항

① 와이어로프가 통하고 있는 곳 및 작업장소 지반상태
② 권과방지장치 그 밖의 경보장치의 기능
③ 브레이크, 클러치 및 조정장치의 기능

암기법 와이프가 권하는 브레이크

3) 지게차의 작업시작전 점검사항

① **바퀴**의 이상유무
② **제동장치** 및 조종장치 기능의 이상유무
③ **전조등, 후미등, 방향지시기, 경보장치**기능 이상 유무
④ **하역장치** 및 유압장치 기능 이상유무

암기법 바퀴/제동/전/하역

PART 05 기계 안전시설 관리

CHAPTER 01 안전시설 관리 계획하기

1 안전보건표지

1) 안전보건표지의 색채 및 색도 기준

금지, 경고	7.5R	4	14	빨간색
경고	5Y	8.5	12	노란색
지시	2.5PB	4	10	파란색
안내	2.5G	4	10	녹색

(-2, +1, -)

4. 롤러기의 방호장치에 관한 다음 사항에 답하시오.

① 방호장치 명칭을 쓰시오.

② 방호장치의 조작부의 설치 위치에 따른 종류와 설치위치를 쓰시오.

③ 방호장치의 성능기준에 관한사항을 쓰시오.

5. 근로자가 지붕 위에서 작업할 때 추락하거나 넘어질 위험이 있는 경우 사업주가 조치해야 할 사항을 3가지 쓰시오.

6. 정전기에 의한 화재 또는 폭발 등의 위험이 발생할 우려가 있는 경우 해당설비에 필요한 조치사항과 인체에 대전된 정전기의 위험방지를 위한 조치사항을 각각 3가지씩 쓰시오.

7. 산업안전보건법상 안전보건총괄책임자를 지정해야 하는 사업의 종류 및 사업장의 상시근로자수를 2가지 쓰고, 안전보건총괄책임자의 직무를 4가지 쓰시오

8. 산업안전보건법상 사업주가 근로자에 대하여 실시하여야 하는 근로자 안전보건교육의 대상별 교육시간에서 (   )에 알맞은 시간을 쓰시오.

교육과정	교육대상		교육시간
가. 정기교육	사무직 종사 근로자		(①) 이상
	그 밖의 근로자	판매업무에 직접 종사하는 근로자	매반기 6시간 이상
		판매업무에 직접 종사하는 근로자 외의 근로자	(②) 이상
나. 채용 시 교육	일용근로자 및 근로계약기간이 1주일 이하인 기간제근로자		1시간 이상
	근로계약기간이 1주일 초과 (③) 이하인 기간제근로자		(④) 이상
	그 밖의 근로자		(⑤)이상
다. 작업내용 변경 시 교육	일용근로자 및 근로계약기간이 1주일 이하인 기간제근로자		1시간 이상
	그 밖의 근로자		(⑥) 이상
라. 특별교육	건설 일용근로자		(⑦) 이상

9. 굴착공사에서 발생할 수 있는 보일링현상 방지대책을 3가지 쓰시오. (단, 원상매립, 또는 작업의 중지를 제외함)

3) 자율안전 대상 보호구

① **안**전모 (안전인증대상보호구에 해당되는 안전모는 제외)
② **보**안경 (안전인증대상보호구에 해당되는 보안경은 제외)
③ 보안**면** (안전인증대상보호구에 해당되는 보안면은 제외)

암기법 안보면 자율

4 작업시작 전 점검사항

1) 공기압축기

① **드레인 밸브**의 조작 및 배수
② **공기저장 압력용기**의 외관상태
③ **언로드밸브**의 기능
④ **회전부**의 덮개 또는 울
⑤ **윤활유**의 상태
⑥ **압력방출장치**의 기능

암기법 외관 좋은 압방에서 회덮밥을 먹으면 언로드에서 드러운 윤활유

2) 컨베이어

① 원동기 및 풀리 기능의 이상유무
② 이탈등의 방지장치기능의 이상유무
③ 비상정지장치 기능의 이상유무
④ 원동기,회전축,기어,풀리등의 덮개,울등 이상유무

암기법 원동기가 이탈하면 비상 원동기를 울려라

5 안전검사 대상 및 주기

대상	주기
크레인(이동식크레인 제외), 리프트(이삿짐운반용리프트 제외) 및 곤돌라	설치 끝난 날부터 3년 이내 최초 검사, 그 이후부터 2년마다 (건설현장에 사용하는 것은 최초 설치부터 6개월마다)
이동식크레인, 이삿짐운반용리프트, 고소작업대	자동차 관리법에 따른 신규 등록 이후 3년 이내에 최초 안전검사, 그 이후부터는 2년마다
프레스, 전단기, 압력용기, 국소배기장치, 원심기, 롤러기, 사출성형기, 컨베이어, 산업용 로봇, 혼합기, 파쇄기 또는 분쇄기	설치가 끝난 날부터 3년 이내에 최초 안전검사, 그 이후부터 2년마다 (공정안전보고서를 제출하여 확인을 받은 압력용기는 4년마다)

2) 안전인증 대상 방호장치

① **프레스** 및 **전단기** 방호장치
② **방폭**구조 전기기계 기구 및 부품
③ **절연용** 방호구 및 **활선작업용** 기구
④ **양중기용 과부하**방지장치
⑤ **보일러** 압력방출용 안전밸브
⑥ **압력**용기 압력방출용 **안전밸브**
⑦ **압력**용기 압력방출용 **파열판**
⑧ 추락, 낙하 및 붕괴 등의 위험방지 및 보호에 필요한 **가설 기자재**로서 고용노동장관이 정하여 고시하는 것
⑨ 충돌,협착 등의 위험방지에 필요한 **산업용 로봇** 방호장치로서 고용노동부장관이 정하여 고시하는것

암기법 가방. 산. 절에서 활동하는 프전 양과부가 보안압 안압파

3) 안전인증 심사 종류

① **예비**심사 : 7일
② **서면**심사 : 15일(외국 제조 30일)
③ **기술**능력 및 **생산체계**심사 : 30일 (외국 45일)
④ **제품**심사 : 개별 (15일) 형식별 (30일, 방폭60일)

3 자율안전확인 대상

1) 자율안전확인대상 기계 또는 설비

① 인쇄기
② 혼합기
③ 컨베이어
④ 산업용 로봇
⑤ 파쇄기 또는 분쇄기
⑥ 자동차 정비용 리프트
⑦ 연삭기 또는 연마기(휴대용은 제외)
⑧ 식품가공용기계(파쇄,절단,혼합,제면기만 해당)
⑨ 공작기계(선반,드릴기,평삭,형삭기,밀링만 해당)
⑩ 고정형 목재가공용 기계(둥근톱,대패,루타기,띠톱,모떼기 기계만 해당)

암기법 산, 연인, 컨자식 파혼공, 고목재

2) 자율안전확인 대상 방호장치

① 아세틸렌 용접장치용, 가스집합 용접장치용 안전기
② 목재가공용 둥근톱 반발예방장치와 날 접촉 예방장치
③ 동력식 수동대패용 칼날 접촉방지장치
④ 교류아크 용접기용 자동전격 방지기
⑤ 롤러기 급정지장치
⑥ 연삭기 덮개
⑦ 추락,낙하 및 붕괴 등의 위험방지 및 보호에 필요한 가설기자재

암기법 아가목동이 교가로 연

10. Fail safe를 기능적인 측면에서 3단계로 분류하고 간단히 설명하시오.

11. 철골작업을 중지하여야 하는 조건을 3가지 쓰시오.

12. 다음의 양립성에 대하여 사례를 들어 설명하시오.

① 공간 양립성　② 운동 양립성

13. 작업발판 일체형거푸집의 종류 4가지를 쓰시오.

제 3회 산업안전산업기사 실기(필답형) 모의고사

자격종목	시험시간	문항수
산업안전산업기사	1시간	13문항

성 명	
수험번호	
감독확인	

● 다음 물음에 답을 해당 답란에 답하시오.

1. 산업안전보건법령상, 산업재해 예방을 위하여 종합적인 개선조치를 할 필요가 있다고 인정되는 사업장의 사업주에게 고용노동부장관이 안전보건진단을 받아 안전보건개선계획을 수립하여 시행할 것을 명할 수 있는 대상 사업장을 3가지 쓰시오.

2. 건구온도 30도, 습구온도 20도일 경우 옥스퍼드(Oxford) 지수를 구하시오.

3. 정전기 발생에 영향을 미치는 요인을 4가지 쓰시오.

5) 관리감독자 업무

① 사업장 내 관리감독자가 지휘·감독하는 작업과 관련된 기계·기구 또는 설비의 **안전·보건** 점검 및 이상 유무의 확인
② 관리감독자에게 소속된 근로자의 작업복·보호구 및 방호장치의 점검과 그 착용·사용에 관한 **교육·지도**
③ 해당작업에서 발생한 산업재해에 관한 보고 및 이에 대한 **응급조치**
④ 해당작업의 작업장 정리·정돈 및 통로 확보에 대한 확인·감독
⑤ 사업장의 다음 각 목의 어느 하나에 해당하는 사람의 **지도·조언**에 대한 협조
  ㉠ 안전관리자 또는 안전관리자의 업무를 안전관리전문기관에 위탁한 사업장의 경우에는 그 안전관리전문기관의 해당 사업장 담당자
  ㉡ 보건관리자 또는 보건관리자의 업무를 보건관리전문기관에 위탁한 사업장의 경우에는 그 보건관리전문기관의 해당 사업장 담당자
  ㉢ 안전보건관리담당자 또는 안전보건관리담당자의 업무를 안전관리전문기관 또는 보건관리전문기관에 위탁한 사업장의 경우에는 그 안전관리전문기관 또는 보건관리전문기관의 해당 사업장 담당자
  ㉣ 산업보건의
⑥ **위험성평가**에 관한 다음 각 목의 업무
  ㉠ 유해·위험요인의 파악에 대한 참여
  ㉡ 개선조치의 시행에 대한 참여
⑦ 그 밖에 해당작업의 안전 및 보건에 관한 사항으로서 고용노동부령으로 정하는 사항

암기법 안전보건에 관한 지도조언에 정통한지는 위험성평가후 응급조치 보고 교육지도한다.

6) 안전관리자 증원, 교체, 임명 대상사업장

① **중대재해**가 연간 2건 이상
② 연간재해율이 같은 업종의 **평균재해율 2배 이상**
③ 관리자가 **3개월 이상** 직무수행 할수 없게된 경우
④ 화학적 인자로 **직업성질병자 연간 3명 이상**

암기법 중2들의 연평균이 삼삼하다.

2 안전인증 대상

1) 안전인증 대상 기계 또는 설비

① 전단기 및 절곡기 ② 압력용기 ③ 프레스 ④ 크레인 ⑤ 리프트
⑥ 곤돌라 ⑦ 사출성형기 ⑧ 롤러기 ⑨ 고소 작업대

암기법 전단기로 절단하니 압프 크리곤 사고

CHAPTER 02 산업안전점검 실행 및 평가하기

1 업무관련 및 대상사업장

1) 안전보건총괄 책임자의 업무

① **위험성**평가의 실시에 관한 사항
② 산업재해가 발생할 급박한 위험이 있거나, 중대재해가 발생하였을 때에는 즉시 **작업의 중지**
③ 도급 시 **산업재해예방조치**
④ 안전보건**관리비**의 관계 수급인간의 사용에 관한 협의조정 및 그 집행의 감독
⑤ 안전 **인증** 대상 기계 등과 **자율안전확인**대상 기계 등의 사용 여부 확인

암기법 위험한 작업중지하여 산재예방하고 관리비는 인자하게 사용

2) 안전보건총괄책임자 선임대상

① 관계수급인에게 고용된 근로자를 포함한 **상시 근로자가 100명** 이상인 사업(**토사석광업, 1차 금속 제조업, 선박 및 보트 건조업은 50명**)
② 관계수급인의 공사금액을 포함한 해당 공사의 **총 공사 금액이 20억 원 이상 건설업**

암기법 토일은 선보제 광내고

3) 안전보건관리 책임자의 업무

① 산업재해**예**방계획의 수립에 관한 사항
② 안전보건관리**규**정의 작성 및 변경에 관한사항
③ 근로자 안전,보건**교**육에 관한 사항
④ 작업환경 측정 등 작업**환**경의 점검 및 개선
⑤ 근로자의 **건**강진단 등 건강관리에 관한사항 등

암기법 예규교환건

4) 안전관리자 업무

① **위험성평가**에 관한 보좌 및 지도, 조언
② 해당 사업장 안전**교육계획**의 수립 및 안전교육 실시에 관한 보좌 및 지도, 조언
③ 산업재해에 관한 **통계의 유지, 관리, 분석**을 위한 보좌 및 지도, 조언
④ 사업장 **순회** 점검, 지도 및 **조치**의 건의
⑤ 업무 수행 내용의 **기록, 유지** 등

암기법 위험한 안보교육은 원통하지만 인자하게 명령하니 순조롭게 기록

4. 다음 사업장에 대한 사망만인율을 산업재해통계업무처리규정에서 정한 방법으로 계산하고, 사망자수에 포함되지 않는 경우를 쓰시오.

- 임금근로자수 : 22,500명
- 산재보험적용근로자수 : 22,000명
- 사망자수 : 6명

5. 연삭작업시 숫돌의 파괴원인을 4가지 쓰고, 다음 그림에 해당하는 연삭기의 덮개 각도를 쓰시오(단, 그 밖의 경우에 해당하는 탁상용 연삭기는 제외하고, 이상, 이하, 이내를 정확히 구분하여 쓰시오)

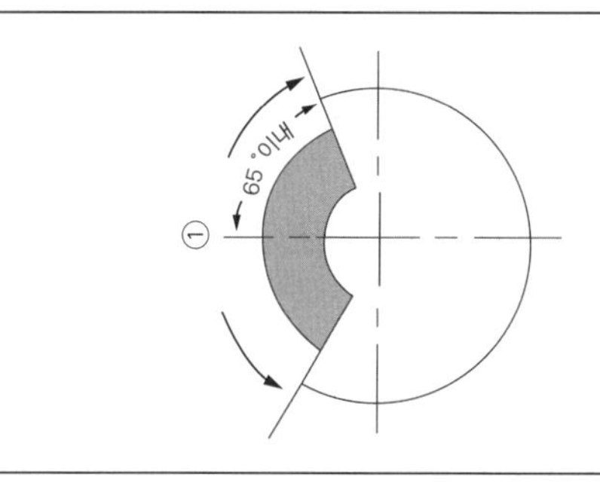

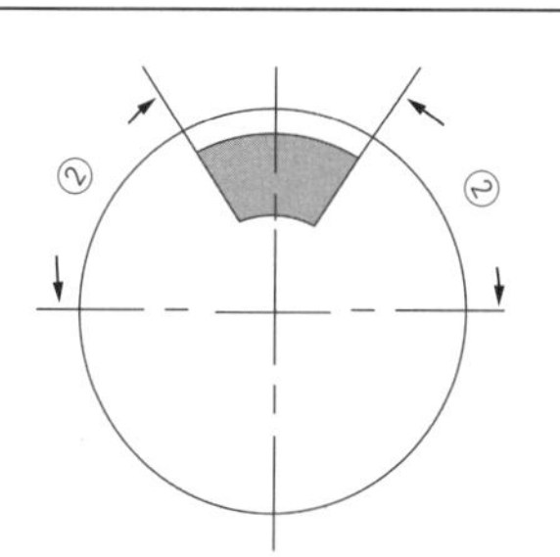

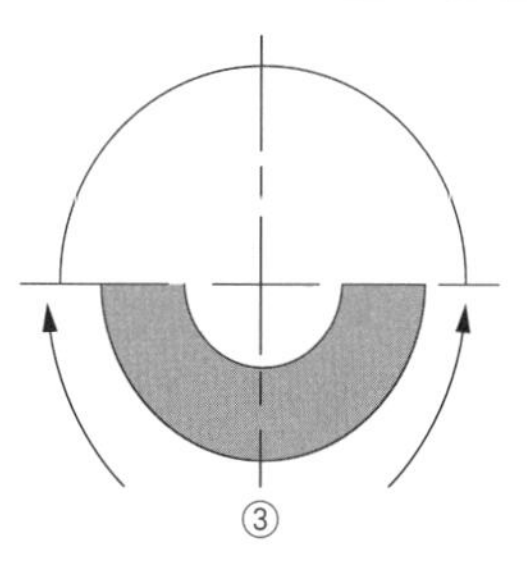

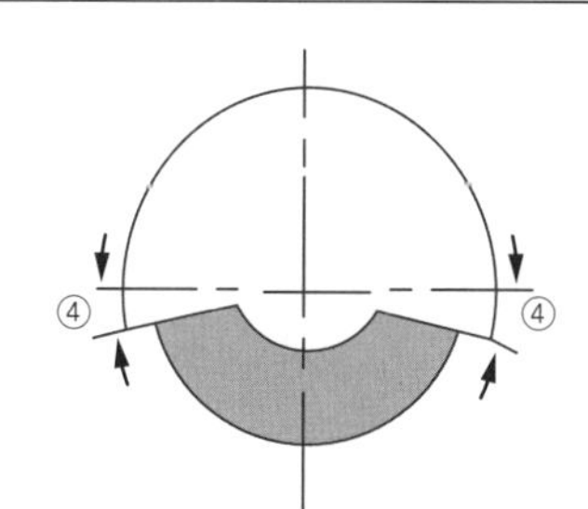

6. 산업안전보건법령상 사업주는 대통령령으로 정하는 크기, 높이 등에 해당하는 건설공사를 착공하려는 경우 이 법 또는 이 법에 따른 명령에서 정하는 유해·위험 방지에 관한 사항을 적은 계획서를 작성하여 고용노동부장관에게 제출하고 심사를 받아야 한다. 해당하는 건설공사의 종류를 4가지 쓰고, 제출시 첨부해야 하는 서류를 3가지 쓰시오.

7. 교류아크 용접기의 방호장치명과 그 성능기준을 쓰시오.

8. 산업안전보건법령상, 관리감독자 안전보건교육에서 정기교육의 내용을 4가지 쓰시오.(단, 그 밖의 관리감독자의 직무에 관한 사항은 제외)

PART 04 사업장 안전점검

CHAPTER 01 산업안전 점검계획 수립하기 및 점검표 작성하기

1 유해위험 방지 계획서

1) 유해위험방지 계획서 대상 기계 기구 설비

① 금속이나 그 밖의 광물의 **용**해로 ② **화**학설비 ③ **건**조설비 ④ **가**스집합 용접장치
⑤ 근로자의 건강에 상당한 장해를 일으킬 우려가 있는 물질로서 고용노동부령으로 정하는 물질의 밀폐·환기·배기를 위한 설비

암기법 배를 밀어 환기하는, 화, 가의, 용, 건

2) 유해위험방지 계획서 제출 사업장

① 다음 각목의 어느하나에 해당하는 건축물 또는 시설 등의 건설, 개조 또는 해체공사
  ㉠ **지상 높이가 31미터 이상**인 건축물 또는 인공구조물
  ㉡ 연면적 **3만제곱미터** 이상인 건축물
  ㉢ 연면적 **5천제곱미터** 이상인 시설로서 다음의 어느 하나에 해당하는 시설
    ㉮ 문화 및 집회시설 ㉯ 판매시설, 운수시설 ㉰ 종교시설
    ㉱ 의료시설 중 종합병원 ㉲ 숙박시설 중 관광숙박시설 ㉳ 지하도 상가
    ㉴ 냉동, 냉장 창고시설
② 최대 지간 길이가 **50미터** 이상인 다리의 건설 등 공사
③ 연면적 **5천 제곱 미터** 이상인 **냉동, 냉장창고** 시설의 설비공사 및 단열공사
④ **다목적댐, 발전용댐,** 저수용량 **2천만톤** 이상의 용수전용댐 및 지방 상수도 전용댐의 건설 등 공사
⑤ **터널**의 건설등 공사
⑥ 깊이 **10미터** 이상인 **굴착** 공사

암기법 지상에서 31운동하니 교량으로 오십시오. 터널의 굴이 열릴것이오

3) 유해위험방지 계획서 첨부서류(건설업)

① **공**사 **개**요 및 **안**전**보**건 관리 계획 ② 작업**공**사 종류별 **유**해,위험 방지 계획

암기법 공개된 안보는 공유하자

3) 노동불능 상해의 종류

영구전 노동불능	부상결과 근로기능 완전상실 (신체장해1~3급)
영구일부 노동불능	부상결과 근로기능 일부상실 (신체장해4~14급)
일시전 노동불능	일정기간 근로불가(장해가남지 않는 일반적휴업재해)
일시일부 노동불능	일시적 작업시간중 치료받는 상해

4) 재해분석방법 중 통계적인 분석 방법 2가지

① 파레토도 : 큰 값에서 작은 값의 순서로 도표화
② 특성요인도 : 특성과 요인관계를 어골상으로 세분하여 분석(상호의 인과관계)
③ 관리도 : 추이

CHAPTER 02 산업재해 대책 수립하기

1 재해율

1) 연천인율 $= \frac{\text{연간재해자수}}{\text{연평균근로자수}} \times 1,000$

2) 도수(빈도)율 $= \frac{\text{재해건수}}{\text{연근로시간수}} \times 10^6$

3) 환산도수율 = 도수율 $\times \frac{\text{평생근로시간}}{10^6}$

4) 강도율 $= \frac{\text{총요양근로손실일수}}{\text{연근로시간수}} \times 1,000$

5) 환산강도율 = 강도율 $\times \frac{\text{평생근로시간}}{1,000}$

6) 종합재해지수 $= \sqrt{\text{도수율} \times \text{강도율}}$

7) 일시적 노동불능 (휴업, 의사진단 등) = 휴업일수 × (300/365)

8) 사망만인율 $= \frac{\text{사망자수}}{\text{산재보험적용근로자수}} \times 10,000$

9) (건설업)상시근로자수 $= \frac{\text{연간국내공사실적액} \times \text{노무비율}}{\text{건설업월평균금액} \times 12}$

9. 사다리식 통로와 가설통로를 설치하는 경우 사업주가 준수해야 할 사항에서 ( )에 알맞은 내용을 쓰시오.

① 가설통로의 경사가 (①)도를 초과하는 경우에는 미끄러지지 아니하는 구조로 할 것
② 가설통로의 추락할 위험이 있는 장소에는 (②)을 설치할 것
③ 가설통로의 수직갱에 가설된 통로의 길이가 15미터 이상인 경우에는 (③)미터 이내마다 계단참을 설치할 것
④ 사다리식 통로의 발판과 벽과의 사이는 (④)cm 이상의 간격을 유지할 것
⑤ 사다리식 통로의 기울기는 (⑤)도 이하로 할 것.
⑥ 사다리식 통로의 길이가 10미터 이상인 경우에는 (⑥)미터 이내마다 계단참을 설치할 것

10. 산업안전보건법령상, 사업주가 근로자에게 실시해야 하는 근로자 안전보건교육에서 특별교육 대상 작업별 교육에 해당하는 '가연물이 있는 장소에서 하는 화재위험작업'의 특별교육 내용을 3가지 쓰시오.(단, 그 밖에 안전·보건관리에 필요한 사항은 제외)

11. 산업안전보건법령상, 안전검사대상기계등의 안전검사 주기에 관련된 다음 사항에서 ( )에 알맞은 내용을 쓰시오.

가) 국소배기장치, 산업용 로봇은 사업장에 설치가 끝난 날부터 (①) 이내에 최초 안전검사를 실시하되, 그 이후부터 (②)마다 안전검사를 실시한다.
나) 건설현장에서 사용하는 곤돌라는 최초로 설치한 날부터 (③)마다 안전검사를 실시한다.
다) 압력용기는 사업장에 설치가 끝난 날부터 (④)이내에 최초 안전검사를 실시하고, 그 이후부터 (⑤) 마다 안전검사를 실시한다, 단, 공정안전보고서를 제출하여 확인받은 압력용기는 (⑥)년마다 안전검사를 실시한다.

12. 양중기 와이어로프와 달기체인에 관한 다음 사항에서 ( )에 알맞은 내용을 쓰시오.

> 가) 화물의 하중을 직접 지지하는 달기와이어로프 또는 달기체인의 안전계수는 (①) 이상이어야 한다.
> 나) 와이어로프의 한 꼬임[스트랜드]에서 끊어진 소선의 수가 (②)퍼센트 이상인 것은 사용할 수 없다.
> 다) 지름의 감소가 공칭지름의 (③)퍼센트를 초과하는 와이어로프는 사용할 수 없다.
> 라) 달기 체인의 길이가 달기 체인이 제조된 때의 길이의 (④)퍼센트를 초과한 것은 사용할 수 없다.
> 마) 링의 단면지름이 달기 체인이 제조된 때의 해당 링의 지름의 (⑤)퍼센트를 초과하여 감소한 달기체인은 사용할 수 없다.

13. 공정안전보고서에 포함되어야 할 사항을 4가지 쓰고, 위험성평가를 실시할 때 따라야 할 절차를 순서대로 쓰시오.(단, 포함사항에서 그 밖에 공정상의 안전과 관련하여 고용노동부장관이 필요하다고 인정하여 고시하는 사항은 제외)

4 기계설비의 방호방법 등

1) 기계설비의 방호방법

① 격리식: 완전차단형, 덮개형, 안전방책　② 위치제한형: 양수조작식
③ 접근거부형: 수인식, 손쳐내기식　④ 접근반응형: 광전자식
⑤ 포집형: 연삭작업시 비산 칩 포집

2) 기계의 원동기, 회전축, 기어, 풀리, 플라이휠, 벨트 및 체인 등의 위험부위

① 덮개 ② 울 ③ 슬리브 ④ 건널다리

3) 인체 계측자료의 응용원칙

① 극단적인 사람을 위한 설계(극단치 설계) ② 조절 범위 ③ 평균치를 기준으로 한 설계

PART 03 산업재해대응

CHAPTER 01 산업재해원인 분석하기

1 중대재해 등

1) 중대재해의 종류 3가지

① 사망자가 1명 이상 발생한 재해　② 3개월 이상 요양 필요 부상자 동시 2명 이상
③ 부상자 또는 직업성 질병자 동시 10명 이상

암기법 1, 2, 3, 사, 부직10

2) 중대재해시 보고사항(지체없이)

① 발생 개요 및 피해 상황　② 조치 및 전망

3 작업환경 관리

1) 부품배치의 4원칙

① 중요성의 원칙 ② 사용빈도의 원칙 ③ 기능별 배치의 원칙 ④ 사용순서의 원칙

2) 실효(감각, 체감)온도에 영향을 주는 요인

① 온도 ② 습도 ③ 기류(공기의 유동)

3) 조도

$$조도(lux) = \frac{광도}{(거리)^2}$$

4) 작업장의 조도기준

초정밀 작업	정밀 작업	보통 작업	그 밖의 작업
750 럭스 이상	300 럭스 이상	150 럭스 이상	75 럭스 이상

5) 소음작업 기준

소음작업의 기준	**1일 8시간 기준 85dB 이상**
강렬한 소음작업	• 1일 **90dB 8시간** 이상 • 1일 95dB 4시간 이상 • 1일 100dB 2시간 이상 • 1일 105dB 1시간 이상 • 1일 110dB 30분 이상 • 1일 115dB 15분 이상

산업안전산업기사 실기 필답형 대비 모의고사 정답과 해설

제 1회 산업안전산업기사 실기(필답형) 모의고사 정답과 해설

01.

가) ① 프레스 ② 전단기 및 절곡기 ③ 크레인 ④ 리프트 ⑤ 압력용기
⑥ 롤러기 ⑦ 사출성형기 ⑧ 고소작업대 ⑨ 곤돌라

나) ① 아세틸렌 용접장치용 또는 가스집합 용접장치용 안전기 ② 교류 아크용접기용 자동전격방지기
③ 롤러기 급정지장치 ④ 연삭기 덮개
⑤ 목재 가공용 둥근톱 반발 예방장치와 날 접촉 예방장치 ⑥ 동력식 수동대패용 칼날 접촉 방지장치
⑦ 추락·낙하 및 붕괴 등의 위험 방지 및 보호에 필요한 가설기자재로서 고용노동부장관이 정하여 고시하는 것

02.

가) ① 꼬임이 끊어진 것 ② 심하게 손상되거나 부식된 것
③ 2개 이상의 작업용 섬유로프 또는 섬유벨트를 연결한 것 ④ 작업높이보다 길이가 짧은 것

나) ① 달비계에 구명줄을 설치할 것
② 근로자에게 안전대를 착용하도록 하고 근로자가 착용한 안전줄을 달비계의 구명줄에 체결하도록 할 것

03.

① 내압 방폭구조 : d ② 충전 방폭구조 : q ③ 본질안전 방폭구조 : i ④ 몰드 방폭구조 : m ⑤ 비점화 방폭구조 : n

04.

① 화기금지 ② 폭발성물질경고 ③ 부식성물질경고 ④ 고압전기경고 ⑤ 산화성물질경고

05.

① 발판재료의 손상여부 및 부착 또는 걸림상태 ② 당해 비계의 연결부 또는 접속부의 풀림상태
③ 연결재료 및 연결철물의 손상 또는 부식상태 ④ 손잡이의 탈락여부
⑤ 기둥의 침하·변형·변위 또는 흔들림 상태 ⑥ 로프의 부착상태 및 매단장치의 흔들림 상태

06.

① 로봇의 조작방법 및 순서
② 작업중의 매니퓰레이터의 속도
③ 2명 이상의 근로자에게 작업을 시킬 경우의 신호방법
④ 이상을 발견한 경우의 조치
⑤ 이상을 발견하여 로봇의 운전을 정지시킨 후 이를 재가동시킬 경우의 조치
⑥ 그 밖에 로봇의 예기치 못한 작동 또는 오조작에 의한 위험을 방지하기 위하여 필요한 조치

CHAPTER 03 기계위험 안전조건 분석하기

1 유해위험한 기계기구 등의 방호조치

1) 설치 대상 및 방호장치 (양도,대여,설치,사용,진열 할수 없음)

기계기구	방호장치
예초기	날 접촉 예방장치
원심기	회전체 접촉 예방장치
지게차	헤드가드, 백레스트, 전조등, 후미등, 안전벨트
금속절단기	날 접촉 예방장치
공기압축기	압력 방출장치
포장기계 (진공포장기, 래핑기로 한정)	구동부방호 연동장치

2 Fail safe와 Fool proof

1) Fail safe와 Fool proof 정의

① Fail safe : 인간 또는 기계의 과오나 동작상의 실수가 있더라도 다른부분의 고장이 발생하는 것을 방지하고 예방하기위해 2중 또는 3중으로 통제를 하여 안전측으로 작동하도록 설계하하는 방법
② Fool proof : 바보가 작동을 시켜도 안전하다는 뜻으로 인간의 실수가 있어도 안전장치가 설치되어 사고나 재해로 연결되지 않는 구조

2) Fail safe의 기능면에서의 분류

Fail-passive	부품이 고장났을 경우 기계는 **통상 정지하는 방향으로 이동**
Fail-active	부품이 고장났을 경우 기계는 경보를 울리는 가운데 짧은 시간 동안 운전가능
Fail-operational	부품에 고장이 있더라도 기계는 **추후 보수가 이뤄질 때까지** 안전한 기능유지 (병렬구조 등)

PART 02 기계작업공정 특성 분석

CHAPTER 01 안전관리상 고려사항 결정하기

1 인간-기계체계 및 휴먼에러

1) 인간-기계체계의 기본기능

① **감지**기능 ② **정보**보관기능 ③ 정보**처리** 및 의사**결정**기능 ④ **행동**기능

2) 휴먼에러(Swain) 독립행동에 의한(심리적) 분류

① Commission(착각수행) ② Omission(생략) - 부작위(누락) ③ Sequential(순서)
④ Time(시간) ⑤ Extraneous(불필요한 행동)

3) 휴먼에러 원인의 레벨적 분류

① Primary error : 작업자 ② Secondary error : 작업조건, 방법, 형태
③ Command error : 에너지 공급, 정보 등

CHAPTER 02 관련공정 특성 분석하기

1 욕조곡선

1) 고장률(욕조곡선)

① 초기고장 (DFR, 감소) : 작업시작 전 점검, 시운전. (디버깅기간, burn in 기간)
② 우발고장 (CFR, 일정) : 안전교육, 무재해 운동
③ 마모고장 (IFR, 증가) : 부품 고장 수리, 철저한 정비

07.
① 750
② 300
③ 150
④ 75

08.
① 산업안전 및 사고 예방에 관한 사항
② 산업보건 및 직업병 예방에 관한 사항
③ 위험성 평가에 관한 사항
④ 산업안전보건법령 및 산업재해보상보험 제도에 관한 사항
⑤ 직무스트레스 예방 및 관리에 관한 사항
⑥ 직장 내 괴롭힘, 고객의 폭언 등으로 인한 건강장해 예방 및 관리에 관한 사항
⑦ 기계·기구의 위험성과 작업의 순서 및 동선에 관한 사항
⑧ 작업 개시 전 점검에 관한 사항
⑨ 정리정돈 및 청소에 관한 사항
⑩ 사고 발생 시 긴급조치에 관한 사항
⑪ 물질안전보건자료에 관한 사항

09.
① 반응폭주등 급격한 압력상승의 우려가 있는 경우
② 급성독성물질의 누출로 인하여 주위의 작업환경을 오염시킬 우려가 있는 경우
③ 운전중 안전밸브에 이상 물질이 누적되어 안전밸브가 작동되지 아니할 우려가 있는 경우

10.
① 순간풍속이 초당 10미터를 초과하는 경우
② 순간풍속이 초당 15미터를 초과하는 경우
③ 순간풍속이 초당 30미터를 초과하는 바람이 불어올 우려가 있는 경우
④ 순간풍속이 초당 35미터를 초과하는 바람이 불어올 우려가 있는 경우

11.
① 유해·위험성 ② 구성성분의 명칭 및 함유량 ③ 폭발·화재시 대처방법
④ 누출사고시 대처방법 ⑤ 취급 및 저장방법 ⑥ 노출방지 및 개인보호구
⑦ 물리화학적 특성 ⑧ 안정성 및 반응성 ⑨ 환경에 미치는 영향
⑩ 폐기 시 주의사항 ⑪ 운송에 필요한 정보

12.

대상 기계·기구	방호 장치
① 예초기	날접촉예방장치
② 원심기	회전체 접촉 예방장치
③ 공기압축기	압력방출장치
④ 금속절단기	날접촉예방장치
⑤ 지게차	헤드가드, 백레스트, 전조등, 후미등, 안전벨트
⑥ 포장기계(진공포장기, 랩핑기로 한정)	구동부 방호 연동장치

13.

① 침하관계도에 따라 굴착방법 및 재하량 등을 정할 것
② 바닥으로부터 천장 또는 보까지의 높이는 1.8미터 이상으로 할 것

2) 무재해운동 중 무재해 인정 사고, 재해

① **출퇴근 도중**에 발생한 재해
② **제3자**의 행위에 의한 업무상 재해
③ 운동경기 등 각종 **행사 중** 발생한 재해
④ 업무상 질병에 대한 구체적인 인정기준 중 **뇌 혈관질환 또는 심장질환**에 의한 재해 등

3) 브레인스토밍의 4원칙

① 비판금지 ② 자유분방 ③ 대량발언 ④ 수정발언

암기법 비자대수

4) 문제해결 4라운드 진행법

① 현상파악 ② 본질추구 ③ 대책수립 ④ 목표설정

암기법 현본대목

2 재해예방 관련 이론

1) 재해예방대책 4원칙

① **손실우연** ② **예방가능** ③ **원인계기** ④ **대책선정**

2) 하인리히의 재해예방의 5단계(기본원리)

① **조직** ② **사실**의 발견 ③ 평가 및 **분석** ④ **시정책**의 **선정** ⑤ 시정책의 **적용**

3) 산업재해 발생시 조치내용 순서

① 재해발생 ② 긴급처리 (피재기계정지 및 피해확산방지, 응급조치, 통보, 2차재해방지, 현장보존)
③ 재해조사 ④ 원인강구 ⑤ 대책수립 ⑥ 대책 실시계획 ⑦ 실시 ⑧ 평가

4) 재해사례의 연구순서 5단계

① 재해상황의 파악 ② 사실의 확인 ③ 문제점 발견
④ 근본적 문제점의 결정 ⑤ 대책 수립

암기법 제사에 대한 문제는 근본적인 대책이 필요

4 산업안전보건위원회 및 안전보건관리규정

1) 산업안전보건위원회 심의의결사항

① 산업재해**예**방계획의 수립에 관한 사항
② 안전보건관리**규**정의 작성 및 변경에 관한 사항
③ 근로자의 안전, 보건**교**육에 관한 사항
④ 작업 **환**경 측정 등 작업 환경의 점검 및 개선
⑤ 근로자의 **건**강진단 등 건강관리에 관한 사항

암기법 예규교환건

2) 산업안전 보건위원회 구성위원

사용자	근로자
• 해당 사업의 대표자 • 안전관리자 1명 • 보건관리자 1명 • 산업보건의(선임되어 있는 경우) • 대표자가 지명하는 9명 이내 부서의 장	• 근로자 대표 • 근로자 대표가 지명하는 1명 이상의 명예산업안전감독관(위촉되어 있는 경우) • 근로자 대표가 지명하는 9명 이내 근로자(명예감독관이 지명되어 있는 경우 그 수를 제외)

3) 안전보건관리규정에 포함시켜야 할 사항

① 작업장 **안전** 및 **보건**관리에 관한 사항
② **사**고소사 및 **대**책수립에 관한 사항
③ 안전 및 보건에 관한 관리**조**직과 그 **직**무에 관한 사항
④ 안전보건**교육**에 관한 사항

암기법 작업장 안전보건에 관한 사대교육은 조직부터

CHAPTER 02 **산업재해예방계획 수립하기**

1 무재해운동 및 위험예지훈련

1) 무재해운동의 이념 3원칙

① 무의 원칙 ② 선취(안전제일)의 원칙 ③ 참가(참여)의 원칙

제 2회 산업안전산업기사 실기(필답형) 모의고사 정답과 해설

01

방폭구조의 표시
Ex d IIB T5

02

① 대상화학물질의 명칭(또는 제품명)
② 물리적 위험성 및 건강 유해성
③ 취급상의 주의사항
④ 적절한 보호구
⑤ 응급조치 요령 및 사고시 대처방법
⑥ 물질안전보건자료 및 경고표지를 이해하는 방법

03

① 도수율(빈도율 F.R) $=\dfrac{\text{재해건수}}{\text{연간총근로시간수}}\times 1{,}000{,}000=\dfrac{15}{(600\times48\times50)+(600\times100)}\times10^6=10$

② 강도율 $=\dfrac{\text{근로손실일수}}{\text{연간총근로시간수}}\times1{,}000=\dfrac{1{,}500\times\frac{300}{365}}{(600\times48\times50)+(600\times100)}\times1{,}000=0.82$

③ 종합재해지수 $=\sqrt{\text{도수율}\times\text{강도율}}=\sqrt{10\times0.82}=2.86$

④ 환산 도수율 $=\text{도수율}\times\dfrac{100000}{1000000}=10\times\dfrac{1}{10}=1$(건)

04

① 명칭 : 급정지장치
② 설치위치

종류	설치위치	비고
손조작식	밑면에서 1.8미터 이내	위치는 급정지장치의 조작부의 중심점을 기준
복부조작식	밑면에서 0.8미터 이상 1.1미터 이내	
무릎조작식	밑면에서 0.4미터 이상 0.6미터 이내	

③ 성능기준

앞면 롤러의 표면속도(m/min)	급정지거리
30 미만	앞면 롤러 원주의 1/3 이내
30 이상	앞면 롤러 원주의 1/2.5 이내

05.

① 지붕의 가장자리에 안전난간을 설치할 것
- 안전난간 설치가 곤란한 경우 추락방호망 설치
- 추락방호망 설치가 곤란한 경우 안전대 착용 등의 추락 위험 방지조치

② 채광창(skylight)에는 견고한 구조의 덮개를 설치할 것

③ 슬레이트 등 강도가 약한 재료로 덮은 지붕에는 폭 30센티미터 이상의 발판을 설치할 것

06.

가) 해당설비에 필요한 조치사항

① 확실한 방법으로 접지　② 도전성 재료사용

③ 70% 이상 가습　④ 점화원이 될 우려가 없는 제전장치 사용

나) 인체에 대전된 정전기의 위험방지

① 대전방지용 안전화 착용　② 제전복 착용

③ 정전기 제전용구 사용　④ 작업장 바닥 등에 도전성을 갖추도록 하는 등의 조치

07.

가) 사업의 종류

① 관계수급인에게 고용된 근로자를 포함한 상시근로자가 100명(선박 및 보트 건조업, 1차 금속 제조업 및 토사석 광업의 경우에는 50명) 이상인 사업

② 관계수급인의 공사금액을 포함한 해당 공사의 총공사금액이 20억원 이상인 건설업

나) 안전보건총괄책임자의 직무

① 위험성 평가의 실시에 관한 사항

② 산업재해가 발생할 급박한 위험이 있거나, 중대재해가 발생하였을 때에는 즉시 작업의 중지

③ 도급 시 산업재해 예방조치

④ 산업안전보건관리비의 관계수급인 간의 사용에 관한 협의·조정 및 그 집행의 감독

⑤ 안전인정대상기계 등과 자율안전확인대상기계 등의 사용 여부 확인

08.

① 매반기 6시간　② 매반기 12시간　③ 1개월　④ 4시간　⑤ 8시간　⑥ 2시간　⑦ 4시간

09.

① 웰포인트공법등으로 지하수위를 저하시킨다.

② 흙막이벽 근입도를 불투수층까지 증가시킨다.

③ 약액주입에 의해 지수벽 또는 지수층을 설치하여 침투류의 발생을 방지한다.

④ 터파기한 바닥을 밀실하게 다져(지반 개량) 지하수가 용출되지 않도록 하는 방법 등

5) 관리감독자 정기교육 내용

① 산업안전 및 사고 예방에 관한 사항
② 산업보건 및 직업병 예방에 관한 사항
③ 위험성평가에 관한 사항
④ 유해·위험 작업환경 관리에 관한 사항
⑤ 산업안전보건법령 및 산업재해보상보험 제도에 관한 사항
⑥ 직무스트레스 예방 및 관리에 관한 사항
⑦ 직장 내 괴롭힘, 고객의 폭언 등으로 인한 건강장해 예방 및 관리에 관한 사항
⑧ 작업공정의 유해·위험과 재해 예방대책에 관한 사항
⑨ 사업장 내 안전보건관리체제 및 안전·보건조치 현황에 관한 사항
⑩ 표준안전 작업방법 결정 및 지도·감독 요령에 관한 사항
⑪ 현장근로자와의 의사소통능력 및 강의능력 등 안전보건교육 능력 배양에 관한 사항
⑫ 비상시 또는 재해 발생 시 긴급조치에 관한 사항
⑬ 그 밖의 관리감독자의 직무에 관한 사항

6) 관리감독자 채용시 및 작업내용변경시 교육내용

① 산업안전 및 사고 예방에 관한 사항
② 산업보건 및 직업병 예방에 관한 사항
③ 위험성평가에 관한 사항
④ 산업안전보건법령 및 산업재해보상보험 제도에 관한 사항
⑤ 직무스트레스 예방 및 관리에 관한 사항
⑥ 직장 내 괴롭힘, 고객의 폭언 등으로 인한 건강장해 예방 및 관리에 관한 사항
⑦ 기계·기구의 위험성과 작업의 순서 및 동선에 관한 사항
⑧ 작업 개시 전 점검에 관한 사항
⑨ 물질안전보건자료에 관한 사항
⑩ 사업장 내 안전보건관리체제 및 안전·보건조치 현황에 관한 사항
⑪ 표준안전 작업방법 결정 및 지도·감독 요령에 관한 사항
⑫ 비상시 또는 재해 발생 시 긴급조치에 관한 사항
⑬ 그 밖의 관리감독자의 직무에 관한 사항

2) 관리감독자 안전보건교육

교육과정	교육시간
가. 정기교육	연간 16시간 이상
나. 채용시 교육	8시간 이상
다. 작업내용 변경시 교육	2시간 이상
라. 특별교육	16시간 이상 (최초 작업에 종사하기 전 4시간 이상하고, 12시간은 3개월 이내에서 분할 실시 가능) 단기간 작업 또는 간헐적 작업인 경우 2시간 이상

3) 근로자 정기교육 내용

① 산업안전 및 사고 예방에 관한 사항
② 산업보건 및 직업병 예방에 관한 사항
③ 위험성 평가에 관한 사항
④ 건강증진 및 질병 예방에 관한 사항
⑤ 유해·위험 작업환경 관리에 관한 사항
⑥ 산업안전보건법령 및 산업재해보상보험 제도에 관한 사항
⑦ 직무스트레스 예방 및 관리에 관한 사항
⑧ 직장 내 괴롭힘, 고객의 폭언 등으로 인한 건강장해 예방 및 관리에 관한 사항

4) 근로자 채용 시 및 작업 내용 변경 시 교육 내용

① 산업안전 및 사고 예방에 관한 사항
② 산업보건 및 직업병 예방에 관한 사항
③ 위험성 평가에 관한 사항
④ 산업안전보건법령 및 산업재해보상보험 제도에 관한 사항
⑤ 직무스트레스 예방 및 관리에 관한 사항
⑥ 직장 내 괴롭힘, 고객의 폭언 등으로 인한 건강장해 예방 및 관리에 관한 사항
⑦ 기계·기구의 위험성과 작업의 순서 및 동선에 관한 사항
⑧ 작업 개시 전 점검에 관한 사항
⑨ 정리정돈 및 청소에 관한 사항
⑩ 사고 발생 시 긴급조치에 관한 사항
⑪ 물질안전보건자료에 관한 사항

10.

① Fail-passive	부품이 고장났을 경우 통상기계는 정지하는 방향으로 이동(일반적인 산업기계)
② Fail-active	부품이 고장났을 경우 기계는 경보를 울리는 가운데 짧은 시간동안 운전 가능
③ Fail-operational	부품의 고장이 있더라도 기계는 추후 보수가 이루어질 때까지 안전한 기능 유지(병렬구조 등으로 되어 있으며 운전상 가장 선호하는 방법)

11.

① 풍속이 초당 10미터 이상인 경우
② 강우량이 시간당 1밀리미터 이상인 경우
③ 강설량이 시간당 1센티미터 이상인 경우

12.

① 공간 양립성 : 가스버너에서 오른쪽 조리대는 조절장치를 오른쪽에, 왼쪽 조리대는 조절장치를 왼쪽에 설치한다(표시장치나 조정장치에서 물리적 형태 및 공간적 배치)

② 운동 양립성 : 표시장치의 움직이는 방향과 조정장치의 방향이 사용자의 기대와 일치하게 하는 것으로 표시장치의 움직임이 오른쪽으로 움직인다면 조절장치도 오른쪽으로 움직이게 하여 같은 방향이 되게한다.

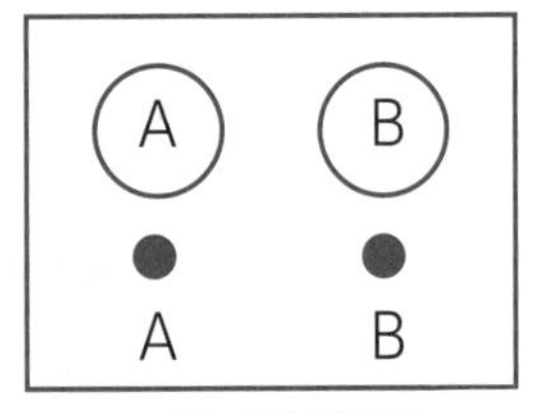

▲ 공간적 양립성

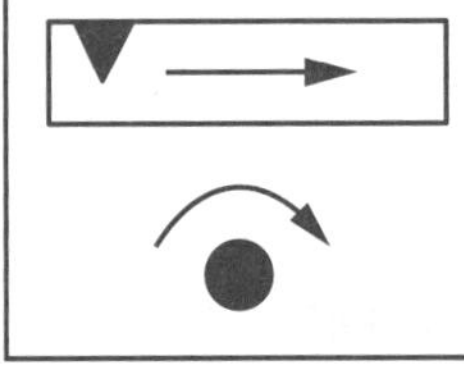
▲ 운동 양립성

13.

① 갱폼(gang form)
② 슬립폼(slip form)
③ 클라이밍폼(climbing form)
④ 터널 라이닝폼(tunnel lining form)
⑤ 그 밖에 거푸집과 작업발판이 일체로 제작된 거푸집 등

제 3회 산업안전산업기사 실기(필답형) 모의고사 정답과 해설

01.

① 산업재해율이 같은 업종 평균 산업재해율의 2배 이상인 사업장
② 사업주가 필요한 안전조치 또는 보건조치를 이행하지 아니하여 중대재해가 발생한 사업장
③ 직업성 질병자가 연간 2명 이상(상시근로자 1천명 이상 사업장의 경우 3명 이상) 발생한 사업장
④ 그 밖에 작업환경 불량, 화재·폭발 또는 누출 사고 등으로 사업장 주변까지 피해가 확산된 사업장으로서 고용노동부령으로 정하는 사업장

02.

① WD = 0.85W + 0.15D ② 옥스퍼드(Oxford) 지수 = (0.85 × 20) + (0.15 × 30) = 21.5

03.

① 물체의 특성 ② 물체의 표면상태 ③ 물체의 이력 ④ 접촉면적 및 압력 ⑤ 분리 속도 ⑥ 완화시간

04.

① 사망만인율 $= \frac{\text{사망자수}}{\text{산재보험적용근로자수}} \times 10000 = \frac{6}{22000} \times 10000 = 2.73(\%)$

② 사망자 수에 포함되지 않는 경우 : 사업장 밖의 교통사고(운수업, 음식숙박업은 사업장 밖의 교통사고도 포함)·체육행사·폭력행위·통상의 출퇴근에 의한 사망, 사고발생일로부터 1년을 경과하여 사망한 경우

05.

가) 파괴원인
① 숫돌의 회전 속도가 너무 빠를 때 ② 숫돌 자체에 균열이 있을 때 ③ 숫돌에 과대한 충격을 가할 때
④ 숫돌의 측면을 사용하여 작업할 때 ⑤ 플랜지가 현저히 작을 때 ⑥ 숫돌 반경 방향의 온도 변화가 심할 때
⑦ 숫돌의 치수가 부적당할 때 ⑧ 작업에 부적당한 숫돌을 사용할 때
⑨ 숫돌의 불균형이나 베어링 마모에 의한 진동이 있을 때

나) 덮개 각도
① 125° 이내 ② 60° 이상 ③ 180° 이내 ④ 15° 이상

2) 학습이론 파브로브 조건반사설

① 일관성 ② 강도 ③ 시간 ④ 계속성

암기법 개강일시

3) 안전교육의 3단계

① 지식교육 ② 기능교육 ③ 태도교육

3 근로자 정기안전 보건교육

1) 근로자 안전보건교육의 종류

교육과정	교육대상		교육시간
가. 정기교육	사무직 종사 근로자		매반기 6시간 이상
	그 밖의 근로자	판매업무에 직접 종사하는 근로자	매반기 6시간 이상
		판매업무에 직접 종사하는 근로자 외의 근로자	매반기 12시간 이상
나. 채용 시 교육	일용근로자 및 근로계약기간이 1주일 이하인 기간제근로자		1시간 이상
	근로계약기간이 1주일 초과 1개월 이하인 기간제근로자		4시간 이상
	그 밖의 근로자		8시간 이상
다. 작업내용 변경 시 교육	일용근로자 및 근로계약기간이 1주일 이하인 기간제근로자		1시간 이상
	그 밖의 근로자		2시간 이상
라. 특별교육	일용근로자 및 근로계약기간이 1주일 이하인 기간제근로자 : 특별교육 대상 작업별 교육에 해당하는 작업 종사 근로자	타워크레인 작업시 신호업무 작업에 종사하는 근로자 제외	2시간 이상
		타워크레인 작업시 신호업무 작업에 종사하는 근로자에 한정	8시간 이상
	일용근로자 및 근로계약기간이 1주일 이하인 기간제근로자를 제외한 근로자: 특별교육 대상 작업별 교육에 해당하는 작업 종사 근로자에 한정		-16시간 이상 (분할하여 실시가능) -단기간 작업 또는 간헐적 작업인 경우에는 2시간 이상
마. 건설업 기초안전·보건교육	건설 일용근로자		4시간 이상

PART 01 산업안전관리 계획수립

CHAPTER 01 산업안전계획 수립하기

1 안전보건 개선계획

1) 안전보건개선계획 수립 대상 사업장

① **산업**재해율이 같은 업종의 규모별 **평균** 산업**재**해율보다 **높은** 사업장
② 사업주가 **안전**조치 또는 보건조치를 이행하지 아니하여 **중대재해**가 발생한 사업장
③ **직**업성질병자가 연간 **2**명 이상 발생한 사업장
④ **유해인자**의 노출기준을 초과한 사업장

암기법 산평재가 높은 안전중대는 유해인자를 직투한다.

2) 안전보건개선계획에 포함되어야 할 사항

① 안전보건교육
② 안전보건관리체제
③ 산업재해예방 및 작업 환경 개선에 필요한 사항
④ 시설

암기법 교관개시

3) 안전보건진단을 받아 개선계획을 수립해야하는 대상사업장

① 사업주가 **안전**조치 또는 보건조치를 이행하지 아니하여 **중대재해**가 발생한 사업장
② 산업재해율이 같은 업종 평균 **산업재해율의 2배** 이상인 사업장
③ **직업성질병자**가 연간 **2명** 이상(상시 근로자 1천 명 이상 사업장의 경우 3명 이상)발생한 사업장
④ 그 밖에 작업환경 불량, 화재, 폭발 또는 누출사고 등으로 **사업장 주변까지 피해가 확산**된 사업장으로서 고용노동부령으로 정하는 사업장

암기법 중대재해, 재해율 2배, 사물, 직투. 사업장주변 피해확산

2 안전교육 관련

1) 안전교육의 지도 원칙에 해당하는 8원칙

① 피교육자 중심(**상대방** 입장에서)
② **동기부여**를 중요하게
③ **쉬운** 부분에서 어려운 부분으로 진행
④ **반복** 습관화
⑤ 한 번에 **한 가지**
⑥ **인상** 강화
⑦ **오관** 활용
⑧ **기능적인** 이해

06.

가) 건설공사의 종류
① 연면적 5천제곱미터 이상인 냉동·냉장 창고시설의 설비공사 및 단열공사
② 최대 지간길이(다리의 기둥과 기둥의 중심사이의 거리)가 50미터 이상인 다리의 건설등 공사
③ 터널의 건설등 공사
④ 다목적댐, 발전용댐, 저수용량 2천만톤 이상의 용수 전용 댐 및 지방상수도 전용 댐의 건설등 공사
⑤ 깊이 10미터 이상인 굴착공사
⑥ 다음의 어느 하나에 해당하는 건축물 또는 시설 등의 건설·개조 또는 해체(건설등) 공사
가. 지상높이가 31미터 이상인 건축물 또는 인공구조물
나. 연면적 3만제곱미터 이상인 건축물
다. 연면적 5천제곱미터 이상인 시설로서 다음의 어느 하나에 해당하는 시설
㉠ 문화 및 집회시설(전시장 및 동물원·식물원은 제외)
㉡ 판매시설, 운수시설(고속철도의 역사 및 집배송시설은 제외)
㉢ 종교시설
㉣ 의료시설 중 종합병원
㉤ 숙박시설 중 관광숙박시설
㉥ 지하도상가
㉦ 냉동·냉장 창고시설

나) 첨부서류
① 공사 개요서
② 공사현장의 주변 현황 및 주변과의 관계를 나타내는 도면(매설물 현황을 포함)
③ 전체 공정표
④ 산업안전보건관리비 사용계획서
⑤ 안전관리 조직표
⑥ 재해 발생 위험 시 연락 및 대피방법

07.

① 방호장치명 : 자동전격 방지기
② 성능기준 : 아크발생을 중지하였을 때 지동시간이 1.0초 이내에 2차 무부하 전압을 25V 이하로 감압시켜 안전을 유지할 수 있어야 한다.

tip
① 시동시간 : 용접봉을 피용접물에 접촉시켜서 전격방지기의 주접점이 폐로될 때까지의 시간
② 지동시간 : 용접봉 홀더에 용접기 출력측의 무부하전압이 발생한 후 주접점이 개방될 때까지의 시간

08.

① 산업안전 및 사고 예방에 관한 사항
② 위험성평가에 관한 사항
③ 산업보건 및 직업병 예방에 관한 사항
④ 유해·위험 작업환경 관리에 관한 사항
⑤ 산업안전보건법령 및 산업재해보상보험 제도에 관한 사항
⑥ 직무스트레스 예방 및 관리에 관한 사항
⑦ 직장 내 괴롭힘, 고객의 폭언 등으로 인한 건강장해 예방 및 관리에 관한 사항
⑧ 작업공정의 유해·위험과 재해 예방대책에 관한 사항
⑨ 사업장 내 안전보건관리체제 및 안전·보건조치 현황에 관한 사항
⑩ 표준안전 작업방법 결정 및 지도·감독 요령에 관한 사항
⑪ 현장근로자와의 의사소통능력 및 강의능력 등 안전보건교육 능력 배양에 관한 사항
⑫ 비상시 또는 재해 발생 시 긴급조치에 관한 사항

09.

① 15 ② 안전난간 ③ 10 ④ 15 ⑤ 75 ⑥ 5

10.

① 작업준비 및 작업절차에 관한 사항
② 작업장 내 위험물, 가연물의 사용·보관·설치 현황에 관한 사항
③ 화재위험작업에 따른 인근 인화성 액체에 대한 방호조치에 관한 사항
④ 화재위험작업으로 인한 불꽃, 불티 등의 흩날림 방지조치에 관한 사항
⑤ 인화성 액체의 증기가 남아 있지 않도록 환기 등의 조치에 관한 사항
⑥ 화재감시자의 직무 및 피난교육 등 비상조치에 관한 사항

11.

① 3년 ② 2년 ③ 6개월 ④ 3년 ⑤ 2년 ⑥ 4년

12.

① 5 ② 10 ③ 7 ④ 5 ⑤ 10

13.

가) 포함 되어야할 사항
① 공정안전자료 ② 공정위험성 평가서 ③ 안전운전계획 ④ 비상조치계획

나) 위험성평가 절차
① 사전준비 ② 유해·위험요인 파악 ③ 위험성 결정
④ 위험성 감소대책 수립 및 실행 ⑤ 위험성평가 실시내용 및 결과에 관한 기록 및 보존

산업안전 산업기사 실기

최종점검 핵심요약집

Memo

2025 박문각
산업안전산업기사 실기 부록

2024 고객선호브랜드지수 1위
교육(교육서비스)부문

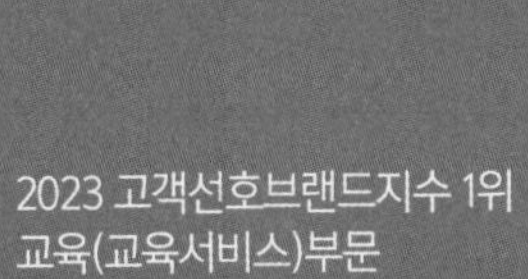
2023 고객선호브랜드지수 1위
교육(교육서비스)부문

2022 한국 브랜드 만족지수 1위
교육(교육서비스)부문 1위

2021 대한민국 소비자 선호도 1위
교육부문 1위

2020 한국 산업의 1등
브랜드 대상 수상

2019 한국 우수브랜드
평가대상 수상

2018 대한민국 교육산업 대상
교육서비스 부문 수상

펴낸곳 (주)박문각출판 **발행인** 박용 **출판총괄** 김세라
개발책임 이성준 **책임편집** 윤혜진
주소 06654 서울시 서초구 효령로 283 서경B/D 5층
등록번호 제2019-000137호

박문각

박문각 취밥러 시리즈

산업안전 산업기사

실기 부록

취업에서 밥벌이까지 N잡러를 위한 합격서

최종점검
핵심요약집

해당 암기법과 모의고사는 본 교재에 대한 부록이며,
별도 판매가 불가능 합니다.